C0-AZX-615

Die schönsten Novellen schwäbischer Dichter

Die schönsten Novellen schwäbischer Dichter

Von Wilhelm Hauff, Hermann Hesse, Hermann und
Isolde Kurz, Eduard Mörike,
Friedrich Schiller, Carl Weitbrecht

Mit vielen alten Illustrationen

Herausgegeben von Diethard H. Klein

Stieglitz-Verlag · E. Händle · Mühlacker

Konzeption: Bücher-GmbH, Bayreuth
Redaktion: Dr. Teresa Müller, Tübingen
Schutzumschlag: HF Ottmann, Leonberg

Erläuterungen heute nicht mehr gebräuchlicher Wörter
finden Sie am Schluß des Buches.

ISBN 3-7987-0197-0

Gesamtherstellung: Wiener Verlag

Vorwort

Die hier gesammelten Novellen und Erzählungen stammen alle von württembergischen Autoren, und die erste davon erschien bereits vor fast zweihundert Jahren, ohne daß sie seither an Spannung oder Ausstrahlungskraft verloren hätte: Schillers 1789 erstmals gedruckte Erzählung „Spiel des Schicksals“, die tatsächlich eine wahre Geschichte ist: hinter der Hauptfigur verbirgt sich Schillers Taufpate Oberst Rieger, Kommandant auf dem Hohenasperg.

Einer der weiteren Autoren, nämlich Mörike, tritt dann neben Hölderlin und Waiblinger selbst auf im Beitrag unseres Zeitgenossen Hermann Hesse (1877–1962) zu diesem Band unter dem Titel „Im Presselschen Gartenhaus“, in dem das berühmte evangelische Stift in Tübingen eine Rolle spielt. Schüler eben dieses Stifts waren nicht weniger als vier der hier versammelten Verfasser: der so jung verstorbene Wilhelm Hauff (1802–1827) mit seinem romantischen „Othello“ um geheimnisvolle Todesfälle, die sich an die Aufführungen dieses Stückes knüpfen, und die tragisch endende Liebesbeziehung zwischen der Tochter eines regierenden Herzogs und einem polnischen Grafen, ehedem napoleonischer Offizier; Eduard Mörike mit seiner wohl spannendsten und dramatischsten Novelle überhaupt, die eine Liebesgeschichte und einen Kriminalfall eng verknüpfende „Lucie Gelmeroth“;

Hermann Kurz aus Reutlingen (1813–1873), der uns lächelnd die manchmal etwas verschlungenen Pfade verfolgen läßt, auf denen früher junge Liebende aus bürgerlichen Kreisen zueinanderfanden; und der Pfarrerssohn, spätere Redakteur des „Neuen Deutschen Familienblatts" und Literaturprofessor Carl Weitbrecht aus Neu-Hengstett bei Calw, der wie sein Bruder Richard auch als Mundartdichter hervortrat, hier aber eine schriftdeutsche Ehegeschichte beisteuert, in der ganz dicht und mit feiner Ironie die Atmosphäre des damaligen Bildungsbürgertums dargestellt wird.

Die Tochter von Hermann Kurz, die über neunzigjährig erst 1944 in Tübingen verstorbene Isolde Kurz (1853–1944), führt uns schließlich über die Grenzen hinaus, ganz typisch für ihr Schaffen nach Italien – in das von großen Künstlern und bedeutenden Denkern geprägte Florenz der Medici zum einen, an eine von nördlichen Gästen bevorzugte Küste zum anderen, an der sich die bittersüß-melancholische Liebesgeschichte zwischen einem todgeweihten jungen italienischen Adeligen und einem deutschen Mädchen zur kurzen Blüte entfaltet.

Worum ging es uns nun bei dieser Auswahl? Sicher nicht vordergründig nur darum, regionalpatriotisch die literarischen Leistungen württembergischer Autoren hervorzuheben. Wir sind jedoch der Meinung, daß sowohl diese eher etwas weniger geläufigen Erzählungen der schwäbischen Klassiker als auch die Novellen Weitbrechts und der beiden Kurz, die sozusagen verschüttet wurden von all dem vielen, was seit ihrer Erstveröffentlichung neu geschrieben wurde, es wert sind, dem heutigen Leser wieder nahegebracht zu werden. Sie stehen weder in der Spannung noch in der Kunst der Menschen- und Schicksalsdarstellung neuerer Literatur nach und weil sie uns Heutigen, die wir doch mehr und mehr wieder wissen wollen, wie das eigentlich wirklich war zu dieser oder jener Epoche, sehr unmittelbar und lebendig ein Bild ihrer Entstehungszeit oder jener Epoche geben, in der sie spielen bzw. von der sie geprägt wurden.

Zur jeweiligen Zeitstimmung tragen sicher auch die vielen ergänzenden Illustrationen bei, die wir teils aus dem Schaffen zeitgenössischer Zeichner passend zu den jeweiligen Szenen auswählten, zum Teil aber auch direkt frühen Veröffentlichungen der entsprechenden Werke selbst entnehmen konnten.

Zum besseren Verständnis werden weniger geläufige Wendungen oder aus der Mode gekommene Fremdwörter in den Texten erläutert, die im übrigen bewußt nur insoweit heutigem Sprachgebrauch angeglichen wurden, als dies nicht zu Lasten des Zeitkolorits oder der persönlichen Ausdrucksweise der Verfasser ging, zu denen sich übrigens biographische Stichworte am Schluß des Bandes finden.

Alles in allem meinen wir, daß mit dieser Sammlung von Novellen und Erzählungen ein unter mancherlei Aspekten lesenswerter Band zustandekam; eine freundliche Aufnahme erhoffen sich dafür *Herausgeber und Verlag*

DER SPAZIERGANG

Ihr Wälder schön an der Seite,
Am grünen Abhang gemalt,
Wo ich umher mich leite,
Durch süße Ruhe bezahlt
Für jeden Stachel im Herzen,
Wenn dunkel mir ist der Sinn,
Den Kunst und Sinnen hat Schmerzen
Gekostet von Anbeginn.
Ihr lieblichen Bilder im Tale,
Zum Beispiel Gärten und Baum,
Und dann der Steg, der schmale,
Der Bach zu sehen kaum,
Wie schön aus heiterer Ferne
Glänzt einem das herrliche Bild
Der Landschaft, die ich gerne
Besuch in Witterung mild.
Die Gottheit freundlich geleitet
Uns erstlich mit Blau,
Hernach mit Wolken bereitet,
Gebildet wölbig und grau,
Mit sengenden Blitzen und Rollen
Des Donners, mit Reiz des Gefilds,
Mit Schönheit, die gequollen
Vom Quell ursprünglichen Bilds.

Wilhelm Hauff

Othello

Wie? Wann? und Wo? Die Götter bleiben stumm!
Du halte dich ans Weil, und frage nicht Warum?
Goethe

Das Theater war gedrängt voll, ein neu angeworbener Sänger gab den Don Juan. Das Parterre wogte, von oben gesehen, wie die unruhige See, und die Federn und Schleier der Damen tauchten wie schimmernde Fische aus den dunklen Massen. Die Ranglogen waren reicher als je, denn mit dem Anfang der Wintersaison war eine kleine Trauer eingefallen, und heute zum erstenmal drangen wieder die schimmernden Farben der reichen Turbans, der wehenden Büsche, der bunten Schals an das Licht hervor. Wie glänzend sich aber auch der reiche Kranz von Damen um das Amphitheater zog, das Diadem dieses Kreises schien ein herrliches, liebliches Bild zu sein, das aus der fürstlichen Loge freundlich und hold die Welt um und unter sich überschaute. Man war versucht zu wünschen, dieses schöne Kind möchte nicht so hoch geboren sein, denn diese frische Farbe, diese heitere Stirne, diese kindlich reinen, milden Augen, dieser holde Mund war zur Liebe, nicht zur Verehrung aus der Ferne geschaffen. Und wunderbar, wie wenn Prinzessin Sophie diesen frevelhaften Gedanken geahnt hätte – auch ihr Anzug entsprach diesem Bilde einfacher natürlicher Schönheit –, sie schien jeden Schmuck, den die Kunst verleiht, dem stolzen Damenkreis überlassen zu haben.

„Sehen Sie, wie lebendig, wie heiter sie ist", sprach in einer der ersten Ranglogen ein fremder Herr zu dem russischen Gesandten, der neben ihm stand, und beschaute die Prinzessin durch das Opernglas. „Wenn sie lächelt, wenn sie das sprechende Auge ein klein wenig zudrückt und dann mit unbeschreiblichem Reiz wieder aufschlägt, wenn sie mit der kleinen niedlichen Hand dazu agiert – man sollte glauben, aus so weiter Ferne ihre witzigen Reden, ihre naiven Fragen vernehmen zu können."

„Es ist erstaunlich!" entgegnete der Gesandte.

„Und dennoch sollte dieser Himmel von Freudigkeit nur Maske sein? Sie sollte fühlen, schmerzlich fühlen, sie sollte unglücklich lieben und doch so blühend, so heiter sein? Gnädige Frau", wandte sich der Fremde zu der Gemahlin des Gesandten, „gestehen Sie, Sie wollen mich mystifizieren, weil ich einiges Interesse an diesem Götterkinde genommen habe."

„Mon Dieu! Baron", sagte diese, mit dem Kopfe wackelnd. „Sie glauben es noch immer nicht? Auf Ehre, es ist wahr, wie ich Ihnen sagte; sie liebt, sie liebt unter ihrem Stande, ich weiß es von einer Dame, der nichts dergleichen entgeht. Und wie? Meinen Sie, eine Prinzeß, die von Jugend auf zur Repräsentation erzogen ist, werde nicht Tournure genug haben, um ein so unschickliches Verhältnis den Augen der Welt zu verbergen?"

„Ich kann es nicht begreifen", flüsterte der Fremde, indem er wieder sinnend nach ihr hinsah, „ich kann es nicht fassen; diese Heiterkeit, dieser beinahe mutwillige Scherz – und stille, unglückliche Liebe? Gnädige Frau, ich kann es nicht begreifen!" – „Ja, warum soll sie denn nicht munter sein, Baron? Sie ahnt wohl nicht, daß jemand etwas von ihrer meschanten Aufführung weiß, der Amoroso ist in der Nähe –"

„Ist in der Nähe? O bitte, Madame! Zeigen Sie mir den Glücklichen! Wer ist er?"

„Was verlangen Sie! Das wäre ja gegen alle Diskretion, die ich der Oberhofmarschallin schuldig bin; mein Freund, daraus wird nichts. Sie können zwar in Warschau wiedererzählen, was Sie hier gesehen und gehört haben, aber Namen? Nein, Namen zu nennen in solchen Affären ist sehr unschicklich; mein Mann kann dergleichen nicht leiden."

Die Ouvertüre war ihrem Ende nahe, die Töne brausten stärker aus dem Orchester herauf, die Blikke der Zuschauer waren fest auf den Vorhang gerichtet, um den neuen Don Juan bald zu sehen, doch der Fremde in der Loge der russischen Gesandtschaft hatte kein Ohr für Mozarts Töne, kein Auge für das Stück; er sah nur das liebliche, herrliche Kind, das ihm um so interessanter war, als diese schönen Augen, diese süßen, freundlichen Lippen heimliche Liebe kennen sollten. Ihre Umgebungen, einige ältere und jüngere Damen, hatten zu sprechen aufgehört; sie lauschten auf die Musik; Sophies Augen glitten durch das gefüllte Haus; sie schienen etwas zu vermissen, zu suchen. „Ob sie wohl nach dem Geliebten ihre Blicke aussendet?" dachte der Fremde. „Ob sie die Reihen mustert, ihn zu sehen, ihn mit einem verstohlenen Lächeln, mit einem leisen Beugen des Hauptes, mit einem jener tausend Zeichen zu begrüßen, welche stille Liebe erfindet, womit sie ihre Lieblinge beglückt, bezaubert?" Eine schnelle, leichte Röte flog jetzt über Sophiens Züge, sie rückte den Stuhl mehr seitwärts, sie sah einigemal nach der Türe ihrer Loge; die Türe ging auf, ein großer, schöner junger Mann trat ein und näherte sich einer der älteren Damen; es war die Herzogin F., die Mutter der Prinzessin. Sophie spielte gleichgültig mit der Brille, die sie in der Hand hielt; aber der Fremde war Kenner genug, um in ihrem Auge zu lesen, daß dieser und kein anderer der Glückliche sei.

Noch konnte er sein Gesicht nicht sehen; aber die Gestalt, die Bewegungen des jungen Mannes hatten etwas Bekanntes für ihn. Die Fürstin zog ihre Tochter ins Gespräch, sie blickte freundlich auf, sie schien etwas Pikantes erwidert zu haben, denn

die Mutter lächelte, der junge Mann wandte sich um und – „Mein Gott! Graf Zronievsky!“ rief der Fremde so laut, so ängstlich, daß der Gesandte an seiner Seite heftig erschrak und seine Gemahlin den Gast krampfhaft an der Hand faßte und neben sich auf den Stuhl niederriß.

„Um Himmels willen, was machen Sie für Skandal!“ rief die erzürnte Dame. „Die Leute schauen rechts und links nach uns her; wer wird denn so mörderisch schreien? Es ist nur gut, daß sie da unten gerade ebenso mörderisch gegeigt und trompetet haben, sonst hätte jedermann Ihren Zronievsky hören müssen. Was wollen Sie nur von dem Grafen? Sie wissen ja doch, daß wir vermeiden, ihn zu kennen!“

„Kein Wort weiß ich“, erwiderte der Fremde; „wie kann ich auch wissen, wen Sie kennen und wen nicht, da ich erst seit drei Stunden hier bin? Warum vermeiden Sie es, ihn zu sehen?“ – „Nun, seine Verhältnisse zu unserer Regierung können Ihnen nicht unbekannt sein“, sprach der Gesandte. „Er ist verwiesen, und es ist mir höchst fatal, daß er gerade hier und immer nur hier sein will. Er hat sich unverschämterweise bei Hofe präsentieren lassen, und so sehe ich ihn auf jeden Schritt und Tritt; und doch wollen es die Verhältnisse, daß ich ihn ignoriere. Überdies macht mir der fatale Mensch sonst noch genug zu schaffen; man will höheren Orts wissen, wovon er lebe und so glänzend lebe, da doch seine Güter konfisziert sind, und ich weiß es nicht herauszubringen. Sie kennen ihn, Baron?“

Der Fremde hatte diese Reden nur halb gehört; er sah unverwandt nach der fürstlichen Loge, er sah, wie Zronievsky mit der Fürstin und den andern Damen sprach, wie nur sein feuriges Auge hin und wieder zu Sophie hingleitete, wie sie begierig diesen Strahl auffing und zurückgab. Der Vorhang flog auf; der Graf trat zurück und verschwand aus der Loge; Leporello hub seine Klagen an.

„Sie kennen ihn, Baron?“ flüsterte der Gesandte. „Wissen Sie mir Näheres über seine Verhältnisse –“

„Ich habe mit ihm unter den polnischen Lanciers gedient.“

„Ist es wahr, er hat in der französischen Armee gedient; sahen Sie sich oft? Kennen Sie seine Ressourcen?“

„Ich habe ihn nur gesehen“, warf der Fremde leicht hin, „wenn es der Dienst mit sich brachte; ich weiß nichts von ihm, als daß er ein braver Soldat und ein sehr unterrichteter Offizier ist.“

Der Gesandte schwieg; sei es, daß er diesen Worten glaubte, sei es, daß er zu vorsichtig war, seinem Gast durch weitere Fragen Mißtrauen zu zeigen. Auch der Fremde bezeigte keine Lust, das Gespräch weiter fortzusetzen; die Oper schien ihn ganz in Anspruch zu nehmen; und dennoch war es ein ganz anderer Gegenstand, der seine Seele unablässig beschäftigte. „Also hierher hat dich dein unglückliches Geschick endlich getrieben?“ sagte er zu sich. „Armer Zronievsky! Als Knabe wolltest du dem Kosciusko helfen und dein Vaterland befreien; Freiheit und Kosciusko sind verklungen und verschwunden! Als Jüngling warst du für den Ruhm der Waffen, für die Ehre der Adler, denen du folgtest, begeistert; man hat sie zerschlagen. Du hattest dein Herz so lange vor Liebe bewahrt, sie findet dich endlich als Mann, und siehe – die Geliebte steht so furchtbar hoch, daß du vergessen oder untergehen mußt!“ Das Geschick seines

Freundes, denn dies war ihm Graf Zronievsky gewesen, stimmte den Fremden ernst und trübe; er versank in jenes Hinbrüten, das die Welt und alle ihre Verhältnisse vergißt, und der Gesandte mußte ihn, als der erste Akt der Oper zu Ende war, durch mehrere Fragen aus seinem Sinnen aufwecken, das nicht einmal durch das Klatschen und Bravorufen des Parterres unterbrochen worden war.

„Die Herzogin hat nach Ihnen gefragt", sagte der Gesandte. „Sie behauptet, Ihre Familie zu kennen; kommen Sie, wischen Sie diesen Ernst, diese Melancholie von Ihrer Stirne! Ich will Sie in die Loge führen und präsentieren."

Der Fremde errötete; sein Herz pochte, er wußte selbst nicht, warum; erst als er den Korridor mit dem Gesandten hinging, als er sich der fürstlichen Loge näherte, fühlte er, daß es die Freude sei, was sein Blut in Bewegung brachte, die Freude, jenem lieblichen Wesen nahe zu sein, dessen stille Liebe ihn so sehr anzog.

Die Herzogin empfing den Fremden mit ausgezeichneter Güte. Sie selbst präsentierte ihn der Prinzessin Sophie, und der Name Larun schien in den Ohren des schönen Kindes bekannt zu klingen; sie errötete flüchtig und sagte, sie glaube gehört zu haben, daß er früher in der französischen Armee diente. Es war dem Baron nur zu gewiß, daß ihr niemand anders als Zronievsky dies gesagt haben konnte; es war ihm um so gewisser, als ihr Auge mit einer gewissen Teilnahme auf ihm wie auf einem Bekannten ruhte, als sie gerne die Rede an ihn zu richten schien.

„Sie sind fremd hier“, sagte die Herzogin, „Sie sind keinen Tag in diesen Mauern, Sie können also noch von niemand bestochen sein. Ich fordere Sie auf, seien Sie Schiedsrichter; kann es nicht in der Natur geheimnisvolle Kräfte geben, die – die, wie soll ich mich nur ausdrücken, die, wenn wir sie frevelhaft hervorrufen, uns Unheil bringen können?“

„Sie sind nicht unparteiisch, Mutter!“ rief die Prinzessin lebhaft. „Sie haben schon durch Ihre Frage, wie Sie sie stellten, die Sinne des Barons gefangengenommen. Sagen Sie einmal, wenn zufällig im Zwischenraum von vielen Jahren von einem Hause nach und nach sechs Dachziegel gefallen wären und einige Leute getötet hätten, würden Sie nicht mehr an diesem Hause vorübergehen?“

„Warum nicht? Es müßten nur in diesen Ziegeln geheimnisvolle Kräfte liegen, welche –“

„Wie mutwillig!“ unterbrach ihn die Herzogin. „Sie wollen mich mit meinen geheimnisvollen Kräften nach Hause schicken; aber nur Geduld! Das Gleichnis, das Sophie vorbrachte, paßt doch nicht ganz –“

„Nun, wir wollen gleich sehen, wem der Baron recht gibt“, rief jene; „die Sache ist so: Wir haben hier eine sehr hübsche Oper, man gibt alles Mögliche, Altes und Neues durcheinander, nur eines nicht, die schönste, herrlichste Oper, die ich kenne; auf fremdem Boden mußte ich sie zum erstenmal hören; das erste, was ich tat, als ich hierher kam, war, daß ich bat, man möchte sie hier geben, und nie wird mir mein Wunsch erfüllt! Und nicht etwa, weil sie zu schwer ist – sie geben schwerere Stücke – nein, der Grund ist eigentlich lächerlich."

„Und wie heißt die Oper?" fragte der Fremde.

„Es ist Othello!"

„Othello? Gewiß ein herrliches Kunstwerk; auch mich spricht selten eine Musik so an wie diese, und ich fühle mich auf lange Tage feierlich, ich möchte sagen heilig bewegt, wenn ich Desdemonas Schwanengesang zur Harfe singen gehört habe."

„Hören Sie es? Er kommt von Petersburg, von Warschau, von Berlin, Gott weiß woher – ich habe ihn nie gesehen, und dennoch schätzt er Othello so hoch. Wir müssen ihn einmal wieder sehen. Und warum soll er nicht wieder gegeben werden? Wegen eines Märchens, das heutzutage niemand mehr glaubt."

„Freveln Sie nicht", rief die Fürstin, „es sind mir Tatsachen bekannt, die mich schaudern machen, wenn ich nur daran denke; doch wir sprechen unserem Schiedsrichter in Rätseln; stellen Sie sich einmal vor, ob es nicht schrecklich wäre, wenn es jedesmal, sooft Othello gegeben würde, brennen würde."

„Auch wieder ein Gleichnis", fiel Sophie ein; „doch ist es noch viel toller, das Märchen selbst."

„Nein, es soll einmal brennen", fuhr die Mutter fort. „Othello wurde zuerst als Drama nach Shakespeare gegeben, schon vor fünfzig Jahren; die Sage ging, man weiß nicht, woher und warum, daß, so oft Othello gegeben wurde, ein gewisses Evenement erfolgte; nun also unser Brennen; es brannte jedesmal nach Othello. Man machte den Versuch, man gab lange Zeit Othello nicht; es kam eine neue geistreiche Übersetzung auf, er wird gegeben – jener unglückliche Fall ereignet sich wieder. Ich weiß noch wie heute, als Othello, zur Oper verwandelt, zum erstenmal gegeben wurde; wir lachten lange vorher, daß wir den unglücklichen Mohren um sein Opfer gebracht haben, indem er jetzt musikalisch geworden – Desdemona war gefallen, wenige Tage nachher hatte der Schwarze auch sein zweites Opfer. Der Fall trat nachher noch einmal ein, und darum hat man Othello nie wieder gegeben; es ist töricht, aber wahr. Was sagen Sie dazu, Baron? Aber aufrichtig, was halten Sie von unserem Streit?"

„Durchlaucht haben vollkommen recht", antwortete Larun in einem Ton, der zwischen Ernst und Ironie die Mitte hielt; „wenn Sie erlauben, werde ich durch ein Beispiel aus meinem eigenen Leben Ihre Behauptung bestätigen. Ich hatte eine unverheiratete Tante, eine unangenehme, mystische Person; wir Kinder hießen sie nur die Federntante, weil sie große, schwarze Federn auf dem Hut zu tragen pflegte. Wie bei Ihrem Othello, so ging auch in unserer Familie eine Sage, sooft die Federntante kam, mußte nachher eines oder das andere krank werden. Es wurde darüber gescherzt und gelacht, aber die Krankheit stellte sich immer ein, und wir waren den Spuk schon so gewöhnt, daß, sooft die Federntante zu Besuch in den Hof fuhr, alle Zurüstungen für die kommende Krankheit gemacht und selbst der Doktor geholt wurde."

„Eine köstliche Figur, Ihre Federntante", rief die

Prinzessin lachend; „ ich kann sie mir denken, wie sie den Kopf mit dem Federnhut aus dem Wagen streckt, wie die Kinder laufen, als käme die Pest, weil keines krank werden will, und wie ein Reitknecht zur Stadt sprengen muß, um den Doktor zu holen, weil die Federntante erschienen sei. Da hatten Sie ja wahrhaftig eine lebendige weiße Frau in Ihrer Familie!"

„Still von diesen Dingen", unterbrach sie die Fürstin ernst, beinahe unmutig; „man sollte nicht von Dingen so leichthin reden, die man nicht leugnen kann und deren Natur dennoch nie erklärt werden wird. So ist nun einmal auch mein Othello", setzte sie freundlicher hinzu, „und Sie werden ihn nicht zu sehen bekommen, Baron, und müssen Ihr Lieblingsstück schon wo anders aufsuchen."

„Und Sie sollen ihn dennoch sehen", flüsterte Sophie zu ihm hin, „ich muß mein Desdemona-Lied noch einmal hören, so recht sehen und hören auf der Bühne, und sollte ich selbst darüber zum Opfer werden!"

„Sie selbst?" fragte der Fremde betroffen. „Ich höre ja, der gespenstige Mohr soll nur brennen, nicht töten?"

„Ach, das war ja nur das Gleichnis der Mutter!" flüsterte sie noch viel leiser. „Die Sage ist noch viel schauriger und gefährlicher."

Der Kapellmeister pochte; die Introduktion des zweiten Aktes begann, und der Fremde stand auf, die fürstliche Loge zu verlassen. Die Herzogin hatte ihn gütig entlassen; aber vergebens sah er sich nach dem Gesandten um, er war wohl längst in seine Loge zurückgekehrt. Unschlüssig, ob er rechts oder links gehen müsse, stand er im Korridor, als eine warme Hand sich in die seinige legte; er blickte auf, es war Graf Zronievsky.

„So habe ich doch recht gesehen!“ rief der Graf. „Mein Major, mein tapferer Major! Wie lebt alles wieder in mir auf! Ich werfe diese unglücklichen dreizehn Jahre von mir; ich bin der frohe Lancier wie sonst! Vive Poniatowsky, vive l’emp –“

„Um Gottes willen, Graf!“ fiel ihm der Fremde ins Wort. „Bedenken Sie, wo Sie sind! Und warum diese Schatten heraufbeschwören? Sie sind hinab mit ihrer Zeit, lasset die Toten ruhen!“

„Ruhen?“ entgegnete jener; „das ist ja gerade, was ich nicht kann; oh, daß ich unter jenen Toten wäre! Wie sanft, wie geduldig wollte ich ruhen! Sie schlafen, meine tapferen Polen, und keine Stimme, wie mächtig sie auch rufe, schreckt sie auf. Warum darf ich allein nicht rasten?“

Ein düsteres, unstetes Feuer brannte in den Augen des schönen Mannes; seine Lippen schlossen sich schmerzlich. Sein Freund betrachtete ihn mit besorgter Teilnahme; er sah hier nicht mehr den fröhlichen, heldenmütigen Jüngling, wie er ihn an der Spitze des Regiments in den Tagen des Glücks gesehen; das zutrauliche, gewinnende Lächeln, das ihn sonst so angezogen, war einem grämlichen, bitteren Zuge gewichen; das Auge, das sonst voll stolzer Zuversicht, voll freudigen Mutes, frei und offen um sich blickte, schien mißtrauisch jeden Gegenstand prüfen, durchbohren zu wollen; das matte Rot, das seine Wangen bedeckte, war nur der Abglanz jener Jugendblüte, die ihm in den Salons von Paris den Namen des schönen Polen erworben hatte; und dennoch, auch nach dieser großen Veränderung, welche Zeit und Unglück hervorgebracht hatten, mußte man gestehen, daß Prinzessin Sophie sehr zu entschuldigen sei.

„Sie sehen mich an, Major?“ sagte jener nach einigem Stillschweigen. „Sie betrachten mich, als wollten Sie die alten Zeiten aus meinen Zügen herausfinden? Geben Sie sich nicht vergebliche Mühe! Es ist so manches anders geworden; sollte nicht der Mensch mit dem Geschick sich ändern?"

„Ich finde Sie nicht sehr verändert", erwiderte der Fremde, „ich erkannte Sie bei dem ersten Anblick wieder. Aber eines finde ich nicht mehr wie früher, aus diesen Augen ist ein gewisses Zutrauen verschwunden, das mich sonst so oft beglückte. Alexander Zronievsky scheint mir nicht mehr zu trauen. Und doch", setzte er lächelnd hinzu, „und dennoch war mein Geist immer bei ihm, ich weiß sogar die tiefsten Gedanken seines Herzens."

„Meines armen Herzens!" entgegnete der Graf wehmütig; „ich wüßte kaum, ob ich noch ein Herz habe, wenn es nicht manchmal vor Unmut pochte! Welche Gedanken wollen Sie aufgespürt haben als die unwandelbare Freundschaft für Sie, Major? Schelten Sie nicht mein Auge, weil es nicht mehr fröhlich ist; ich habe mich in mich selbst zurückgezogen, ich habe mein Vertrauen in meine Rechte gelegt; ihr Druck wird Ihnen sagen, daß ich noch immer der Alte bin."

„Ich danke; aber wie, ich sollte mich nicht auf die Gedanken Ihres Herzens verstehen? Sie sagen, es pocht nur vor Unmut; was hat denn ein gewisses Fürstenkind getan, daß Ihr Herz so gar unmutig pocht?"

Der Graf erblaßte; er preßte des Fremden Hand fest in der seinigen. „Um Gottes willen, schweigen Sie! Nie mehr eine Silbe über diesen Punkt! Ich weiß, ich verstehe, was Sie meinen, ich will sogar zugeben, daß Sie recht gesehen haben; der Teufel hat Ihre Augen gemacht, Major! Doch warum bitte ich einen Ehrenmann wie Sie, zu schweigen? Es hat ja noch keiner vom achten Regiment seinen Kameraden verraten."

„Sie haben recht, und kein Wort mehr darüber! Doch nur dies eine noch: Vom achten verrät keiner den Kameraden; ob aber der gute Kamerad sich selber nicht verrät?"

„Kommen Sie hier in diese Treppe", flüsterte der Graf, denn es nahten sich mehrere Personen; „Jesus Maria, sollte außer Ihnen jemand etwas ahnen?"

„Wenn Sie Vertrauen um Vertrauen geben werden, wohlan, so will ich beichten."

„Oh, foltern Sie mich nicht, Major! Ich will nachher sagen, was Sie haben wollen, nur geschwind, ob jemand außer Ihnen –" Der Major von Larun erzählte, er sei heute in dieser Stadt angekommen, seine Depeschen seien bei dem Gesandten bald in Richtigkeit gewesen, man habe ihn in die Oper mitgenommen, und dort, wie er entzückt die Prinzessin aus der Ferne betrachtet, habe ihm die Gesandtin gesagt, daß Sophie in ein Verhältnis unter ihrem Stande verwickelt sei. „Sie traten ein in die fürstliche Loge – ein Blick überzeugte mich, daß niemand als Sie der Geliebte sein können."

„Und die Gesandtin?" rief der Graf mit zitternder Stimme.

„Sie hat es bestätigt. Wenn ich nicht irre, sprach sie auch von einer Oberhofmarschallin, von welcher sie die Nachricht habe." Der Graf schwieg, einige Minuten vor sich hinstarrend; er schien mit sich zu ringen, erblickte einigemal den Fremden scheu von der Seite an – „Major!“ sprach er endlich mit klangloser, matter Stimme, „können Sie mir hundert Napoleons leihen?“

Der Major war überrascht von dieser Frage; er hatte erwartet, sein Freund werde etwas weniger über sein Unglück jammern, wie bei dergleichen Szenen gebräuchlich; er konnte sich daher nicht gleich in diese Frage finden und sah den Grafen staunend an.

„Ich bin ein Flüchtling“, fuhr dieser fort; „ich glaubte, endlich eine stille Stätte gefunden zu haben, wo ich ein klein wenig rasten könnte; da muß ich lieben – muß geliebt werden, Major, wie geliebt werden!“ Er hatte Tränen in den Augen, doch er bezwang sich und fuhr mit fester Stimme fort: „Es ist eine sonderbare Bitte, die ich hier nach so langem Wiedersehen an Sie tue; doch ich erröte nicht, zu bitten. Kamerad, gedenken Sie des letzten ruhmvollen Tages im Norden, gedenken Sie des Tages von Mosaisk?“

„Ich gedenke!“ sagte der Fremde, indem sein Auge glänzte und seine Wangen sich höher färbten.

„Und gedenken Sie, wie die russische Batterie an der Redoute auffuhr, wie ihre Kartätschen in unsere Reihen sausten und der Verräter Piolzky zum Rückzug blasen ließ?“

„Ha!“ fiel der Fremde mit dröhnender Stimme ein, „und wie Sie ihn herabschossen, Oberst, daß er keine Ader mehr zuckte, wie die Husaren rechts abschwenkten, wie Sie vorwärts! riefen, vorwärts, Lanciers vom achten! Und die Kanonen in fünf Minuten unser waren!“ –

„Gedenken Sie?“ flüsterte der Graf mit Wehmut. „Wohlan! Ich kommandiere wieder vor der Front. Es gilt einen Kameraden herauszuhauen, werdet Ihr ihn retten? En avant, Major! Vorwärts, tapferer Lancier! Wirst du ihn retten, Kamerad?“

„Ich will ihn retten!“ rief der Freund, und der Graf Zronievsky schlug seinen Arm um ihn, preßte ihn heftig an seine Brust und eilte dann von ihm weg, den Korridor entlang.

„Gut, daß ich Sie treffe“, rief der Graf Zronievsky, als er am nächsten Morgen dem Major auf der Straße begegnete, „ich wollte eben zu Ihnen, und Sie um eine kleine Gefälligkeit ansprechen –“

„Die ich Ihnen schon gestern zusagte“, erwiderte jener, „wollen Sie mich in mein Hotel begleiten? Es liegt längst für Sie bereit.“ –

„Um Gottes willen, jetzt nichts von Geld“, fiel der Graf ein, „Sie töten mich durch diese Prosa; ich bin göttlich gelaunt, selig, überirdisch gestimmt. O Freund, ich habe es dem Engel gesagt, daß man uns bemerkt; ich habe ihr gesagt, daß ich fliehen werde; denn in ihrer Nähe zu sein, sie nicht zu sprechen, nicht anzubeten, ist mir unmöglich.“

„Und darf ich wissen, was sie sagte?“

„Sie ist ruhig darüber, sie ist größer als diese schlechten Menschen. ‚Was ist es auch?‘ sagte sie, ‚man kann uns gewiß nichts Böses nachsagen, und wenn man auch unser Verhältnis entdeckte, so will ich mir gerne einmal einen dummen Streich vergeben lassen; wo lebt ein Mensch, der nicht einmal einen beginge?‘ “

„Eine gesunde Philosophie", bemerkte der Major; „man kann nicht vernünftiger über solche Verhältnisse denken; denn gerade die sind meist am schlechtesten beraten, die glauben, sie können alle Menschen blenden. Doch ist mir noch eine Frage erlaubt? Wie es scheint, so sehen Sie Ihre Dame allein? Denn was Sie mir erzählten, wurde schwerlich gestern im Don Juan verhandelt."

„Wir sehen uns", flüsterte jener, „ja, wir sehen uns; aber wo, darf ich nicht sagen, und so wahr ich lebe, das sollen auch jene Menschen nicht ausspähen. Aber lange, ich sehe es selbst ein, lange Zeit kann es nicht mehr dauern. Drum bin ich immer auf dem Sprung, Kamerad, und Ihre Hilfe soll mich retten, wenn indes meine Gelder nicht flüssig werden. ‚Doch gilt es morgen, so laß uns heut noch schlürfen die Neige der köstlichen Zeit!' Ich will noch glücklich, selig sein, weil es ja doch bald ein Ende haben muß."

„Und wozu kann ich Ihnen dienen?" fragte der Major, „wenn ich nicht irre, wollten Sie mich aufsuchen."

„Richtig, das war es, warum ich kommen wollte", entgegnete jener nach einigem Nachsinnen. „Sophie weiß, daß Sie mein Freund sind; ich habe ihr schon früher von Ihnen erzählt, hauptsächlich die Geschichte von der Beresinabrücke, wo Sie mich zu sich auf den Rappen nahmen. Sie hat gestern mit Ihnen gesprochen, und von Othello, nicht wahr? Die Fürstin will nicht zugeben, daß er aufgeführt werde wegen irgendeines Märchens, das ich nicht mehr weiß –."

„Sie waren sehr geheimnisvoll damit", unterbrach ihn der Freund, „und wie mir schien, wird es die Fürstin auch nicht zugeben."

„Und doch; ich habe sie durch ein Wort dahin gebracht. Die Prinzessin bat und flehte, und das kann ich nun einmal nicht sehen, ohne daß ich ihr zu Hilfe komme; ich nahm also eine etwas ernste Miene an und sagte: ‚Sonderbar ist es doch, wenn so etwas ins Publikum kommt, ist es wie der Wind in den Gesandtschaften, und kam es einmal so weit, so darf man nicht dafür sorgen, daß es in acht Tagen als Chronique scandaleuse an allen Höfen erzählt wird.' Die Fürstin gab mir recht; sie sagte, wiewohl mit sehr bekümmerter und verlegener Miene, zu, daß das Stück gegeben werden solle; doch als sie wegging, rief sie mir noch zu, sie gebe das Spiel dennoch nicht verloren, denn wenn auch Othello schon auf dem Zettel stehe, lasse sie die Desdemona krank werden."

„Das haben Sie gut gemacht!" rief der Major lachend. „Also die Furcht vor der Chronique scandaleuse hat die Gespensterfurcht und das Grauen vor den Geheimnissen der Natur überwunden?"

„Jawohl; Sophie ist außer sich vor Freude, daß sie ihren Willen hat. Ich bin gerade auf dem Wege zum Regisseur der Oper; ich soll ihm vierhundert Taler bringen, daß die Aufführung auch in pekuniärer Hinsicht keiner Schwierigkeit unterworfen sein möchte, und Sie müssen mich zu ihm begleiten."

„Aber wird es nicht auffallen, wenn Sie im Namen der Prinzessin diese Summe überbringen?"

„Dafür ist gesorgt; wir bringen es als Kollekte von einigen Kunstfreunden; stellen Sie einen Dilettanten oder Enthusiasten vor, oder was in unseren Kram paßt. Der Regisseur wohnt nicht weit von hier und ist ein alter, ehrlicher Kauz, den wir schon gewinnen wollen. Nur hier um die Ecke, Freund, sehen Sie dort das kleine grüne Haus mit dem Erker?“

Der Regisseur der Oper war ein kleiner, hagerer Mann; er war früher als Sänger berühmt gewesen und ruhte jetzt im Alter auf seinen Lorbeeren. Er empfing die Freunde mit einer gewissen künstlerischen Hoheit und Würde, welche nur durch seine sonderbare Kleidung etwas gestört wurde; er trug nämlich eine schwarze Florentiner Mütze, welche er nur ablegte, wenn er zum Ausgehen die Perücke auf die Glatze setzte. Auffallend stachen gegen diese bequeme Hauskleidung des Alten ein moderner, eng anliegender Frack und weite, faltenreiche Beinkleider ab; sie zeigten, daß der Herr Regisseur trotz der sechzig Jährchen, die er haben mochte, dennoch für die Eitelkeit der Welt nicht abgestorben sei; an den Füßen trug er weite, ausgetretene Pelzschuhe, auf denen er künstlich im Zimmer herumfuhr, ohne sichtbar die Beine aufzuheben; es kam den Fremden vor, als fahre er auf Schlittschuhen.

„Ist mir bereits angezeigt worden, der allerhöchste Wunsch“, sagte der Regisseur, als ihn der Graf mit dem Zweck ihres Besuches bekannt machte, „weiß bereits um die Sache; an mir soll es nicht fehlen, mein einziger Zweck ist ja, die allerhöchsten Ohren auf ergötzliche Weise zu delektieren; aber – aber, ich werde denn doch submissest wagen müssen, einige Gegenvorstellungen zu exhibieren."

„Wie? Sie wollen diese Oper nicht geben?" rief der Graf.

„Gott soll mich behüten, das wäre ja ein offenbares Mordattentat auf die allerhöchste Familie! Nein! Nein! Wenn mein Wort in der Sache noch etwas gilt, wird dieses unglückliche Stück nie gegeben."

„Hätte ich doch nie gedacht", entgegnete der Graf, „daß ein Mann wie Sie von Pöbelwahn befangen wäre. Mit Staunen und Bewunderung vernahm ich schon in meiner frühesten Jugend in fernen Landen Ihren gefeierten Namen; Sie wurden die Krone der Sänger genannt, ich brannte vor Begierde, diesen Mann einmal zu sehen. Ich bitte, verkleinern Sie dieses ehrwürdige Bild nicht durch solchen Aberwitz!"

Der Alte schien sich geschmeichelt zu fühlen; ein anmutiges Lächeln zog über seine verwitterten Züge, er steckte die Hände in die Taschen und fuhr auf seinen Pelzschuhen einigemal im Zimmer auf und ab. „Allzugütig, allzuviel Ehre!" rief er. „Ja, wir waren in unserer Zeit etwas, wir waren ein tüchtiger Tenor! Jetzt hat es freilich ein Ende. Aberglaube, belieben Sie zu sagen; ich würde mich schämen, irgendeinem Aberglauben nachzuhängen; aber wo Tatsachen sind, kann von Aberglauben nicht die Rede sein."

„Tatsachen?" riefen die Freunde mit einer Stimme.

„O ja, verehrte Messieurs, Tatsachen! Sie scheinen nicht aus hiesiger Stadt und Gegend zu sein, daß Sie solche nicht wissen?"

„Ich habe allerdings von einem solchen Märchen gehört", sagte der Major; „es soll, wenn ich nicht irre, jedesmal nach Othello brennen, und –"

„Brennen? Daß mir Gott verzeih'! Ich wollte lieber, daß es allemal brennt; Feuer kann man doch löschen, man hat Brandassekuranzen, man kann endlich noch solch einen Brandschaden zur Not ertragen; aber sterben? Nein, das ist ein weit gefährlicherer Kasus."

„Sterben, sagen Sie? Wer soll sterben?"

„Nun, das ist kein Geheimnis", erwiderte der Regisseur; „sooft Othello gegeben wird, muß acht Tage nachher jemand aus der fürstlichen Familie sterben."

Die Freunde fuhren erschrocken von ihren Sitzen auf, denn der prophetische, richtende Ton, womit der Alte dies sagte, hatte etwas Greuliches an sich; doch sogleich setzten sie sich wieder und brachen über ihren eigenen Schrecken in ein lustiges Gelächter aus, das übrigens den Sänger nicht aus der Fassung brachte.

„Sie lachen?" sprach er. „Ich muß es mir gefallen lassen; wenn es Sie übrigens nicht geniert, will ich Sie die Theaterchronik inspizieren lassen, die seit hundertundzwanzig Jahren der jedesmalige Souffleur schreibt."

„Die Theaterchronik her, Alter, lassen Sie uns inspizieren!" rief der Graf, dem die Sache Spaß zu machen schien; und der Regisseur rutschte mit außerordentlicher Schnelligkeit in seine Kammer und brachte einen in Leder und Messing gebundenen Folianten hervor.

Er setzte eine große, in Bein gefaßte Brille auf und blätterte in der Chronik. „Bemerken Sie", sagte er, „wegen des Nachfolgenden, erstlich, hier steht: ‚Anno 1740 den 8. Dezember ist die Aktrice Char-

lotte Fandauerin in hiesigem Theater erstickt worden. Man führte das Trauerspiel Othello, der Mohr von Venedig, von Shakespeare auf.'"

„Wie?" unterbrach ihn der Major, „anno 1740 sollte man hier Shakespeares Othello gegeben haben? Und doch war es, wenn ich nicht irre, Schröder, der zuerst und viel später das erste Shakespearesche Stück in Deutschland aufführen ließ?"

„Bitte um Vergebung", erwiderte der Alte. „Der Herzog sah auf einer Reise durch England in London diesen Othello geben, ließ ihn, weil er ihm außerordentlich gefiel, übersetzen und nachher hier öfter aufführen. Meine Chronik fährt aber also fort:

‚Obgedachte Charlotte Fandauerin hat die Desdemona gegeben und ist durch die Bettdecke, womit sie in dem Stücke selbst getötet werden soll, elendiglich umgekommen. Gott sei ihrer armen Seele gnädig!' Diesen Mord erzählt man sich hier folgendermaßen: Die Fandauer soll sehr schön gewesen sein; bei Hof ging es damals unter dem Herzog Nepomuk sehr lasziv zu; die Fandauer wurde des Herzogs Geliebte. Sie aber soll sich nicht blindlings und unvorsichtig ihm übergeben haben; sie war abgeschreckt durch das Beispiel so vieler, die er nach einigen Monaten oder Jährchen verstieß und elendiglich herumlaufen ließ. Sie soll also ein schreckliches Bündnis mit ihm gemacht und erst, nachdem er es beschworen, sich ihm ergeben haben. Aber wie bei den andern, so war es auch bei der Fandauer. Er hatte sie bald satt und wollte sie auf gelinde Art entfernen. Sie aber drohte ihm, das Bündnis, das er mit ihr gemacht, drucken und in ganz Europa verbreiten zu lassen; sie zeigte ihm auch, daß sie diese Schrift schon in vielen fremden Städten niedergelegt habe, wo sie auf ihren ersten Wink verbreitet würde.

Der Herzog war ein grausamer Herr, und sein Zorn kannte keine Grenzen. Er soll ihr auf verschiedenen Wegen durch Gift haben beikommen wollen, aber sie aß nichts, als was sie selbst gekocht hatte. Er gab daher einem Schauspieler eine große Summe Geld und ließ den Othello aufführen. Sie werden sich erinnern, daß in dem Shakespeareschen Trauerspiel die Desdemona von dem Mohren im Bette erstickt wird. Der Akteur machte seine Sache nur allzu natürlich, denn die Fandauerin ist nicht mehr erwacht."

Der Graf schauderte. „Und dies soll wahr sein?" rief er aus.

„Fragen Sie von älteren Personen in der Stadt, wen Sie wollen, Sie werden es überall so erzählen hören. Es wurde nachher von den Gerichten eine Untersuchung gegen den Mörder anhängig gemacht, aber der Herzog schlug sie nieder, nahm den Akteur vom Theater in seine Dienste und erklärte, die Fandauerin habe durch Zufall der Schlag gerührt. Aber acht Tage darauf starb ihm sein einziges Söhnlein, ein Prinz von zwölf Jahren."

„Zufall!" sagte der Major.

„Nennen Sie es immerhin so", versetzte der Alte und blätterte weiter; „doch hören Sie! Othello wurde zwei Jahre lang nicht mehr gegeben, denn wegen der Erinnerung an jenen Mord mochte der Herzog dieses Trauerspiel nicht leiden. Aber nach zwei Jahren – in diesem Buch steht jedes Lustspiel aufgezeichnet – nach zwei Jahren war er so ruchlos, es wieder aufführen zu lassen. Hier steht's: ‚Den 28. September 1742: Othello, der Mohr von Venedig'; und hier am Rande ist bemerkt: ‚Sonderbar! Am 5. Oktober ist Prinzessin Auguste verstorben, gerade auch acht Tage nach Othello, wie vor zwei Jahren der höchstselige Prinz Friedrich.' Zufall, meine werten Herren?"

„Allerdings Zufall!" riefen jene.

„Weiter! ‚Den 6. Februar 1748, Othello, der

Mohr von Venedig.‘ Ob es wohl wieder eintrifft? Sehen Sie her, meine Herren! Das hat der Souffleur hingeschrieben, bemerken Sie gefälligst, es ist dieselbe Hand, die hier in margine bemerkt: ‚Entsetzlich! Die Fandauerin spukt wieder, Prinz Alexander den 14. plötzlich gestorben, acht Tage nach Othello.‘“ Der Alte hielt inne und sah seine Gäste fragend an; sie schwiegen, er blätterte weiter und las: ‚Den 16. Januar 1775, zum Benefiz der Mlle. Koller: Othello, der Mohr von Venedig. Richtig wieder! Arme Prinzessin Elisabeth, hast du müssen so schnell versterben! † 24. Januar 1775.‘“

„Possen!“ unterbrach ihn der Major, „ich gebe zu, es ist so; es soll einigemal der Eigensinn des Zufalls es wirklich so gefügt haben; geben Sie mir aber nur einen vernünftigen Grund an zwischen Ursache und Wirkung, wenn Sie diese Höchstseligen am Othello versterben lassen wollen!“

„Herr“, antwortete der alte Mann mit tiefem Ernst, „das kann ich nicht; aber ich erinnere an die Worte jenes großes Geistes, von dem auch dieser unglückliche Othello abstammt: ‚Es gibt viele Dinge zwischen Himmel und Erde, wovon sich die Philosophen nichts träumen lassen!‘“

„Ich kenne das“, sagte der Graf; „aber ich wette, Shakespeare hätte nie diesen Spruch von sich gegeben, hätte er gewußt, wie viel Lächerlichkeit sich hinter ihm verbirgt!“

„Es ist möglich“, erwiderte der Sänger; „hören Sie aber weiter! Ich komme jetzt an ein etwas neueres Beispiel, dessen ich mich erinnern kann, an den Herzog selbst.“

„Wie“, unterbrach ihn der Major; „eben jener, der die Aktrice ermorden ließ?“

„Derselbe; Othello war vielleicht zwanzig Jahre nicht mehr gegeben worden; da kamen, ich weiß es noch wie heute, fremde Herrschaften zum Besuch. Unser Schauspiel gefiel ihnen, und sonderbarerweise wünschte eine der fremden fürstlichen Damen Othello zu sehen. Der Herzog ging ungern daran, nicht aus Angst vor den greulichen Umständen, die diesem Stück zu folgen pflegten, denn er war ein Freigeist und glaubte an nichts dergleichen; aber er war jetzt alt; die Sünden und Frevel seiner Jugend fielen ihm schwer aufs Herz, und er hatte Abscheu vor diesem Trauerspiel. Aber sei es, daß er der Dame nichts abschlagen mochte, sei es, daß er sich vor dem Publikum schämte, das Stück mußte über Hals und Kopf einstudiert werden, es wurde auf seinem Lustschloß gegeben. Sehen Sie, hier steht es: ‚Othello, den 16. Oktober 1793 auf dem Lustschloß H . . . aufgeführt.‘“

„Nun, Alter, und was folgte? Geschwind!“ riefen die Freunde ungeduldig.

„Acht Tage nachher, den 24. Oktober 1793, ist der Herzog gestorben.“

„Nicht möglich“, sagte der Major nach einigem Stillschweigen; „lassen Sie Ihre Chronik sehen; wo steht denn etwas vom Herzog? Hier ist nichts in margine bemerkt.“

„Nein“, sagte der Alte und brachte zwei Bücher herbei; „aber hier seine Lebensgeschichte, hier seine Trauerrede – wollen Sie gefälligst nachsehen?“

Der Graf nahm ein kleines schwarzes Buch in

die Hand und las: „Beschreibung der solennen Beisetzung des am 24. Oktober 1793 höchstselig verstorbenen Herzogs und Herrn."

„Dummes Zeug", rief er und sprang auf; „das könnte mich um den Verstand bringen. Zufall! Zufall, und nichts anders! Nun – und wissen Sie noch ein solches Histörchen?"

„Ich könnte Ihnen noch einige anführen", erwiderte der Alte mit Ruhe, „doch Sie langweilen sich bei dieser sonderbaren Unterhaltung; nur aus der neuesten Zeit noch einen Fall. Rossini schrieb diese herrliche Oper Othello, worin er, was man bezweifelt hatte, zeigte, daß er es verstehe, auch die tieferen, tragischen Saiten der menschlichen Brust anzuschlagen. Er wurde hier höheren Orts nicht verlangt, daher wurde er auch nicht fürs Theater einstudiert. Die Kapelle aber unternahm es, diese Oper für sich zu studieren, es wurden einige Szenen in Konzerten aufgeführt, und diese wenigen Proben entzündeten im Publikum einen so raschen Eifer für die Oper, daß man allgemein in Zeitungen, an Wirtstafeln, in Singtees und dergleichen von nichts als Othello sprach, nichts als Othello verlangte. Von den grauenvollen Begebenheiten, die das Schauspiel Othello begleitet hatten, war gar nicht die Rede; es schien, man denke sich unter der Oper einen ganz anderen Othello. Endlich bekam der damalige Regisseur – ich war noch auf dem Theater und machte den Othello – den Auftrag, die Oper in die Szene zu setzen. Das Haus war zum Ersticken voll, Hof und Adel waren da, das Orchester strengte sich übermenschlich an, die Sängerinnen ließen nichts zu wünschen übrig; aber ich weiß nicht – uns alle wehte ein unheimlicher Geist an, als Desdemona ihr Lied zur Harfe spielte, als sie sich zum Schlafengehen rüstete, als der Mörder, der abscheuliche Mohr, sich nahte. Es war dasselbe Haus, es waren dieselben Bretter, es war dieselbe Szene wie damals, wo ein liebliches Geschöpf in derselben Rolle so greulich ihr Leben endete. Ich muß gestehen, trotz der Teufelsnatur meines Othello befiel mich ein leichtes Zittern, als der Mord geschah; ich blickte ängstlich nach der fürstlichen Loge, wo so viele blühende, kräftige Gestalten auf unser Spiel herübersahen. ‚Wirst du wohl durch die Töne, die deinen Tod begleiten, dich besänftigen lassen, blutdürstiges Gespenst der Gemordeten?‘ dachte ich. Es war so; fünf, sechs Tage hörte man nichts von einer Krankheit im Schlosse; man lachte, daß es nur der Einkleidung in eine Oper bedurfte, um jenen Geist gleichsam irre zu machen; der siebente Tag verging ruhig, am achten wurde Prinz Ferdinand auf der Jagd erschossen.“

„Ich habe davon gehört“, sagte der Major, „aber es war Zufall; die Büchse seines Nachbars ging los und –“

„Sage ich denn, das Gespenst bringe die Höchstseligen selbst um, drücke ihnen eigenhändig die Kehle zu? Ich spreche ja nur von einem unerklärlichen, geheimnisvollen Zusammenhang.“

„Und haben Sie uns nicht noch zu guter Letzt ein Märchen erzählt? Wo steht denn geschrieben, daß acht Tage vor jener Jagd Othello gegeben wurde?“

„Hier!“ erwiderte der Regisseur kaltblütig, indem er auf eine Stelle in seiner Chronik wies; der Graf las: ‚Othello, Oper von Rossini, den 12. März‘; und auf dem Rande stand dreimal unterstrichen: ‚Den 20sten fiel Prinz Ferdinand auf der Jagd.‘ Die Männer sahen einander schweigend einige Augenblicke an; sie schienen lächeln zu wollen, und doch hatte sie der Ernst des alten Mannes, das sonderbare Zusammentreffen jener furchtbaren Ereignisse tiefer ergriffen, als sie sich selbst gestehen mochten. Der Major blätterte in der Chronik und pfiff vor sich hin; der Graf schien über etwas nachzusinnen, er hatte Stirne und Augen fest in die Hand gestützt. Endlich sprang er auf. „Und dies alles kann Ihnen dennoch nicht helfen“, rief er, „die Oper muß gegeben werden. Der Hof, die Gesandten wissen es schon; man würde sich blamieren, wollte man durch diese Zufälle sich stören lassen. Hier sind vierhundert Taler! Es sind einige Freunde und Liebhaber der Kunst, welche sie Ihnen zustellen, um Ihren Othello recht glänzend auftreten zu lassen. Kaufen Sie davon, was Sie wollen“, setzte er lächelnd hinzu, „lassen Sie Geisterbanner, Beschwörer kommen, kaufen Sie einen ganzen Hexenapparat, kurz was nur immer nötig ist, um das Gespenst zu vertreiben – nur geben Sie uns Othello!“

„Meine Herren“, sagte der Alte, „es ist möglich, daß ich in meiner Jugend selbst über dergleichen gelacht und gescherzt hätte; das Alter hat mich ruhiger gemacht; ich habe gelernt, daß es Dinge gibt, die man nicht geradehin verwerfen muß. Ich danke für Ihr Geschenk, ich werde es auf eine würdige

Weise anzuwenden wissen. Aber nur auf den strengsten Befehl werde ich Othello geben lassen. Ach Gott und Herr!" rief er kläglich, „wenn ja der Fall wieder einträte, wenn das liebe, herzige Kind, Prinzessin Sophie, des Teufels wäre!"

„Seien Sie still!" rief der Graf erblassend. „Wahrhaftig, Ihre wahnsinnigen Geschichten sind anstekkend, man könnte sich am hellen Tage fürchten! Adieu! Vergessen Sie nicht, daß Othello auf jeden Fall gegeben wird; machen Sie mir keine Kunstgriffe mit Katarrh und Fieber, mit Krankwerdenlassen und eingetretenen Hindernissen! Beim Teufel, wenn Sie keine Desdemona hergeben, werde ich das Gespenst der Erwürgten heraufrufen, daß es diesmal selbst eine Gastrolle übernimmt." Der Alte bekreuzigte sich und fuhr ungeduldig auf seinen Schuhen umher. „Welche Ruchlosigkeit!" jammerte er. „Wenn sie nun erschiene wie der steinerne Gast? Lassen Sie solche Reden, ich bitte Sie! Wer weiß, wie nahe jedem sein eigenes Verderben ist!"

Lachend stiegen die beiden die Treppe hinab, und noch lange diente der musikalische Prophet mit der Florentiner Mütze und den Pelzschlittschuhen ihrem Witz zur Zielscheibe.

Es gab Stunden, worin der Major sich durchaus nicht in den Grafen, seinen alten Waffenbruder, finden konnte. War er sonst fröhlich, lebhaft, von Witz und Laune strahlend, konnte er sonst die Gesellschaft durch treffende Anekdoten, durch Erzählungen aus seinem Leben unterhalten, wußte er sonst jeden, mochte er noch so gering sein, auf eine sinnige, feine Weise zu verbinden, so daß er, der Liebling aller, von vielen angebetet wurde, so war er in andern Momenten gerade das Gegenteil. Er fing an, trocken und stumm zu werden, seine Augen senkten sich, sein Mund preßte sich ein. Nach und nach ward er finster, spielte mit seinen Fingern, antwortete mürrisch und ungestüm. Der Major hatte ihm schon angemerkt, daß dies die Zeit war, wo er aus der Gesellschaft entfernt werden müsse, denn jetzt fehlten noch wenige Minuten, so zog er mit leicht aufgeregter Empfindlichkeit jedes unschuldige Wort auf sich und fing an, zu wüten und zu rasen.

Der Major war viel um ihn; er hatte aus früherer Zeit eine gewisse Gewalt und Herrschaft über ihn, die er jetzt geltend machte, um ihn vor diesen Ausbrüchen der Leidenschaft in Gesellschaft zu bewahren; desto greulicher brachen sie in seinen Zimmern aus; er tobte, er fluchte in allen Sprachen, er klagte sich an, er weinte. „Bin ich nicht ein elender, verworfener Mensch?" sprach er einst in einem solchen Anfall. „Meine Pflichten mit Füßen zu treten, die treueste Liebe von mir zu stoßen, ein Herz zu martern, das mir so innig anhängt! Leichtsinnig schweife ich in der Welt umher, habe mein Glück verscherzt, weil ich in meinem Unsinn glaubte, ein Kosciusko zu sein, und bin nichts als ein Schwachkopf, den man wegwarf. Und so viele Liebe, diese Aufopferung, diese Treue so zu vergelten!"

Der Major nahm zu allerlei Trostmitteln seine Zuflucht. „Sie sagen ja selbst, daß die Prinzessin Sie zuerst geliebt hat; konnte sie je eine andere Liebe, eine andere Treue von Ihnen erwarten als die, welche die Verhältnisse erlauben?“

„Ha, woran mahnen Sie mich!“ rief der Unglückliche, „wie klagen mich Ihre Entschuldigungen

selbst an! Auch sie, auch sie betört! Wie kindlich, wie unschuldig war sie, als ich Verruchter kam, als ich sie sah mit dem lieblichen Schmelz der Unschuld in den Augen! Da fing mein Leichtsinn wieder an; ich vergaß alle guten Vorsätze, ich vergaß, wem ich allein gehören dürfte; ich stürzte mich in einen Strudel von Lust, ich begrub mein Gewissen in Vergessenheit!" Er fing an zu weinen, die Erinnerung schien seine Wut zu besänftigen. „Und konnte ich", flüsterte er, „konnte ich so von ihr gehen? Ich fühlte, ich sah es an jeder ihrer Bewegungen, ich las es in ihrem Auge, sie liebte mich; sollte ich fliehen, als ich sah, wie diese Morgenröte der Liebe in ihren Wangen aufging, wie der erste leuchtende Strahl des Verständnisses aus ihrem Auge brach, auf mich niederfiel, mich aufzufordern schien, ihn zu erwidern?" „Ich beklage Sie", sprach der Freund und drückte seine Hand; „wo lebt ein Mann, der so süßer Versuchung widerstanden wäre?"

„Und als ich ihr sagen durfte, wie ich sie verehre, als sie mir mit stolzer Freude gestand, wie sie mich liebte, als jenes traute, entzückende Spiel der Liebe begann, wo ein Blick, ein flüchtiger Druck der Hand mehr sagt, als Worte auszudrücken vermögen, wo man tagelang nur in der freudigen Erwartung eines Abends, einer Stunde, einer einsamen Minute lebte, wo man in der Erinnerung dieses seligen Augenblicks schwelgte, bis der Abend wieder erschien, bis ich aus dem Taumelkelch ihrer süßen Augen aufs neue Vergessenheit trank! Wie reich wußte sie zu geben, wie viel Liebe wußte sie in ein Wort, in einen Blick zu legen!"

„Und wer verlangt dies?" sagte der Freund gerührt. „Es wäre grausam gewesen, eine so schöne Liebe, die alle Verhältnisse zum Opfer brachte, zurückzustoßen. Nur Vorsicht hätte ich gewünscht; ich denke, noch ist nicht alles verloren!"

Er schien nicht darauf zu hören; seine Tränen strömten heftiger, sein glänzendes Auge schien tiefer in die Vergangenheit zu tauchen. „Und als sie mir mit holdem Erröten sagte, wie ich zu ihr gelangen könne, als sie erlaubte, ihre fürstliche Stirne zu küssen, als der süße Mund, dessen Wünsche einem Volk Befehle waren, mein gehörte, und die Hoheit einer Fürstin unterging im traulichen Flüstern der Liebe – da, da sollte ich sie lassen?"

„Wie glücklich sind Sie! Gerade in dem Geheimnis dieses Verhältnisses muß ein eigener Reiz liegen; und warum wollen Sie diese Liebe so tief verdammen? Fassen Sie sich! Das Urteil der Welt kann Ihnen gleichgültig sein, wenn Sie glücklich sind; denn im ganzen trägt ja wahrhaftig dies Verhältnis nichts so Schwarzes, Schuldiges an sich, wie Sie es selbst sich vorstellen!"

Der Graf hatte ihm zugehört; seine Augen rollten, seine Wangen färbten sich dunkler, er knirschte mit den Zähnen. „Nicht so mild müssen Sie mich beurteilen", sagte er mit dumpfer Stimme, „ich verdiene es nicht. Ich bin ein Frevler, vor dem Sie zurückschaudern sollten. O – daß ich Vergessenheit erkaufen könnte, daß ich Jahre auslöschen könnte aus meinem Gedächtnis! – Ich will vergessen, ich muß vergessen, ich werde wahnsinnig, wenn ich nicht vergesse; schaffen Sie Wein, Kamerad! Ich will trinken, mich dürstet, es wütet eine Flamme in mir, ich will mein Gedächtnis, meine Schuld ersäufen!"

Der Major war ein besonnener Mann; er dachte ziemlich ruhig über diese verzweiflungsvollen Ausbrüche der Reue und Selbstanklage. „Er ist leichtsinnig, so habe ich ihn von jeher gekannt", sagte er zu sich; „solche Menschen kommen leicht von einem Extrem in das andere. Er sieht jetzt große Schuld in seiner Liebe, weil sie der Geliebten in ihren Verhältnissen schaden kann, und im nächsten Augenblick berauscht ihn wieder die Wonne der Erinnerung." Der Wein kam, der Major goß ein; der Graf stürzte schnell einige Gläser hinunter; er ging mit schnellen Schritten schweigend im Zimmer auf und nieder, blieb vor dem Freunde stehen, trank und ging wieder. Dieser mochte seine stillen Empfindungen nicht unterbrechen; er trank und beobachtete über das Glas hin aufmerksam die Mienen, die Bewegungen seines Freundes.

„Major!" rief dieser endlich und warf sich auf den Stuhl nieder, „welches Gefühl halten Sie für das schrecklichste?"

Dieser schlürfte bedächtig den Wein in kleinen Zügen; er schien nachzusinnen und sagte dann: „Ohne Zweifel das, was das freudigste Gefühl gibt, muß auch das traurigste werden – Ehre, gekränkte Ehre."

Der Graf lachte grimmig. „Lassen Sie sich die Taler wiedergeben, Kamerad, die Sie einem schlechten Psychologen für seinen Unterricht gaben! Gekränkte Ehre! Also tiefer steigt Ihre Kunst nicht hinab in die Seele? Die gekränkte Ehre fühlt sich doch selbst noch; es lebt doch ein Gefühl in des Gekränkten Brust, das ihn hoch erhebt über die

Kränkung, er kann die Scharte auswetzen am Beleidiger; er hat noch die Möglichkeit, seine Ehre wieder fleckenlos und rein zu waschen. Aber – tiefer, Herr Bruder", rief er, indem er die Hand des Majors krampfhaft faßte, „tiefer hinab in die Seele! Welches Gefühl ist noch schrecklicher?"

„Von einem habe ich gehört", erwiderte jener, „das aber Männer wie wir nicht kennen – es heißt Selbstverachtung." Der Graf erbleichte und zitterte; er stand schweigend auf und sah den Freund lange an. „Getroffen, Kamerad!" sagte er, „das sitzt noch tiefer. Männer wie wir pflegen es nicht zu kennen, es heißt Selbstverachtung. Aber der Teufel legt auch gar feine Schlingen auf die Erde; ehe man sich versieht, ist man gefangen. Kennen Sie die Qual des Wankelmutes, Major?" „Gottlob, ich habe sie nie erfahren; mein Weg ging immer geradeaus aufs Ziel!"

„Geradeaus aufs Ziel? Wer auch so glücklich wäre! Erinnern Sie sich noch des Morgens, als wir aus den Toren von Warschau ritten? Unsere Gefühle, unsere Sinne gehörten jenem großen Geiste, der sie gefangen hielt, aber wem gehörten die Herzen der polnischen Lanciers? Unsere Trompeten ließen jene Arien aus den Krakauern ertönen, jene Gesänge, die uns als Knaben bis zur Wut für das Vaterland begeistert hatten; diese wohlbekannten Klänge pochten wieder an die Pforte unsrer Brust; Kamerad, wem gehörten unsere Herzen?"

„Dem Vaterland!" sagte der Major gerührt; „ja, damals, damals war ich freilich wankelmütig!"

„Wohl Ihnen, daß Sie es sonst nie waren! Der

Teufel weiß das recht hübsch zu machen; er läßt uns hier empfinden, glücklich werden, und dort spiegelt er noch höhere Wonne, noch größeres Glück uns vor!"

„Möglich; aber der Mann hat Kraft, dem treu zu bleiben, was er gewählt hat."

„Das ist es", rief der Graf, wie niedergedonnert durch dies eine Wort, „das ist es, und daraus – die Selbstverachtung; und warum besser scheinen, als ich bin? Kamerad, Sie sind ein Mann von Ehre – fliehen Sie mich wie die Pest, ich bin ein Ehrloser, ein Ehrvergessener – Sie sind ein Mann von Kraft, verachten Sie mich, ich muß mich selbst verachten, wissen Sie, ich bin –"

„Halt, ruhig!" unterbrach ihn der Freund, „es pochte an der Türe – Herein!"

„Bedaure, bedaure unendlich", sprach der Regisseur der Oper und rutschte mit tiefen Verbeugungen ins Zimmer, „ich unterbreche Hochdieselben?"

„Was bringen Sie uns?" erwiderte der Major, schneller gefaßt als der unglückliche Freund. „Setzen Sie sich und verschmähen Sie nicht unsern Wein; was führt Sie zu uns?"

„Die traurige Gewißheit, daß Othello doch gegeben wird. Es hilft nichts; alles Bitten ist umsonst. Ich will Ihnen nur gestehen, ich ließ die Oper einüben, hatte aber unsere Primadonna schon dahin gebracht, daß sie mir feierlich gelobte, heiser zu werden; da führt der Satan gestern abend die Sängerin Fanutti in die Stadt; sie kommt vom . . . ner Theater, bittet die allerhöchste Theaterdirektion um Gastrollen, und – stellen Sie sich vor, man sagt ihr auf nächsten Sonntag Othello zu. Ich habe beinahe geweint, wie es mir angezeigt wurde; jetzt hilft kein Gott mehr dagegen, und doch habe ich schreckliche Ahnungen!"

„Alter Herr!" rief der Graf, der indessen Zeit gehabt hatte, sich zu sammeln. „Geben Sie doch einmal Ihren Köhlerglauben auf; ich kann Sie versichern, es soll keiner der allerhöchsten Personen ein Haar gekrümmt werden; ich gehe hinaus auf den Kirchhof, lasse mir das Grab der erwürgten Desdemona zeigen, mache ihr meine Aufwartung und bitte sie, diesmal ein Auge zuzudrücken und mich zu erwürgen. Freilich hat sie dann nur einen Grafen und kein fürstliches Blut; doch einer meiner Vorfahren hat auch eine Krone getragen!"

„Freveln Sie nicht so erschrecklich", entgegnete der Alte, „wie leicht kann Sie das Unglück mit hinabziehen! Mit solchen Dingen ist nicht zu scherzen. Überdies habe ich heute nacht im Traum einen großen Trauerzug mit Fackeln gesehen, wie man Fürsten zu begraben pflegt."

„Schreckliche Visionen, guter Herr!" lachte der Major. „Haben Sie vielleicht vorher ein Gläschen zu viel getrunken? Und was ist natürlicher, als daß Sie solches Zeug träumen, da Sie den ganzen Tag mit Todesgedanken umgehen!"

Der Alte ließ sich nicht aus seinem Ernst herausschwatzen. „Gerade Sie, verehrter Herr, sollten nicht Spott damit treiben", sagte er. „Ich habe Sie nie gesehen bis zu jener Stunde, wo Sie mich mit dem Herrn Grafen besuchten, und doch gingen wir beide heute nacht miteinander dem Sarge nach, Sie weinten heftig."

„Immer köstlicher! Wie lebhaft Sie träumen! Darum mußte ich hierher kommen, um mit Ihnen, lieber Mann, im Traume spazieren zu gehen!"

„Brechen wir ab!" erwiderte jener, „was kommen muß, wird kommen, und wir würden vielleicht viel darum geben, hätten wir alles nur geträumt. Ich komme aber hauptsächlich zu Ihnen, um Sie zur Probe einzuladen. Sie haben sich so generös gegen uns bewiesen, daß ich mir ein Vergnügen daraus mache, Ihnen unser Personal, namentlich die neue Sängerin, zu zeigen." Die Freunde nahmen freudig den Vorschlag an. Der Graf schien wie immer seine Heftigkeit zu bereuen, und diese Zerstreuung kam ihm erwünscht; auf dem Major hatten jene Ausbrüche einer Selbstanklage schwer und drückend gelegen; auch er nahm daher mit Dank diesen Ausweg an, um einer näheren Erklärung seines Freundes, die er eher fürchtete als wünschte, zu entfliehen.

Und wirklich schien auch seit jener Stunde der Graf diese Saite nicht mehr berühren zu wollen; er schien wohl hin und wieder düster, ja die Augenblicke des tiefen Grames kehrten wieder, aber nicht mit ihnen das Geständnis einer großen Schuld, das damals schon auf seinen Lippen schwebte; er war verschlossener als sonst. Der Major sah ihn sogar einige Tage beinahe gar nicht; die Geschäfte, die ihn in diese Stadt gerufen hatten, ließen ihm wenige Stunden übrig, und diese pflegte gerade der Graf dem Theater zu widmen; denn sei es aus Lust an der Sache selbst, oder um im Sinne der Geliebten zu handeln und ihre Lieblingsoper recht glänzend erscheinen zu lassen, er war in jeder Probe gegenwärtig; sein richtiger Takt, seine ausgebreiteten Reisen, sein feiner, in der Welt gebildeter Geschmack verbesserten unmerklich manches, was dem Auge und Ohr selbst eines so scharfen Kritikers, wie der Regisseur war, entgangen wäre; und der alte Mann vergaß oft stundenlang die schwarzen Ahnungen, die seine Seele quälten, so sehr wußte Graf Zronievsky sein Interesse zu fesseln.

So war Othello zu einer Vollkommenheit fortgeschritten, die man anfangs nicht für möglich gehalten hätte; die Oper war durch die sonderbaren Umstände, welche ihre Aufführung bisher verhindert hatten, nicht nur dem Publikum, sondern selbst den Sängern neu geworden; kein Wunder, daß sie ihr möglichstes taten, um so großen Erwartungen zu entsprechen, kein Wunder, daß man mit freudiger Erwartung dem Tag entgegensah, der den Mohren von Venedig auf die Bretter rufen sollte. Es kam aber noch zweierlei hinzu, das Interesse des Publikums zu fesseln. Der Sängerin Fanutti war ein großer Ruf vorausgegangen, man war neugierig, wie sie sich vom Theater ausnehme, wie sie Desdemona geben werde, eine Rolle, zu der man außer schönem Gesang auch ein höheres tragisches Spiel verlangte. Hierzu kam das leise Gerücht von den sonderbaren Vorfällen, die jedesmal Othello begleitet hatten; die ältern Leute erzählten, die jüngeren sprachen es nach, zweifelten, vergrößerten, so daß ein großer Teil des Publikums glaubte, der Teufel selbst werde eine Gastrolle im Othello übernehmen. Der Major von Larun hatte Gelegenheit, an manchen Orten über diese Dinge sprechen zu hören; am auffallendsten war ihm, daß man bei Hof, wo er noch einige Abende zubrachte, kein Wort mehr über Othello sprach; nur Prinzessin Sophie sagte einmal flüchtig und lächelnd zu ihm: „Othello hätten wir denn doch herausgeschlagen; Ihrer Krankheitstante, Baron, und der diplomatischen Drohung des Grafen haben wir es zu danken. Wie freue ich mich auf Sonntag, auf mein Desdemona-Liedchen; wahrlich, wenn ich einmal sterbe, es soll mein Schwanengesang werden."

„Gibt es Ahnungen?" dachte der Major bei diesen flüchtig hingeworfenen Worten, die ihm unwillkürlich schwer und bedeutungsvoll klangen; „die Sage von der gespenstischen Desdemona, die Furcht des alten Regisseurs, seine Träume vom Trauergeleite und dieser Schwanengesang!" Er sah der holden, lieblichen Erscheinung nach, wie sie froh und freundlich durch die Säle gleitete, wie sie, gleich dem Mädchen aus der Fremde, jedem eine schöne Gabe, ein Lächeln oder ein freundliches Wort darreichte, – wenn der Zufall es wieder wollte, dachte er, wenn sie stürbe! Er verlachte sich im nächsten Augenblicke selbst, er konnte nicht begreifen, wie ein solcher Gedanke in seine vorurteilsfreie Seele kommen könne – er suchte mit Gewalt dieses lächerliche Phantom aus seiner Erinnerung zu verdrängen, – umsonst, dieser Gedanke kehrte immer wieder, überraschte ihn mitten unter den fremdartigsten Reden und Gegenständen, und immer noch glaubte er, eine süße Stimme flüstern zu hören: „Wenn ich sterbe, sei es mein Schwanengesang.“

Der Sonntag kam, und mit ihm ein sonderbarer Vorfall. Der Major war nachmittags mit dem Grafen und mehreren Offizieren ausgeritten. Auf dem Heimweg überfiel sie ein Regen, der sie bis auf die Haut durchnäßte. Die Wohnung des Grafen lag dem Tore zunächst, er bat daher den Major, sich bei ihm umzukleiden; einen Hut des Freundes auf dem Kopf, in einem seiner Überröcke gehüllt, trat der Major aus dem Hause, um in seine eigene Wohnung zu eilen. Er mochte einige Straßen gegangen sein, und immer war es ihm, als schleiche jemand allen seinen Tritten nach. Er blieb stehen, sah sich um, und dicht hinter ihm stand ein hagerer großer Mann in einem abgetragenen Rock. „Dies an Sie, Herr!“ sagte er mit dumpfer Stimme und durchdringendem Blick, drückte dem Erstaunten ein kleines Billett in die Hand und sprang um die nächste Ecke. Der Major konnte nicht begreifen, woher ihm in der völlig fremden Stadt solche geheimnisvolle Botschaft kommen sollte. Er betrachtete das Billett von allen Seiten; es war feines, glänzendes Papier, in eine Schleife künstlich zusammengeschlungen, mit einer schönen Kamee gesiegelt. Keine Aufschrift. „Vielleicht will man sich einen Scherz mit dir machen“, dachte er und öffnete es sorglos noch auf der Straße; er las und wurde aufmerksam, er las weiter und erblaßte; er steckte das Papier in die Tasche und eilte seiner Wohnung, seinem Zimmer zu. Es war schon Dämmerung gewesen auf der Straße; er glaubte, nicht recht gelesen zu haben, er rief nach Licht. Aber auch beim hellen Schein der Kerzen blieben die unseligen Worte fest und drohend stehen.

„Elender! Du kannst Dein Weib, Deine kleinen Würmer im Elend schmachten lassen, während Du vor der Welt in Glanz und Pracht auftrittst? Was

willst Du in dieser Stadt? Willst Du ein ehrwürdiges Fürstenhaus beschimpfen, seine Tochter so unglücklich machen, als Du Dein Weib gemacht hast! Fliehe! In der Stunde, wo Du dieses liest, weiß Pr. Sph. das schändliche Geheimnis Deines Betrugs."

Der Major war keinen Augenblick im Zweifel,

daß diese Zeilen an den Grafen gerichtet, daß sie durch Zufall, vielleicht, weil er in des Freundes Kleidern über die Straße gegangen, in seine Hände geraten seien. Jetzt wurden ihm auf einmal jene Ausbrüche der Verzweiflung klar; es war Reue, Selbstverachtung, die in einzelnen Momenten die glänzende Hülle durchbrochen, womit er sein trügerisches Spiel bedeckt hatte. Laruns Blicke fielen auf die Zeilen, die er noch immer in der Hand hielt; jene Chiffern Pr. Sph. konnten nichts anderes bedeuten als den Namen des holden, jetzt so unglückseligen Geschöpfes, das jener gewissenlose Verräter in sein Netz gezogen hatte. Der Major war ein Mann von kaltem, berechnendem Blick, von starkem, konsequentem Geiste; er hatte sich selten oder nie von einem Gegenstand überraschen oder außer Fassung setzen lassen, aber in diesem Augenblick war er nicht mehr Herr über sich; Wut, Grimm, Verachtung kämpften wechselweise in seiner Seele. Er suchte sich zu bezwingen, die Sache von einem milderen Gesichtspunkt anzusehen, den Grafen durch seinen Charakter, seinen grenzenlosen Leichtsinn zu entschuldigen; aber der Gedanke an Sophie, der Blick auf „das Weib und die armen kleinen Würmer“ des Elenden verjagten jede mildernde Gesinnung, brausten wie ein Sturm durch seine Seele; ja es gab Augenblicke, wo seine Hand krampfhaft nach der Wand hinzuckte, um die Pistolen herunterzureißen und den schlechten Mann noch in dieser Stunde zu züchtigen. Doch die Verachtung gegen ihn bewirkte, was mildere Stimmen in seiner Brust nicht bewirken konnten. „Er muß fort, noch diese Stunde", rief er; „die Unglückliche, die er betörte, darf um keinen Preis erfahren, welchem Elenden sie ihre erste Liebe schenkte. Sie soll ihn beweinen, vergessen; ihn verachten zu müssen, könnte sie töten." Er warf diese Gedanken schnell aufs Papier, raffte eine große Summe, mehr als er entbehren konnte, zusammen, legte den unglücklichen Brief bei und schickte alles durch seinen Diener an den Grafen.

Es war die Stunde, in die Oper zu fahren; wie gerne hätte der Major heute keinen Menschen mehr gesehen, und doch glaubte er es der Prinzessin schuldig zu sein, sie vor der gedrohten Warnung zu bewahren. Er sann hin und her, wie er dies möglich machen könne; es blieb ihm nichts übrig, als sie zu beschwören, keinen Brief von fremden Händen anzunehmen. Er warf den Mantel um und wollte eben das Zimmer verlassen, als sein Diener zurückkam; er hatte das Paket an den Grafen noch in der Hand. „Seine Exzellenz sind soeben abgereist", sagte er und legte das Paket auf den Tisch.

„Abgereist?" rief der Major. „Nicht möglich!"

„Vor der Türe ist sein Jäger, er hat einen Brief an Sie; soll ich ihn hereinbringen?"

Der Major winkte, der Diener führte den Jäger herein, der ihm weinend einen Brief übergab. Er riß ihn auf. „Leben Sie wohl auf ewig! Der Brief, der, wie ich soeben erfahre, vor einer Stunde in Ihre Hände kam, wird meine Abreise sans adieu entschuldigen. Wird mein Kamerad von sechs Feldzügen einer geliebten Dame den Schmerz ersparen, meinen Namen in allen Blättern aufrufen zu hören? Wird er die wenigen Posten decken, die ich nicht mehr bezahlen kann?"

„Wann ist Euer Herr abgereist?"

„Vor einer Viertelstunde, Herr Major!"

„Wußtet Ihr um seine Reise?"

„Nein, Herr Major! Ich glaube, Seine Exzellenz wußten es heute nachmittag selbst noch nicht; denn Sie wollten heute abend ins Theater fahren. Um fünf Uhr ging der Herr Graf zu Fuß aus und ließ mich folgen. Da begegnete ihm an der reformierten Kirche ein großer hagerer Mann, der bei seinem Anblick sehr erschrak. Er ging auf meinen Herrn zu und fragte, ob er der Graf Zronievsky sei. Mein Herr bejahte es; darauf fragte er, ob er vor einer Viertelstunde ein Billett empfangen? Der Herr Graf verneinte es. Nun sprach der fremde Mann eine Weile heimlich mit meinem Herrn; er muß ihm keine guten Nachrichten gegeben haben, denn der Herr Graf wurde blaß und zitterte; er kehrte um nach Hause, schickte den Kutscher nach Postpferden, ich mußte schnell zwei Koffer packen; der Reisewagen mußte vorfahren. Der Herr Graf verwies mich mit den Rechnungen und allem an Sie und fuhr die Straße hinab zum Südertor hinaus. Er nahm vorher noch Abschied von mir, ich glaube für immer."

Der Major hatte schweigend den Bericht des Jägers angehört; er befahl ihm, den nächsten Morgen wiederzukommen, und fuhr ins Theater. Die Ouvertüre hatte schon begonnen, als er in die Loge trat; er warf sich auf einen Stuhl nieder, von wo er die fürstliche Loge beobachten konnte. In allem

Schmuck ihrer natürlichen Schönheit und Anmut saß Prinzessin Sophie neben ihrer Mutter. Ihr Auge schien vor Freude zu strahlen, eine heitere Ruhe lag auf ihrer Stirne, um den feingeschnittenen Mund wehte ein holdes Lächeln, vielleicht der Nachklang eines heiteren Scherzes, – sie hatte ja jetzt ihren Willen durchgesetzt, Othello war es, der den Saal und die Logen des Hauses gefüllt hatte. Jetzt nahm sie die Lorgnette vor das Auge, wie letzthin schien sie eifrig im Hause nach etwas zu suchen – argloses Herz, du schlägst vergebens dem Geliebten entgegen; deine liebevollen Blicke werden ihn nicht mehr finden, dein Ohr lauscht vergebens, ob nicht sein Schritt im Korridor erschallt, du beugst umsonst den schönen Nacken zurück, die Türe will sich nicht öffnen, seine hohe, gebietende Gestalt wird sich dir nicht mehr nahen.

Sie senkte das Glas, ein Wölkchen von getäuschter Erwartung und Trauer lagerte sich unter den blonden Locken, die schönen Bogen der Brauen zogen sich zusammen und ließen ein kaum merkliches Fältchen des Unmuts sehen. Die feinen, seidenen Wimpern senkten sich wie eine durchsichtige Gardine herab; sie schien zu sinnen, sie zeichnete mit der Lorgnette auf die Brüstung der Loge. – Sind es vielleicht seine Chiffren, die sie, in Gedanken versunken, vor sich hinschreibt? Wie bald wird sie vielleicht dem Namen fluchen, der jetzt ihre Seele füllt!

Dem Major traten unwillkürlich Tränen in die Augen, als er Sophie betrachtete. „Noch ahnt sie nicht, was ihrer wartet“, dachte er, „aber nie, nie soll sie erfahren, wie elend der war, den sie liebte.“ Der Gedanke an diesen Elenden bemächtigte sich seiner aufs neue; er drückte die Augen zu, verfluchte die menschliche Natur, die durch Leichtsinn und Schwäche aus einem erhabenen Geist, aus einem tapferen Mann einen ehrvergessenen, treulosen Betrüger machen könne.

Der Major hat oft gestanden, daß einer der schrecklichsten Augenblicke in seinem Leben der gewesen sei, wo er im ersten Zwischenakt Othellos in die fürstliche Loge trat. Es war ihm zumut, als habe er selbst an Sophie gefrevelt, als sei er es, der ihr Herz brechen müsse. Der Gedanke war ihm unerträglich, sie arglos, glücklich, erwartungsvoll vor sich zu sehen und doch zu wissen, welch namenloses Unglück ihrer warte. Er trat ein; ihre Blikke begegneten ihm sogleich; sie hatte wohl oft nach der Türe gesehen. Mit hastiger Ungeduld übersah sie einen Prinzen und zwei Generale, die sich ihr nahen wollten; sie winkte den Major heran. „Haben wir jetzt unsern Othello!“ sagte sie; „sind Sie nicht auch glücklich, erwartungsvoll? – Doch einen unserer Othelloverschworenen sehe ich nicht“, flüsterte sie leiser, indem sie leicht errötete; „der Graf ist sicherlich hinter den Kulissen, um recht warmen Dank zu verdienen, wenn er alles recht schön machen läßt?“

„Verzeihen Euer Hoheit“, erwiderte der Major, mühsam nach Fassung ringend; „der Graf läßt sich entschuldigen, er ist schnell auf einige Tage verreist.“

Sophie erbleichte. „Verreist, also nicht in der

Oper? Wohin riefen ihn denn so schnell seine Geschäfte? O, das ist gewiß ein Scherz, den Sie beide zusammen machen", rief sie; „glauben Sie denn, er werde nur so schnell weggehen, ohne sich zu beurlauben? Nein, nein, das gibt irgendeinen hübschen Spaß. Jetzt weiß ich auch, woher mir ein gewisses Briefchen zukam." Der Major erschrak, daß er sich an dem nächsten Stuhl halten mußte. „Ein Briefchen?" fragte er mit bebender Stimme; eine schreckliche Ahnung stieg in ihm auf.

„Ja, ein zierliches Billettchen", sagte sie und ließ neckend das Ende eines Papiers unter dem breiten Bracelet hervorsehen, das ihren schönen Arm umschloß. „Ein Briefchen, das man recht geheimnisvoll mir zugesteckt hat. Ich sehe es Ihnen an den Augen an, Sie sind im Komplott. Ich habe noch keine Gelegenheit gefunden, es zu öffnen, denn einen solchen Scherz muß man nicht öffentlich machen, aber sobald ich in mein Boudoir komme –"

„Durchlaucht, ich bitte um Gottes willen, geben Sie mir das Billett", sagte der Major, von den schrecklichsten Qualen gefoltert, „es ist gar nicht einmal an Sie, es ist in ganz unrechte Hände gekommen."

„So? Um so besser! Das gebe ich um keine Welt heraus, das soll mir Aufschluß geben über die Geheimnisse gewisser Leute! An eine Dame war es also auf jeden Fall; es ist wirklich hübsch, daß es gerade in meine Hände kam."

Der Major wollte noch einmal bitten, beschwören, aber der Prinz fuhr mit seinem Kopf dazwischen, die beiden Generale fielen mit Fragen und

Neuigkeiten herein; er mußte sich zurückziehen. Verfolgt von schrecklichen Qualen, ging er zu seiner Loge zurück; er preßte seine Augen in die Hand, um die Unglückliche nicht zu sehen, und

immer wieder mußte er von neuem hinschauen, mußte von neuem die Qualen der Angst, die Gewißheit des nahenden Unglücks mit seinen Blicken einsaugen.

Die Diamanten am Schlosse ihres Armbandes spielten in tausend Lichtern, ihre Strahlen zuckten zu ihm herüber, sie drangen wie tausend Pfeile in sein Herz. „Welchen Jammer verschließen jene Diamanten! Wenn sie im einsamen Gemach diese Bänder öffnet, öffnet sie nicht zugleich die Pforte eines grauenvollen Frevels? Ihr Puls schlägt an diese unseligen Zeilen, wie ihr Herz für den Geliebten pocht; wird es nicht stille stehen, wenn das Siegel springt und das ahnungslose Auge auf eine furchtbare Kunde fällt?"

Desdemona stimmte ihre Harfe; ihre wehmütigen Akkorde zogen flüsternd durch das Haus, sie erhob ihre Stimme, sie sang – ihren Schwanengesang. Wie wunderbar, wie mächtig ergriffen diese melancholischen Klänge jedes Herz! So einfach, so kindlich ist dieses Lied, und doch von so hohem tragischem Effekt! Man fühlt sich bange und beengt, man ahnt, welch grauenvolles Schicksal ihrer wartet, man glaubt, den Mörder in der Ferne schleichen zu hören, man fühlt die unabwendbare Macht des Schicksals näher und näher kommen, es umrauscht sie wie die Fittiche des Todes. Sie ahnt es nicht; sanft, arglos wie ein süßes Kind sitzt sie an der Harfe, nur die Schwermut zittert in weichen Klängen aus ihrer Brust hervor, aus diesem vollen, liebewarmen Herzen, für das der Stahl schon gezückt ist. Sie flüstert Liebesgrüße in die Ferne nach ihm, der sie zermalmen wird; ihre Sehnsucht scheint ihn in ihre Arme zu rufen, er wird kommen – sie zu morden; sie betet für ihn, Desdemona segnet ihn – der ihr den Fluch gibt.

Der Major teilte seine Blicke zwischen der Sängerin und Sophie. Sie lauschte, in Wehmut versunken, auf das Lieblingslied; eine Träne hing in ihren Wimpern, sie weinte unbewußt über ihr eigenes Geschick. Die Akkorde der Harfe verschwebten, Sophie sah sinnend, träumend vor sich hin. „Wenn ich einst sterbe, soll es mein Schwanengesang sein", klang es in der Erinnerung des Majors. „Wahrlich, sie hat wahr gesagt", sprach er zu sich, „es war der Schwanengesang ihres Glückes." Othello trat auf. Sophiens Aufmerksamkeit war jetzt nicht mehr auf die Oper gerichtet, sie sah herab auf ihr Armband, sie spielte mit dem Schloß; ein heiteres Lächeln verdrängte ihre Wehmut, ihre Blicke streiften nach der Loge des Majors herüber – er strengte angstvoll seine Blicke an, – Gott im Himmel, sie schiebt das unglückselige Papier hervor und verbirgt es in ihrem Tuch – er glaubt zu sehen, wie sie heimlich das Siegel bricht – verzweiflungsvoll stürzt er aus seiner Loge den Korridor entlang. Er weiß nicht warum, es treibt ihn mit unsichtbarer Gewalt der fürstlichen Loge zu, er ist nur noch einige Schritte entfernt, – da hört er ein Geräusch in dem Haus, man kommt aus der Loge, Bediente und Kammerfrauen eilen ängstlich an ihm vorüber; eine schreckliche Ahnung sagt ihm schon vorher, was es bedeute; er fragt, er erhält die Antwort: „Prinzessin Sophie ist plötzlich in Ohnmacht gesunken!"

Düster, zerrissen in seinem Innern, saß einige Tage nach diesem Vorfall der Major Larun in seinem Zimmer. Seine Stirne ruhte in der Hand, sein

Gesicht war bleich, seine Augen halb geschlossen, der sonst so starke Mann zerdrückte manche Träne, die sich über seine Wimpern stehlen wollte. Er dachte an das schreckliche Geschick, in dessen innerstes Gewebe ihn der Zufall geworfen; er sah alle diese feinen Fäden, die, wenigen Augen außer ihm sichtbar, so lose sich anknüpften; er sah, wie sie weiter gesponnen, wie sie verknüpft und gedoppelt zu einem nur zu festen Netz um ein zartes, unglückliches Herz sich schlangen. Unbesiegbare Bitterkeit mischte sich in diese trüben Erinnerungen; sein alter Waffenfreund, ein so glänzender Meteor am Horizont der Ehre, ein so braver Soldat, und jetzt ein Elender, Ehrvergessener, der, ohne nur entfernt einen andern Ausgang erwarten zu können, mit allen Künsten der Liebe die unbewachten Sinne eines kaum zur Jungfrau erblühten Kindes betörte! In diese Gedanken mischte sich das Bild dieses so unendlich leidenden Engels, mischte sich die Angst vor einer Szene, welcher er in der nächsten Stunde entgegengehen sollte. Eine angesehene Dame, die Oberhofmeisterin der Prinzessin Sophie, hatte ihn diesen Nachmittag zu sich rufen lassen. Sie entdeckte ihm ohne Hehl, daß Sophie von einer schweren Krankheit befallen sei, daß die Ärzte wenig Hoffnung geben, denn sie nennen ihre Krankheit einen Nervenschlag. Sie sagte ihm weiter, die Prinzessin habe ihr alles gesagt, sie habe ihr kein Wort dieses strafbaren Verhältnisses verschwiegen. Sie wisse, daß in der Residenz nur ein Mensch lebe, der jenen Grafen Zronievsky näher gekannt habe, dies sei der Baron von Larun. Mit einer Angst, einem Verlangen, das an Verzweiflung grenze, dringe die Unglückliche darauf, mit ihm ohne Zeugen zu sprechen. Die Oberhofmeisterin wußte wohl, wie sehr dies gegen die Vorschriften laufe, welche die Etikette ihr auferlegen, aber der Anblick des jammernden Kindes, das nur noch dies eine Geschäft auf der Erde abmachen zu wollen schien, erhob sie über die Schranken ihrer Verhältnisse; sie wagte es, dem Major den Vorschlag zu machen, diesen Abend unter ihrer Begleitung heimlich zu der Kranken zu gehen.

Der Major hatte nicht nein gesagt. Er wußte, daß er ihr nichts Tröstliches sagen könne; er fühlte aber, wie in einem so tiefen Gram das Verlangen nach Mitteilung unüberwindlich werden müsse.

Aber was sollte er ihr sagen? Mußte er nicht befürchten, von ihrem Anblick, von den trüben Erinnerungen der letzten Tage so bestürmt zu werden, daß sein lauter Schmerz sie noch unglücklicher machte? Er war noch in diese Gedanken versunken, als ihm gemeldet wurde, daß man ihn erwarte; die alte Oberhofmeisterin hielt in ihrem Wagen vor dem Hause; er setzte sich schweigend neben ihre Seite.

„Sie werden die Prinzessin sehr schlecht finden", sagte diese Dame mit Tränen, „ich gebe alle Hoffnung auf. Ich kann mir nicht denken, daß in der Unterredung mit Ihnen, Herr Baron, noch etwas Rettendes liegen könne. Werden Sie ihr keinen Trost geben können, so verlischt sie uns wie eine Lampe, die kein Öl mehr hat, um ihre Flamme zu nähren; und wollten Sie ihr Trost, Hoffnung geben, so sind diese Gefühle in ihren Verhältnissen von so unnatürlicher Art, daß ich beinahe wünschen müßte, sie möge eher sterben als ihrem Hause Schande machen."

„Also werde ich ihr den Tod bringen müssen", sagte der Major bitter lächelnd; — „weiß man in der Familie um diese Geschichten? Was denkt man von der Krankheit?"

„Wie ich Ihnen sagte, Herr Baron; die Familie, der Hof und die Stadt weiß nicht anders, als daß sie sich erkältet haben muß; die törichten Leute bringen auch noch die fatale Oper ins Spiel und lassen sie am Othello sterben. Was wir beide wissen, weiß sonst niemand; es gibt einige Damen, die dieses Verhältnis früher ahnten, aber nicht genau wußten."

„Und doch fürchte ich", entgegnete der Major, indem er seinen durchdringenden Blick auf die Dame an seiner Seite heftete, „ich fürchte, sie stirbt an einem sehr gewagten Bubenstück. Man hat dieses Verhältnis geahnt, demselben nachgespürt, es wurde zur Gewißheit; man suchte eine Trennung herbeizuführen, man spürte die Verhältnisse des Grafen aus –"

„Glauben Sie?" sagte die Oberhofmeisterin blaß und mit bebenden Lippen, indem sie umsonst versuchte, den Blick des Majors auszuhalten.

„Man forschte diese Verhältnisse aus", fuhr der Major fort; „man suchte ihn von hier wegzuschrekken, indem man ihm drohte, der Prinzessin zu sagen, daß er verheiratet sei. Bis hierher war der Plan nicht übel; es gehörte einem solchen Elenden, daß man nicht gelinder mit ihm verfuhr. Aber man ging weiter, man wollte auch die unglückliche Dame schnell von ihrer Liebe heilen, man machte sie mit dem Geheimnis des Grafen bekannt, man glaubte, sie werde alles über Nacht vergessen. Und hier war der Plan auf die Nerven eines Dragoners berechnet, aber nicht auf das Herz dieses zarten Kindes."

„Ich muß bitten, zu bedenken", entgegnete die Oberhofmeisterin mit ihrer früheren Kälte, aber mit stechenden Blicken, „daß dieses zarte Kind eine Prinzessin des fürstlichen Hauses ist, daß sie erzogen wurde, um mit Anstand über solche Mißverhältnisse wegzusehen. Sollte wirklich irgendein solcher Plan vorhanden gewesen sein, so kann ich die Handelnden nicht tadeln, sie haben wahrhaftig geschickt operiert –"

„Sie haben ihren Zweck erreicht, sie wird sterben", unterbrach sie der Major.

„Ich hätte meinen Zweck erreicht? Mein Herr, ich muß bitten –"

„Sie?" sagte Larun mit gleichgültiger Stimme; „von Ihnen, gnädige Frau, sprach ich nicht, ich sagte: Sie, die Handelnden, die Operierenden."

Die alte Dame biß sich in die Lippen und schwieg. Wenige Augenblicke nachher waren sie an einer Seitenpforte des Palais angelangt. Ein alter Diener führte sie durch ein Labyrinth von Korridors und Treppen. Endlich wurden die Gänge breiter, die Beleuchtung auf elegantere Art angebracht; der Major bemerkte, daß sie in den bewohnteren Flügel des Schlosses gelangt seien. Der Alte winkte in eine Seitentüre. Der Weg ging jetzt durch mehrere Gemächer, bis in einem Salon, der wohl zu den Appartements der Prinzessin gehören mochte, die Oberhofmeisterin dem Major zuflüsterte, er möchte einstweilen in einem Fauteuil sich gedulden, bis sie ihn rufen lasse. Nach einer tödlich langen Viertelstunde erschien sie wieder. Sie sagte ihm, daß nach dem ausdrücklichen Willen der Kranken er allein mit ihr sein werde; sie selbst wolle sich als Garde de Dame an die Türe setzen, wo sie gewiß nichts hören könne, wenn man nicht gar zu laut spreche. Übrigens dürfe er nicht länger als eine Viertelstunde bleiben. Der Major trat ein. Das prachtvolle Gemach mit seinen schimmernden Tapeten und goldenen Leisten, die reiche Draperie der Gardinen, die bunten Farben des türkischen Fußteppichs taten seinem Auge wehe, denn das Gemüt will ein leidendes Herz, einen kranken Körper nicht mit den Flittern der Hoheit umgeben sehen. Und wie groß war der Kontrast zwischen diesem Glanz der Umgebung und diesem zarten, lieblichen Kind, das in einem einfachen, weißen Gewand auf einer prachtvollen Ottomane lag. Der Eindruck, den ihre Züge, ihre Gestalt, ihr ganzes Wesen zum erstenmal auf ihn gemacht hatten, kehrte auch jetzt wieder in die Seele des Majors. Es war ihre einfache, ungeschmückte Schönheit, ihre stille Größe, verborgen hinter dem Zauber kindlicher Liebenswürdigkeit, was ihn angezogen hatte. Wohl blendete ihn damals der Glanz der frischen, jugendlichen Farben, die lebhaft strahlenden Augen, jenes gewinnende, huldvolle Lächeln, das ihre feinen rosigen Lippen umschwebte. Ein Nachtfrost hatte diese Blüten abgestreift; aber gab ihr nicht diese durchsichtige Blässe, diese stille Trauer in dem sinnigen Auge, dieser wehmütige Zug um den Mund, der nie mehr scherzte, eine noch erhabenere Schönheit, einen noch gefährlicheren Zauber? Der Major stand einige Schritte von ihr stille und betrachtete sie mit tiefer Rührung. Sie winkte ihm nach einem Taburett, das zu ihren Füßen stand; sie sprach; ihre Stimme hatte zwar jenes helle Metall verloren, das sonst ihre heiteren Scherze, ihr fröhliches Lachen ertönen ließ, aber diese weichen, rührenden Töne drangen tiefer. – „Es wäre töricht von mir, Herr Baron", sprach sie, „wollte ich Sie lange in Ungewißheit lassen, warum ich Sie rufen ließ. Ich weiß, daß der Graf Sie als seinen besten Freund von einem Verhältnis unterrichtet hat, das nie hätte bestehen sollen. – Erinnern Sie sich noch des Abends in Othello? Ich sagte Ihnen von einem Billett, das ich bekommen habe; ich erinnere mich, daß Sie es mir wiederholt abforderten; warum haben Sie das getan?"

„Warum, fragen Euer Durchlaucht – weil ich den Inhalt ahnte, zu wissen glaubte."

„Also doch!" rief sie, und eine Träne drang aus ihrem schönen Auge. „Also doch! Ich hielt Sie seit dem ersten Augenblick, wo ich Sie sah, für einen Mann von Ehre; wenn Sie die Verhältnisse des Grafen wußten, warum haben Sie ihn nicht bälder entfernt, warum mir nicht den Schmerz erspart, ihn verachten zu müssen?"

„Ich kann bei allem, was mir heilig ist, bei meiner Ehre schwören", entgegnete der Major, „daß ich kaum eine Stunde, bevor ich zu Euer Durchlaucht in die Loge trat, diese Verhältnisse durch ein Papier erfahren habe, das durch Zufall statt in des Grafen Hände, in die meinigen kam. Als ich den Grafen darüber zur Rede stellen wollte, hatte er schon Nachricht davon bekommen und war abgereist. Ich ahnte aus gewissen Winken, die jenes Briefchen enthielt, daß auch Sie nicht verschont bleiben werden; umsonst versuchte ich das unglückliche Blättchen Euer Durchlaucht abzuschwatzen."

„Sie glauben also an diese Erfindung?" sagte Sophie, indem ihre Tränen heftiger strömten; „ach, es ist ja nur ein Kunstgriff gewisser Leute, die ihn von uns entfernen wollten. Lesen Sie dieses Billett, es ist dasselbe, das ich erhielt; gestehen Sie selbst, es ist Verleumdung!"

Der Major las:

„Der Graf v. Z. ist verheiratet; seine Gemahlin lebt in Avignon; drei kleine Kinder weinen um ihren Vater. – Sollte eine erlauchte Dame so wenig Ehrgefühl, so wenig Mitleid besitzen, ihn diesen Banden noch länger zu entziehen?"

Es war dieselbe Handschrift, dasselbe Siegel wie jenes Billett, das er selbst bekommen hatte. Er sah noch immer in diese Zeilen; er wagte nicht aufzuschauen, er wußte nicht zu antworten; denn seine strengen Begriffe von Wahrheit erlaubten ihm nicht, gegen seine Überzeugung zu sprechen, das tiefe Mitleid mit ihrem Schmerz ließ ihn ihre Hoffnung nicht so grausam niederschlagen.

„Sehen Sie“, fuhr sie fort, als er noch immer schwieg, „wie ich dieses Briefchen arglos, neugierig erbrach, so überraschten mich jene schrecklichen Worte Gemahlin, Vater wie eine Stimme des Gerichtes. Die Sinne schwanden mir; ich wurde recht krank und elend; aber so oft ich nur eine Stunde mich leichter fühle, steigt meine Hoffnung wieder; ich glaube, Zronievsky kann doch nicht so gar schlecht gewesen sein, er kann mich nicht so schrecklich betrogen haben. Lächeln Sie doch, Major, seien Sie freundlich! – Ich erlaube Ihnen, Sie dürfen mich verspotten, weil ich mich durch diese Zeilen so ganz außer Fassung bringen ließ; – aber nicht wahr, Sie meinen selbst, es ist eine Lüge, es ist Verleumdung?“

Der Major war außer sich; was sollte er ihr sagen? Sie hing so erwartungsvoll an seinen Lippen; es war, als sollte ein Wort von ihm sie ins Leben rufen – ihr Auge strahlte wieder, jenes holde Lächeln erschien wieder auf ihren lieblichen Zügen – sie lauschte wie auf die Botschaft eines guten Engels.

Er antwortete nicht, er sah finster auf den Boden; da verschwand allmählich die frohe Hoffnung aus ihren Zügen, das Auge senkte sich, der kleine Mund preßte sich schmerzlich zusammen, das zarte Rot, das noch einmal ihre Wangen gefärbt hatte, floh; sie senkte ihre Stirne in die schöne Hand; sie verbarg ihre weinenden Augen.

„Ich sehe“, sagte sie, „Sie sind zu edel, mir mit Hoffnungen zu schmeicheln, die nach wenigen Tagen wieder verschwinden müßten. Ich danke Ihnen, auch für diese schreckliche Gewißheit. Sie ist immer besser als das ungewisse Schweben zwischen Schmerz und Freude; und nun, mein Freund, nehmen Sie dort das Kästchen, suchen Sie es ihm zuzustellen! Es enthält manches, was mir teuer war, – doch nein, lassen Sie es mir noch einige Tage! Ich schicke es Ihnen, wenn ich es nicht mehr brauche."

„Es ist mir, als werde ich nicht mehr lange leben", fuhr sie nach einigen Augenblicken fort; „ich bin gewiß nicht abergläubisch, aber warum muß ich gerade nach diesem fatalen Othello krank werden?"

„Ich hätte nicht gedacht, daß dieser Gedanke nur einen Augenblick Euer Durchlaucht Sorge machen könnte!" sagte der Major.

„Sie haben recht, es ist töricht von mir; aber in der Nacht, als man mich krank aus der Oper brachte, träumte ich, ich werde sterben. Eine ernste, finstere, junge Dame kam mit einem Plumeau von roter Seide auf mich zu, deckte ihn über mich her und preßte ihn immer stärker auf mich, daß ich beinahe erstickte. Dann kam plötzlich mein Großoheim, der Herzog Nepomuk, gerade so wie er gemalt in der Galerie hängt, und befreite mich von dem beengenden Druck, und das Sonderbarste ist –"

„Nun?" fragte der Baron lächelnd, „was fing denn der gemalte Herzog mit Desdemona an?"

Die Prinzessin staunte: „Woher wissen Sie denn, daß die Dame Desdemona ist? Ich beschwöre Sie, woher wissen Sie dies?"

Der Major schwieg einen Augenblick verlegen. „Was ist natürlicher“, antwortete er dann, „als daß Sie von Desdemona träumten? Sie hatten sie ja am Abende zuvor in einem roten Bette verscheiden sehen.“

„Sonderbar, daß Sie auch gleich auf den Gedanken kamen. Das Sonderbarste aber ist, ich wachte auf, als der Herzog mich befreite, ich wachte in der Tat auf und sah – wie jene Dame mit dem Plumeau unter dem Arm langsam zur Türe hinausging. Seit dieser Nacht träumte ich immer dasselbe, immer beengender wird ihr Druck, immer später kommt mir der Herzog zu Hilfe, aber immer sehe ich sie deutlich aus dem Zimmer schweben! Und als ich gestern abend mir die Harfe bringen ließ und mein liebes Desdemona-Liedchen spielte, da – spotten

Sie immer über mich! – da ging die Türe auf, und jene Dame sah ins Zimmer und nickte mir zu."

Sie hatte dies halb scherzend, halb im Ernst erzählt; sie wurde ernster. „Nicht wahr, Major", sagte sie, „wenn ich sterbe, gedenken Sie auch meiner? Das Andenken eines solchen Mannes ist mir wert." – „Prinzessin!" rief der Major, indem er vergebens seine Wehmut zu bezwingen suchte, „entfernen Sie doch diese Gedanken, die unmöglich zu Ihrer Genesung heilsam sein können!"

Die Oberhofmeisterin erschien in der Türe und gab ein Zeichen, daß die Audienz zu Ende sein müsse. Sophie reichte dem Major die Hand zum Kusse. Er hat nie mit tieferen Empfindungen von Schmerz, Liebe und Ehrfurcht die Hand eines Mädchens geküßt. Er hob sein Auge noch einmal zu ihr auf, er begegnete ihren Blicken, die voll Wehmut auf ihm ruhten. Die Oberhofmeisterin trat mit einer Amtsmiene näher; der Major stand auf; wie schwer wurde es ihm, mit kalten, gesellschaftlichen Formen sich von einem Wesen zu trennen, das ihm in wenigen Minuten so teuer geworden war!

„Ich hoffe", sagte er, „Euer Durchlaucht bei der nächsten Cour ganz hergestellt wiederzusehen."

„Sie hoffen, Major?" entgegnete sie schmerzlich lächelnd; „leben Sie wohl, ich habe zu hoffen aufgehört."

Die Residenz war einige Tage mit nichts anderem als der Krankheit der geliebten Prinzessin beschäftigt; man sagte sie bald sehr krank, bald gab man wieder Hoffnung; ein Schwanken, das für alle, die sie näher kannten, schrecklich war. An einem Morgen, sehr frühe, brachte ein Diener dem Major ein Kästchen. Ein Blick auf dieses wohlbekannte Behältnis und auf die Trauerkleider des Dieners überzeugten ihn, daß die Prinzessin nicht mehr sei. Es war ihm, als sei dieses liebliche Wesen ihm, ihm allein gestorben. Er hatte viel verloren auf der Erde, und doch hatte kein Verlust so empfindlich, so tief seine Seele berührt als dieser. Es war ihm, als habe er nur noch ein Geschäft auf der Erde, das Vermächtnis der Verstorbenen an seinen Ort zu befördern; er würde diese Stadt, die so drückende Erinnerungen für ihn hatte, sogleich verlassen haben, hätte ihn nicht das Verlangen zurückgehalten, ihre sterblichen Reste beisetzen zu sehen. Als die feierlichen Klänge aller Glocken, als die Trauertöne der Musik und die langen Reihen der Fackelträger verkündeten, daß Sophie zu der Gruft ihrer Ahnen geführt werde, da verließ er zum erstenmal wieder sein Haus und schloß sich dem Zuge an. Er hörte nicht auf das Geflüster der Menschen, die sich über die Ursachen ihrer Krankheit, ihres Todes besprachen; er hatte nur einen Gedanken, nur jener Augenblick, wo ihr Auge noch einmal auf ihm geruht hatte, wo seine Lippen ihre Hand berührten, stand vor seiner Seele. Man nahm die Insignien ihrer hohen Geburt von der Bahre, man senkte sie langsam hinab zum Staub ihrer Ahnen. Die Menge verlor sich, die Begleiter löschten ihre Fackeln aus und verließen die Halle. Der Major warf noch einen

Blick nach der Stelle, wo sie verschwunden war, und ging.

Vor ihm ging mit unsicheren, schleppenden Schritten ein alter Mann, der heftig weinte. Als der Major an seiner Seite war, sah jener sich um; es war der Regisseur der Oper. Der Alte trat näher zu ihm, sah ihn lange an, schien sich auf etwas zu besinnen und sprach dann: „Möchten Sie nicht, Herr Baron, wir hätten nur geträumt, und jenes liebliche Kind, das man begraben hat, wäre noch am Leben?"

„Woran mahnen Sie mich!" rief der Major mit unwillkürlichem Grauen. „Ja, bei Gott, es ist so, wie Sie träumten, sie ist begraben, und wir beide gehen nebeneinander von ihrem Grab."

„Drum soll der Mensch nie mit dem Schicksal scherzen", sagte der Alte mit trübem Ernst. „Ist es nicht heute elf Tage, daß wir Othello gaben? Am achten ist sie gestorben."

„Zufall, Zufall!" rief der Major. „Wollen Sie Ihren Wahnsinn auch jetzt noch fortsetzen? Weiß ich nicht nur zu gut, an was sie starb. Wohl hat ein Dolch ihre Seele wie Desdemonas Brust durchstoßen; ein Elender, schwärzer als Ihr Othello, hat ihr Herz gebrochen; aber dennoch ist es Aberglauben, Wahnsinn, wenn Sie diesen Tod und Ihre Oper zusammenreimen!" „Unser Streit macht sie nicht wieder lebendig", sagte der Alte mit Tränen. „Glauben Sie, was Sie wollen, Verehrter! Ich werde es, wie ich es weiß, in meiner Opernchronik notieren. Es hat so kommen müssen!"

„Nein!" erwiderte der Major beinahe wütend, „nein, es hat nicht so kommen müssen; ein Wort von mir hätte sie vielleicht gerettet. Bringen Sie mir um Gottes willen Ihren Othello nicht ins Spiel; es ist Zufall, Alter, ich will es haben, es ist Zufall!"

„Es gibt, mit Ihrer Erlaubnis, keinen Zufall; es gibt nur Schickung. Doch ich habe die Ehre, mich zu empfehlen, denn hier ist meine Behausung. Glauben Sie übrigens, was Sie wollen", setzte der Alte hinzu, indem er die kalte Hand des Majors in der seinigen preßte, „das Faktum ist da, sie starb – acht Tage nach Othello."

Hermann Kurz

Ein Herzensstreich

Mein Vetter Theodor – denn das war er im fünften oder sechsten Grade – wuchs in großer Einsamkeit und Entfernung von jungen Leuten seines Alters auf. Seine Eltern waren so besorgt, die möglichen üblen Folgen des geselligen Umgangs von ihm abzuhalten, daß sie ihn nicht in die öffentliche Schule gehen ließen, sondern ihm einen Hauslehrer hielten, unter dessen Aufsicht er sich den größten Teil des Tages beschäftigen mußte. In den Erholungsstunden war es ihm vergönnt, in einem mäßigen Garten hinter dem Hause sich mit der Schaukel und anderen ähnlichen Spielen zu vergnügen oder, da er großen Hang zum Lesen hatte, unberührt vom Gifte der Romane seinen Geist und sein Herz durch Campesche Jugendschriften zu stärken und zu bilden.

So wuchs er in der Einsamkeit heran, ohne von dem Weltlauf berührt zu werden oder einen Begriff von dem zu haben, was außer dem engen Kreise seines väterlichen Hauses geschah. Dasselbe galt unserer bescheidenen Vorstellung für den Palast des Reichtums selbst; er war, im Gegensatz zu dem altreichsstädtischen Herkommen, stets abgeschlossen, und die hohen, mit einem Gitter eingefaßten Staffeln gaben ihm ein abschreckend vornehmes

Aussehen. Den Sohn des Hauses aber bekamen wir fast nur von weitem zu sehen, wenn er, gleich einem ausländischen, sorgsam abgesperrten Vogel, hinter den Staketen des Gartens spazierte.

Als er sein vierzehntes Jahr erreicht hatte, führte ihn sein Vater, ein Kaufmann, den günstige Verhältnisse und Handelsverbindungen mit Italien in den Stand gesetzt hatten, den Detailhandel aufzu-

geben und nur noch Geschäfte im Großen zu machen, in sein Comptoir ein, wo er der Geheimsprache der kaufmännischen Korrespondenz und den Mysterien der auf diesem „Platze“ noch ziemlich neuen doppelten Buchhaltung obliegen mußte.

Auch in diesem vorgerückten Stande waren ihm, außer Spaziergängen oder Spazierritten mit seinem Vater und hie und da einer Spazierfahrt mit seiner etwas nervenschwachen Mutter, nur seltene Höflichkeitsbesuche bei Verwandten oder Bekannten seiner Eltern gestattet, wo die Unterhaltung schon sehr verwegen wurde, wenn sie das Gebiet der Erkundigungen nach dem wertesten Befinden und der Debatten über Wind und Wetter verließ, um in die bedenkliche Sphäre der neuesten Moden oder gar der Stadtchronik oder vollends in das Kapitel der Verlobungen und Heiraten überzugehen.

Vom Verkehr mit den anderen jungen Kaufleuten hielt ihn sein strenger Vater ganz und gar zurück, der, in den Sitten der guten alten Zeit erzogen, die Manieren und Begriffe dieser jungen Leute verabscheute; denn sie hatten in Frankreich, wohin sie frühzeitig zu ihrer Ausbildung gesandt worden waren, den deutschen Zopf, aber freilich zum Teil bis auf den kahlen Haarboden, abgelegt und machten allen Autoritäten eine Opposition, die besonders den älteren Leuten in ihrer Vaterstadt widerwärtig war.

Mehr noch als der Wille seines Vaters schreckte unseren jungen Freund von seinen Altersgenossen das peinliche Gefühl zurück, das bei unvermeidlichen Begegnungen über ihn kam; er empfand deutlich, daß sie ihn übersahen und oft mit höhnischer Geringschätzung behandelten, wenn er gegen sie eine Äußerung wagte, deren unglaubliche Unschuld dem herkömmlichen Weltlauf ebensosehr als ihren besonderen Ansichten zuwiderlief. Unter mancherlei Spottnamen kursierte er in ihren gesellschaftlichen Zusammenkünften und bot einen unerschöpflichen Stoff zu belustigenden Erzählungen von seiner Unschuld und Unwissenheit in den Angelegenheiten des täglichen Lebens dar. Die meisten dieser Anekdoten mochten erdichtet sein, aber auch die kühnste Phantasie wurde durch einen

Einfall von ihm beschämt, womit er, ohne es zu wissen, gebieterisch in den Willen und die Rechte zweier Häuser eingriff und sich gleichsam träumend das Glück seines Lebens vom Baume schüttelte.

Der erste Geistliche der Stadt hatte zwei Töchter, von denen die jüngere, Marie, fast in gleichem Alter mit Theodor war und infolgedessen mit ihm den Religionsunterricht besucht hatte und mit ihm konfirmiert worden war. Schon damals hatte das sanfte, stille Mädchen einen unbewußten, aber großen Eindruck auf ihn gemacht; nie war er so aufmerksam, als wenn sie gefragt wurde, und doch konnte er nicht begreifen, warum sich immer nur der Ton, keineswegs aber der Inhalt ihrer Antworten in sein Gedächtnis einprägte. Die andächtige Miene, womit er die frommen Lehren ihres Vaters begleitete, gewann doch zuletzt stets eine Richtung auf die blauen Augen und die lichtbraunen Haare der Tochter. Unter den Gebeten und Sprüchen, die seine Altersgenossen längst in Frankreich vergessen hatten, war ihm jener Spruch der liebste, welcher anhebt: „Trachtet am ersten nach dem Reich Gottes"; dies kam aber, ohne daß wir sein Christentum verdächtigen wollen, doch zum Teil daher, daß Marie diese Worte bei der Konfirmation hatte aufsagen müssen.

Auch nachher durfte er sie öfter sehen; die Bedürfnisse des Kultus und die Freundschaft seiner Eltern führten ihn häufig in das Haus ihres Vaters, der sein und der Seinigen Beichtvater war, und der gute alte Herr hatte ihn so lieb, daß er ihm, auch als er in seinen hohen Jahren die Beichtvorbereitungen wie den übrigen Gottesdienst einem Vikar überlassen mußte, gern ein Stündchen besonderer Belehrung und Ermahnung widmete. Wenn dies vorüber war, so wurde der Jüngling an den Fami-

lientisch geführt, wo er sich bei einigen Erfrischungen mit den Mädchen und ihrer Mutter eine Weile unterhalten durfte. Hier befestigte sich seine Neigung zu Marien immer mehr, ja er gewöhnte sich, sie wie eine Schutzheilige anzusehen, wenn Minchen, ihre lebhafte Schwester, ihn durch schnelle Fragen oder gar durch Neckereien in Verlegenheit brachte und Marie, um ihm herauszuhelfen, die Antwort übernahm und durch einen leisen Verweis die Angriffe ihrer Schwester abschlug.

Nun hatte Theodor, so unbeholfen und unerfahren er auch in Gesellschaften erschien, doch manches Wort vernommen, das ihm eine helldunkle Aussicht in die Verhältnisse des Lebens eröffnete, manche Bezeichnung, die ihm seine leis geschäftige Phantasie ahnungsvoll ausmalte. Einige plauderhafte Basen liebten es gar zu sehr, davon zu sprechen, wen diese oder jene zum Bräutigam erhalten habe und wann die Hochzeit sein werde und wer dazu eingeladen sei, und dergleichen mehr. Einmal, als ein Vetter Theodors verlobt und seine Braut zu den Eltern auf Besuch gekommen war, hatte er es selbst mit angesehen, wie jener nach Tische seinem Mädchen vor den Augen der anderen einen herzhaften Kuß gab, und dieses Schauspiel ging ihm lang im Kopf herum; wachend und träumend sah er den Vetter, wie er sich herabbeugte und zwei frische Lippen ihm entgegenkamen und zwei helle Augen ihm so freundlich und aufmunternd entgegenblickten; ja, er fing schon an, darüber nachzudenken, ob seine eigenen Lippen wohl auch zu diesem angenehmen Spiele geschaffen sein möchten.

Dazu kam noch, daß er an seinen Eltern das musterhafte Beispiel einer glücklichen Ehe sah, der es auch nicht an Äußerungen einer größeren Zärtlichkeit fehlte, wenn sein Vater eine Geschäftsreise antrat oder sogar, was einige Male vorkam, nach geraumer Abwesenheit aus Italien zurückkehrte. Gar wohl erinnerte er sich noch, wie ihm eine Schwester in zarter Jugend gestorben war und die Mutter sich schmerzlich weinend an den Vater lehnte, als wollte sie Schutz und Trost bei ihm suchen.

Die schönen Worte, die er bald darauf bei der Trauung jenes Vetters hörte, ‚in Freud und Leid, in Not und Tod einander treu zu sein', gruben sich unauslöschlich in sein Herz, und so hafteten endlich seine Gedanken bei dem Bilde eines solchen Lebens mit Marien, von der er anfangs gewünscht hatte, sie möchte ihm die Stelle der verstorbenen Schwester ersetzen, und die er sich nun als sein Weib zu denken gewöhnte. Auch rechnete er ganz unbefangen auf die Gefälligkeit des Freundes Storch, an den er zwar, zu reiferen Ansichten gelangt, den Maßstab mythischer Kritik anlegte, ohne jedoch diesem Bild eine bestimmtere Vorstellung unterschieben zu können.

Wie nun bei einem Gefäß Wasser, das den Gefrierpunkt erreicht hat, ein einziger Stoß hinreichend ist, um die ganz neue Gestalt des Eises plötzlich hervorzubringen, so war es ein unbedachtes Wort seines Vaters, das alle diese Gefühle und Träume auf einmal in die seltsamste Tat übersetzte.

Theodors zwanzigster Geburtstag war herbeigekommen; es war der Andreastag, und schon als Knabe hatte er sich ein Mächtiges darauf zugute getan, daß sein Wiegenfest von der ganzen Christenheit gefeiert wurde, und, um auch seinerseits eine Ehre mit einer anderen zu erwidern, jedes Jahr an diesem Tage den Jungen des Glöckners mit einem Geldstück bestochen, um bei dem Einläuten des Gottesdienstes helfen zu dürfen.

Seine Eltern hatten, wie gewöhnlich, eine kleine Gesellschaft zu einem fröhlichen Mahle geladen. Natürlich drehte sich das Gespräch vielfach um den Helden des Tags, und einige ältere Frauen wußten dem Vater nichts Schmeichelhafteres zu sagen, als wie wohlerzogen sein Sohn und wie groß und stark er zu seinem Alter sei.

„Ja, ja“, erwiderte dieser, der in der Freude seines Herzens ein Gläschen mehr getrunken hatte: „Er ist ein kräftiger Bursche, und ich glaube, es wäre nächstens Zeit, daß er sich verheiratet.“

Die Mutter, in welcher bei diesen Worten die anmutigsten Gedanken erwachten, sagte lächelnd: „Da wollen wir ihn dem heutigen Heiligen, dessen geborener Schützling er ist, bestens empfehlen.“ Und die ganze Gesellschaft erhob sich, stieß die Gläser zusammen und ließ den heiligen Kreuzträger hoch und abermals hoch leben.

So wenig ernstlich nun auch dieser Toast, zumal von protestantischen Trinkern und Trinkerinnen, gemeint war, so zündete er doch dem jungen Schutzbefohlenen des Andreas ein ganz neues Licht an, wozu das liebevolle Verhältnis zu seinem Vater nicht wenig beitrug. Außer den unbedingten Pflichten des Sohnes und Lehrlings hatte er sich nämlich eine Menge anderer, gewissermaßen freiwilliger Verbindlichkeiten auferlegt, wofür er stets von ihm durch die freundlichste Anerkennung belohnt wurde. Was zur Befriedigung und zum Vergnügen des Vaters geschehen konnte, fand dieser immer getan, ohne daß es im äußersten Falle mehr als einer leisen Andeutung bedurft hätte, und so hatte der Sohn sich nach und nach einen Kreis von überverdienstlichen Werken zu eigen gemacht, wobei es freilich neben einem gewissen Takte, der seinen Eltern in dem Isolierungssystem ihrer Erziehung allerdings nicht abzusprechen war, seiner guten Natur zugeschrieben werden mußte, wenn er eine gefährliche Klippe vermied, nämlich die Tugendhaftigkeit der sogenannten guten Kinder, wovon uns so manche Erziehungsschriften mit den widerlichsten Beispielen überhäuft haben. Alles, was von Gehorsam, Anlehnung, Gefälligkeit, Liebe und Zuvorkommenheit gegen seine Eltern an ihm zum Vorschein kam, war rein natürlich, und viele lustige Mißgriffe, wozu ihn auch diese Eigenschaften verleiteten, konnten die Ungeschminktheit seines Wesens bezeugen.

Theodor, wie ihn jenes hingeworfene Wort seines Vaters traf, glaubte nicht anders, als jetzt sei die Gelegenheit vorhanden, ihm die größte Freude seines Lebens zu bereiten, und war der festen Meinung, von dem Vater nach seiner Art dazu aufgemuntert zu sein. In diesem Augenblick fiel ihm ein, was bei seines Vetters Hochzeit dessen Vater gesagt hatte: sein Sohn habe ihm schon viele Freude gemacht, aber noch nie eine solche, wie die, daß er ihm eine so liebe Tochter zuführe. Nun meinte er das gleiche schuldig zu sein, ungefähr ebenso, wie er den Vater sonst mit einer frühen Blume überrascht oder ihm einen sehnlich erwarteten Brief vor der Stunde des Austragens auf der Post abgeholt hatte.

Sein Entschluß war also schnell gefaßt, denn seine Neigung kam ihm zu Hilfe. Er wollte heiraten: wen, das wußte er, wie, das machte ihm kein Bedenken. Mit seinem Vater vorher darüber zu sprechen, fiel ihm gar nicht ein, denn in seinem ohnehin in sich gekehrten Wesen hatte ihn schon längst der Ausspruch des gemessenen Mannes bestätigt, man müsse nicht alles beschwatzen und ausklingeln, sondern ruhig und geradeaus tun, was der Tag und seine Ordnung erheische. Auch war es gewiß nicht unbillig von ihm, wenn er das wichtige Vorhaben, eine Frau zu nehmen, unbedenklich für seine eigene Angelegenheit hielt.

Die Gläser hatten noch nicht ausgeklungen, als der Vorsatz, sich mit der schönen und sanften Marie zu vermählen, in seiner Seele durchdacht und reif war. Während bei einer Schlittenfahrt, die man abends in der Novemberlandschaft machte, die Begeisterung der anderen schnell erkaltete, flammte seine eigene nur um so glühender auf; er saß in sei-

nen Mantel gehüllt, und das Gebimmel der Glöckchen wiegte ihn in die süßesten Träume von seinem künftigen Glück.

Der Tag darauf war ein Sonntag und somit zur Beschleunigung des Vorhabens ganz geeignet. Ein Besuch bei dem Vater der Geliebten hatte Theodor vor kurzer Zeit mit den zu einer Heirat wesentlichen Formen bekannt gemacht; er hatte nämlich daselbst einen jungen Mann getroffen, der sich als Bräutigam vorstellte und von dem Geistlichen die nötigen Belehrungen einholte. Bei dieser Gelegenheit erfuhr der Jüngling, daß man vor der Hochzeit etliche Male proklamiert werden müsse und zu dieser vorläufigen Handlung durch ein gewisses Zeugnis von der weltlichen Behörde befähigt werde.

Er wußte, sein Vater würde heute in die Kirche kommen, und hatte ihm daher die angenehmste Überraschung von der Kanzel aus zugedacht. Eben hatte man das erste Zeichen gegeben, als er sich auf den Weg nach dem Amtshause machte, um, wie er meinte, das Nötige daselbst in Ordnung zu bringen. Daß er nicht den leisesten Gedanken auch nur wenigstens an Mariens Einwilligung hatte, ist und bleibt allerdings ein kleiner Flecken in seinem sonst so trefflichen Charakter; doch mag es zu seiner Entschuldigung dienen, daß keine Anlage zum Despotismus, sondern die lautere Unschuld daran schuldig war: er dachte nicht anders, als so müsse es eben sein.

Nach kurzem Warten wurde er auf dem Amtshause vorgelassen. Hier erwies ihm der Zufall, der so oft die seltsamsten Karten mischt, seine volle Gunst. Der Oberbeamte, den am Tage zuvor einige Freunde aus der Residenz zu besuchen gekommen waren, stand gestiefelt und gespornt vor dem Bittsteller und war im Begriffe, den Sonntag durch eine Jagdpartie zu feiern, die er seinen Gästen zu Ehren anstellen wollte; unten aber stampfte und wieherte sein Roß, von nicht minderer Ungeduld als der Herr beseelt. Diese Hast benahm ihm den Scharfsinn, die Sache zu ergründen, deren Verdächtigkeit ihm in jedem anderen Augenblicke schwerlich entgangen wäre, und er fragte nur etwas verwundert:

„Wie? So jung schon wollen Sie heiraten? Das ist mir in meiner langen Praxis noch nicht vorgekommen.“

„Ich würde mich auch nicht so schnell entschlossen haben“, erwiderte Theodor mit der unbefan-

gensten Freundlichkeit, „wenn ich nicht wüßte, welche Freude ich meinem Vater durch diese Erfüllung seines größten Wunsches bereite.“

Diese Äußerung hielt der Amtmann für authentisch, und da er vernahm, daß die erste Proklamation heute schon vor sich gehen sollte, so dachte er, der Vater des jungen Mannes werde ihm wohl noch vor der Hochzeit seine Aufwartung machen, um diese wunderliche Eilfertigkeit zu erklären. Dabei erinnerte er sich der Instruktion, die er von seinen Oberen hatte, die weiland Reichsbürger, besonders die Angehörigen und Abkömmlinge der höheren senatorischen Würden, in allen billigen und möglichen Dingen mit Schonung und Zuvorkommenheit zu behandeln. „Sie kommen also, um wegen Ihrer Minderjährigkeit Dispensation einzuholen?" fragte er artig.

„Ja", stotterte Theodor, der von diesem staatsbürgerlichen Erfordernis eben jetzt den ersten Begriff erhielt; denn er war rein aus Zufall vor die rechte Schmiede geraten, da er die Papiere, die ihm vorschwebten, ganz anderswo zu suchen gehabt hätte, nämlich auf dem städtischen Rathause.

„Aber das werden Sie einsehen", fuhr der Beamte fort, „daß ich Ihnen die Regierungserlaubnis, selbst durch Taubenpost, nicht von jetzt an bis zum Zusammenläuten verschaffen kann."

Theodor sah ihn betroffen an und wollte schon die unglückselige Erklärung geben, daß die Sache in diesem Fall keine so große Eile habe, als der Amtmann ihm heiter und verbindlich in die Rede fiel.

„Wissen Sie was?" sagte er. „Ihre Familie ist mir ja wohlbekannt. Die höchste Entscheidung kann nicht den mindesten Anstand haben, und daß sie noch vor Ihrer Hochzeit zu den Akten kommt, dafür will ich sorgen."

Er setzte sich und schrieb, daß Kies und Funken

stoben, sofern man dies von einer spritzenden Feder sagen kann. „Zumachen, siegeln, überschreiben und gleich auf die Post!“ rief er dann seinem Schreiber zu, indem er den Bogen zu ihm hinüberfliegen ließ. Flugs ergriff und bekleckste er einen zweiten, der „ventre á terre“, wie sich der Beamte auszudrücken beliebte, in Theodors Händen war. „Hier“, setzte er hinzu, „ein provisorisches Attestat für das geistliche Amt, daß der Proklamation nichts im Wege steht.“

Ehe Theodor wußte, wie ihm geschah, war er mit einer Gratulation nebst Respekt an seine Eltern abgefertigt. Den Amtmann aber trug sein schäumendes Roß im Gefolge der anderen Reiter davon, und beim Anblick des ersten Hasen hatte er die ganze Angelegenheit vergessen.

Die Leidenschaften der anderen begünstigen unsere eigenen. Hatte Theodor sein Spiel bei dem weltlichen Amte gewonnen, so gelang es ihm beim geistlichen noch viel besser. Sein alter, würdiger Freund war ebenfalls ausgeritten, aber auf eine andere Art als der Amtmann, und auch zu einem anderen Zwecke. Ein sehr zahmer Schimmel, vielleicht ein Abkömmling des berühmten Hippogryphen, auf dem der fromme Gellert seine moralischen Spazierritte zu machen pflegte, hatte ihn auf ein benachbartes Dorf getragen, dessen Pfarrer, ein Universitätsfreund von ihm, krank darniederlag, und der Vikar sollte die Predigt halten. Schon läuteten alle Glocken zusammen, als unser unvergleichlicher Simplicissimus den weiten Weg vom Amtshause zurückgelegt hatte und atemlos in das

Studierzimmer trat. Er konnte kaum noch sagen: „Wollen Sie nicht die Güte haben, Herr Vicarius, und mich heute zum ersten Mal proklamieren?"

„Mit wem?" fragte dieser höchst erstaunt.

Es war dem Jüngling unmöglich, ihren Namen über die Lippen zu bringen, und er sagte daher bloß: „Mit der Tochter des Herrn Stadtpfarrers."

Der Vikar wurde totenbleich. Er hatte die älteste Tochter schon lange Zeit heimlich geliebt und glaubte auch in ihren Augen gelesen zu haben, daß er in ihrem Herzen keine geringe Stelle behaupte. Wie nun die Liebe blind macht, so dachte er nur an Minchen: sie war die Verlobte des unmündigen Knaben, und er war der Verspottete, der Herr von Gleichsam, welche Eigenschaft ihm schon als Amtsverweser anklebte. Ohne Zweifel hatte man um seine Liebe gewußt und deswegen alles vor ihm geheim gehalten. Darum war der Vater fortgeritten, um nicht mit ihm darüber sprechen zu müssen. So sehr wollte man ihn aufopfern, daß er selbst sie proklamieren mußte mit einem anderen!

Diese und hundert ähnliche Gedanken kreuzten sich in seinem Kopfe, es schwirrte ihm vor den Augen, er wußte nicht, was er dachte, was er tat, aber seine Predigt hatte er rein vergessen. Endlich nahm er sich zusammen und sagte so fest wie möglich: „Nun, ich wünsche Fräulein Minchen alles erdenkliche Glück und auch Ihnen, aus aufrichtigem Herzen."

„Nicht Minchen", entgegnete Theodor zögernd, der seinerseits in keiner geringeren Verlegenheit war.

„Also Marie ist Ihre Braut?“ rief der Vikar aufatmend. Theodor nickte errötend mit dem Kopfe.

Es war heraus, beide standen da und sahen einander erleichtert an. Endlich fiel der junge Geistliche in seiner Amtstracht dem beseitigten Nebenbuhler um den Hals und küßte ihn und wünschte ihm Glück und küßte ihn wieder; die Freude auf den plötzlichen Schrecken hatte ihn betäubt, und Bedenklichkeiten kamen ihm gar nicht in den Sinn. Zudem wurde drüben in der Kirche schon der erste Vers gesungen, und zu weiteren Erörterungen war keine Zeit. Wenn er in diesem Drang der Umstände auch nur den fernsten Zweifel gehegt hätte, so muß schon das vom Amtmann ausgestellte Zeugnis hinreichen, denselben zu unterdrükken. Nach einer Ermächtigung von seiten der Gemeindebehörde brauchte er nicht zu fragen, da die bürgerlichen Verhältnisse des Bräutigams wie der Braut „notorisch“ waren, und die Bücher, welche über ihre Geburt und Taufe Aufschluß gaben, führte er ja selbst. Er schrieb nur noch eilig die Namen der beiden Verlobten in das Verkündbüchlein, nahm Abschied von seinem neuen Freunde und begab sich in die Kirche. Unterwegs zwar kam es ihm doch ein wenig seltsam vor, daß man ihm, der das Vertrauen der Pfarrersfamilie in hohem Grade zu genießen glaubte, ein solches Geheimnis aus der Sache gemacht haben sollte; aber er konnte nicht lang nachdenken, denn der Weg zur Kirche war kurz, und er entdeckte auf einmal mit Schrecken, daß er alle seine Geisteskräfte aufbieten müsse, um sich wieder sattelfest in seine Predigt zu setzen, über die er unter der Erschütterung dieses Auftritts beinahe die Herrschaft verloren hatte.

Auch Theodor trat in die Kirche und nahm mit dem Gefühle, das eine wohlausgeführte und gelungene Unternehmung gewährt, seinen Platz im väterlichen Kirchenstuhle ein.

Wir wenden uns nun zu Theodors Braut wider Wissen, aber nicht wider Willen, und widmen ihrem Herzen eine kurze Betrachtung. Wenn er durch unbekannte Fesseln an Marien gebunden war und keinen klaren Begriff von diesem geheimen Zauber hatte, so fühlte sie dagegen eine desto deutlichere und lebhaftere Neigung zu ihm, und Theodor wäre erschrocken, wenn er gewußt hätte, welche Verheerung seine treuen braunen Augen, die er oft so lang auf ihr ruhen ließ, in ihrem Herzen angerichtet hatten; sie selbst jedoch, deren Bewußtsein, wie natürlich, viel früher entwickelt war, wußte es nur gar zu gut.

Theodor war in der Tat schön zu nennen: In sein edles, faltenloses Gesicht hatte das Leben noch keine jener Linien geschrieben, in welchen die herbe Weisheit der Erfahrung zu lesen ist, und doch ruhte auf seiner Stirne ein tiefer Ernst, und um seine Lippen, auf welchen ein schwarzes Bärtchen zu keimen begann, spielte eine leise Wehmut, wie sie nur jenen Sonntagskindern eigen ist, die sich in der Welt halb fremd, halb heimisch fühlen. Auch das Mitleid, mit dem sie ihm oft gegen die Neckereien ihrer Schwester zu Hilfe kam, war ihr gefährlich und weckte mit seinen Engelsstimmen neue, aber bald verstandene Gefühle in ihrem Herzen. Es war nicht zu seinem Schaden, daß sie oft von Fällen träumte, wo sie mit Wort und Tat für ihn einstehen und ihm den Weg ebnen müßte, auf daß sein Fuß an keinen Stein stieße; denn ein gewisses zärtliches Protektorat ist es, was junge Mädchen gar zu gern ausüben möchten.

Auf der andern Seite aber hatte Theodor bei aller Mädchenhaftigkeit etwas Entschiedenes und

Männliches. Er war, da es sein Vater an nichts fehlen ließ, ein tüchtiger, kecker Reiter geworden, den oft nur die Bitten seiner Mutter von allzu verwegenen Streichen zurückhielten. Auch im Gespräche war er, bei aller Scheu des ungewohnten Bewegens in Gesellschaft, nicht eigentlich schüchtern oder befangen, sondern er gab sich, sobald die erste Verlegenheit überwunden war, zutraulich, gegen wen er es sein konnte, und offen auf jede Gefahr. Am meisten jedoch war ihr Herz gewonnen durch eine unaussprechliche Treuherzigkeit, die oft alle Schranken und Verzäunungen seines unbeholfenen Wesens aufs liebenswürdigste durchbrach. So hatte sie ihm denn ihre volle Neigung zugewendet und dachte mit Grausen des Tages, an dem er einst die gebräuchliche Reise ins Ausland antreten würde, und den sie nicht überleben zu können meinte.

Der heutige Gottesdienst war nicht eben geeignet, sie ihren Träumereien zu entreißen. Freilich, um ein junges Herz voll weltlicher Entwürfe und Hoffnungen womöglich dem Ewigen zuzuwenden, dazu hätte ihr Vater auf der Kanzel stehen müssen, den zu einer solchen Wirkung, abgesehen von seiner größeren Übung und seinen reiferen Kenntnissen, schon allein sein Alter befähigt hätte. Sein Stellvertreter hatte, damit alles heute zusammentreffen sollte, um den Plan unseres Helden zu krönen, zu seinem Thema die Liebe erwählt, freilich die christliche, aber sein Herz spielte ihm manchen Possen dabei. So wollte er zum Beispiel, um die Vorzüge der Liebe desto heller ins Licht zu stellen, ein abschreckendes Gemälde der Zwietracht entwerfen; hier hielt er sich aber sehr kurz bei den Zerwürfnissen der Menschen überhaupt auf und ging schnell zu einer Entwicklung der schädlichen Folgen ehelicher Zwistigkeiten über, schilderte beredt die Vermoderung der Gemüter von entzweiten Gatten und hielt dann mit Begeisterung eine feurige Lobrede auf den ehelichen Frieden und die eheliche Liebe. Auch als er zum Gegensatze zwischen der Liebe und der Weisheit dieser Welt überging, blieb der Vergleich immer etwas zweideutig, und der Hauptpunkt hieß: ‚Die Weisheit der Welt ist lieblos oder wenigstens allzu berechnend, als daß sie dem stillen Zuge des Herzens nachzugehen wagte.' Er schloß endlich mit der Ermahnung an die Gemeinde, der Liebe anzuhängen, die allein selig mache.

Bei dem letzten Teile waren Mariens Gedanken nicht mehr anwesend, auch das darauffolgende Gebet überhörte sie völlig. Sie weilte immer noch bei dem schönen Bilde des häuslichen Glücks, das der Prediger mit so hellen Farben ausgemalt hatte. Einmal wagte sie einen flüchtigen Blick auf Theodor zu werfen: Da saß der liebenswürdige Verbrecher mit der harmlosesten Miene von der Welt, nur belebt durch eine kleine Ungeduld, womit er das Ende des Gottesdienstes heranzuwünschen schien. Auch sie blickte der letzten Zeremonie jetzt entgegen; eine seltsame Gedankenverbindung erinnerte sie auf einmal an die Proklamation, die nach dem ersten Gebete stattzufinden pflegte, und kaum waren ihre Gedanken darauf gerichtet, so fing ihr Herz zu diktieren an:

„In den Stand der Ehe wollen sich begeben: Theodor Gradmann, Friedrich Gradmanns, hiesigen Bürgers und Kaufmanns, ehlich lediger Sohn, und Marie Textor, hiesigen Stadtpfarrers, Jeremias Textors, ehlich ledige Tochter."

Welch ein wundersames Licht goß ihre Liebe über diese bürgerlich nüchterne Formel aus! So, dachte sie, sollte es jetzt heißen! Sie hätte den Vikar zwingen mögen, es ihr nachzusprechen. „So jemand Hindernisse wüßte", murmelte sie trotzig vor sich hin, „daß gemeldte Personen nicht ehlich könnten zusammenkommen"...

Da ertönte es von der Kanzel:

„In den Stand der heiligen Ehe wollen sich begeben –"

Gott im Himmel! Marie glaubte in den Boden sinken zu müssen, Wort für Wort hörte sie ihre geheimsten Gedanken in öffentlicher Kirche ausgesprochen. Die Sinne schwanden ihr, sie wußte nicht, ob nicht sie selbst es sei, die, von einer unwiderstehlichen Zaubermacht gezwungen, die leisen Worte ihres innersten Herzens mit lauter Stimme da droben der Gemeinde zurufe. Die weiche Stimme des Predigers klang ihr wie eine Gerichtsposaune; eingewurzelt, mit starrem Blicke vor sich niedersehend, ohne Sinn und Gedanken, blieb sie stehen, und als die Orgel zum letzten Vers von dem Liede „Liebe, die du einst zum Bilde" einfiel, meinte sie, die Donner des letzten Tages zu hören und erwartete regungslos den Einsturz des Gewölbes. Das Geräusch der fortströmenden Gemeinde brachte sie wieder zu sich, sie raffte sich, so gut es ging, zusammen und schwankte nach Hause.

Die Proklamation hatte in der Kirche großes Aufsehen erregt. Die Jugend des Bräutigams, seine wohlbekannte Unerfahrenheit, die Abweichung von dem gewöhnlichen Lebensgang junger Leute, alles dies versetzte die Zuhörer in kein geringes Staunen, aber Mariens Verwirrung, wie man auch dieselbe deuten mochte, schien jedenfalls gegen die

Zeremonie keinen Einspruch zu tun, und weder an dem Sohne, noch an dem Vater, der sich ungemein zu beherrschen wußte, konnte man irgend etwas bemerken, das der Rechtmäßigkeit der Handlung widersprochen hätte.

Letzterer hatte sich selbst nicht getraut, als er die verkündeten Namen hörte; einen Augenblick hielt er es für einen tollen Studentenstreich des jungen Vikars, der jedoch stets einen so bescheidenen Humor und eine so gemäßigte Gemütsstimmung gezeigt hatte, daß diese Annahme höchst unwahrscheinlich war; im nächsten Moment sagte ihm ein Blick auf seinen Sohn und dessen heiteres und unbefangenes Aussehen die ganze Geschichte dieser Veranstaltung. Sobald die Kirche zu Ende war, nahm er ihn beim Arm, indem er ihm mit strengem Tone zuflüsterte: „Still, kein Wort jetzt!" und führte ihn nach Hause. Theodor ging neben ihm her mit einem Gesicht und mit Schritten, wie wenn er in einen Eierkorb getreten wäre. Von den beiderseitigen Müttern war zum größten Glück heut' keine in der Kirche gewesen.

Zu Hause mußte der arme Junge ein scharfes Verhör bestehen, aber seine Bekenntnisse waren bündig und überzeugend. Der Vater kannte seinen Sohn viel zu gut, als daß er nicht an die Redlichkeit seiner Absicht geglaubt hätte; sein Ärger schwand, und als er trotz dem, daß die Bereitwilligkeit des Vikars ein Rätsel für ihn blieb, bedachte, wie der Zufall dem unerhörten Vorhaben des Brautwerbers zu Hilfe gekommen war, konnte er kaum noch seine strenge Haltung bewahren. In dieser Unstimmung bestärkte ihn der Richter, ein jovialer Mann und vieljähriger Freund des Hauses, der seinen verwunderungsvollen Glückwunsch abzustatten gekommen war und nun, über den wahren Hergang belehrt, das Signal zur allgemeinen Heiterkeit gab.

„Der Bursche hat einen sublimen Einfall gehabt“, sagte er, nachdem er sich satt gelacht hatte, „und Ihr, Freund, Ihr hättet es in Eurem ganzen Leben nicht soweit gebracht. Ich weiß wohl noch, welche Angst und Not es Euch gekostet, bis Ihr endlich das Jawort dieser Eurer Frau hattet. Etwas jung ist Euer Sohn freilich noch, aber diesen Fehler wird er von Tag zu Tag verbessern. Ich kann Euch versichern, schon als Experiment freut's mich ungemein, daß ich zwei so blutjunge Leutchen zusammengebracht sehe, und dann halt' ich's auch eher für nützlich als schädlich; denn jetzt können sie sich zusammengewöhnen und sich aneinander bilden, viel eher, als wenn der junge Mensch in der Welt herumgestoßen worden ist und Lebensüberdruß, Langeweile und tausend unerträgliche Eigenheiten mitgebracht hat. Item, es geht; gebt die beiden Leutchen zusammen! An Vermögen fehlt es nicht, Ihr laßt Eurem Sohn einen Anteil an Eurem Geschäfte zukommen, was Ihr früher oder später doch getan hättet, und wenn es denn je gereist sein soll, so schickt Ihr ihn nach ein paar Jahren in gemeinschaftlichen Angelegenheiten nach Italien; es reist sich doch auch anders, wenn man Weib und Kinder zu Hause hat. Gelernt hat er bei Euch, was er braucht, und dumm ist er auch nicht, denn an seinem heutigen Geniestreich seid Ihr selber schuldig, weil Ihr ihn zu wenig unter die Leute gelassen habt. Es ist auch nicht das einzige Beispiel: Fürsten heiraten sehr oft noch jünger, und warum soll dies Glück nicht auch einmal einem Bürger zuteil werden? Und so gratuliere ich denn von ganzem Herzen zu dieser Heirat, die mit so überraschender Geschwindigkeit zustande gekommen ist. Amen.

Er aber, junger Herr", wandte er sich mit einem kräftigen Handschlage zu Theodor, „Er hat mich durch dieses Stückchen ganz und gar zum Freunde gewonnen. Seine Torheit ist Weisheit vor Gott, und dies alles ist geschehen, auf daß erfüllet würde, was da geschrieben stehet: ‚Selig sind die Einfältigen, denn sie werden das Himmelreich erben!'"

„Sie haben aber in Ihrer Rechnung einen Faktor vergessen", sagte der Vater, „denn wenn ich nun auch wohl oder übel einwilligen muß, was werden Mariens Eltern dazu sagen?"

„Pah! Die haben soviel und mehr Grund als wir, sich dem Zwang der vollendeten Tatsache zu unterwerfen. Und es sind ja alte Freunde."

„Aber Marie?" warf die sanfte Mutter ein. Es war den beiden Männern gerade wie dem Sohne gegangen, sie hatten an die Hauptperson zuletzt gedacht.

„Darein melier' ich mich nicht!" rief der lustige Richter. „Und überhaupt, was geht das uns an? Das ist seine Sache, der Duckmäuser soll sehen, wie er zurechtkommt. Übrigens glaub' ich nicht, daß er einen verzweifelt harten Stand haben wird, wenn er die Suppe ausessen muß, die er eingebrockt hat. Jetzt nur rasch vorwärts zum nachträglichen Verlöbnis. Es fehlt nichts mehr dazu, als was die altdeutsche Rechtssatzung vorschreibt: ‚Er trete ihr auf den Fuß und habesihme. Habeant sibi!'"

Das grobe Geschütz des Richters trug den Sieg davon, und wenige Augenblicke darauf traten der Vater und der Sohn im Pfarrhause ein. Dort war die Verwirrung indes nicht kleiner gewesen. Marie hatte sich, ohne ein Wort zu sprechen, auf ihr Zimmer geflüchtet, der Vikar, dem seine gesunde Vernunft

jetzt sagte, daß er sich habe überrumpeln lassen, hatte der Mutter einen halben Aufschluß über den Vorfall gegeben und dann sogleich das Haus verlassen; Minchen war in Verzweiflung. Erst durch Theodors Vater wurde das Rätsel vollends aufgeklärt, und die verständige Frau sah sogleich ein, daß, wie die Sache nun einmal stand, kein Rücktritt mehr möglich sei.

„Ehe ich eine bestimmte Antwort gebe", fügte

sie hinzu, „sollte ich freilich die Ankunft meines Mannes abwarten, aber der ganze Fall ist so klar und zugleich so unwiderruflich, daß ich mir seine Meinung im voraus denken kann. Die Brautschaft also ist so gut wie im reinen, aber – bedenken Sie, was die Welt sagen wird – die Hochzeit muß aufgeschoben werden."

„Warum nicht gar?" rief Theodors Vater, der, nachdem er einmal seinen Entschluß gefaßt hatte, in vollem Zuge war. „Ein Aufschub nach der Proklamation würde nur neues Gerede geben. Lassen wir die Welt glauben, was sie will und solang sie kann. Die Wahrheit hat immer das letzte Wort."

„Vor allem", sagte sie, „müssen wir sehen, wie wir mit Marien zurechtkommen; das Mädchen macht mir bang, sie ist droben auf ihrem Zimmer und will kein Sterbenswort sprechen."

Hier faßte sich Theodor, der Rede des Richters eingedenk, ein Herz und bat so lang und so dringend, man möchte es ihm überlassen, Marien zu verständigen, daß die Mutter endlich einwilligte und sein Vater ihn lachend nach der Türe trieb.

Mit klopfendem Herzen stieg er die Treppe hinauf und trat in das kleine Zimmer. Das liebe Mädchen saß an einem Fenster, dessen Vorhänge herabgelassen waren, das Gesicht in ihr Tuch gedrückt. Bei seinem Eintreten blickte sie mit tränenschweren Augen auf, wendete sich aber unwillig ab, da sie ihn erkannte. Theodor trat zögernd hinzu und stammelte:

„Liebe Marie –"

„Das hätte ich Ihnen nicht zugetraut!" rief sie

mit von Schluchzen erstickter Stimme. „Das ist ein Spaß, der mir das Herz bricht."

„Mein Gott!" rief Theodor, dem beim Anblick ihres Jammers ebenfalls die Tränen kamen, „es war kein Spaß, es war ja mein völliger Ernst!"

Marie sah ihn starr an und brach auf einmal in helles Lachen aus, worein ihr sympathetischer

Freund bald von Herzen einstimmte. Dann aber nahm sie eine sehr ernsthafte Miene an und fragte ihn, wie er sich unterstanden habe, so eigenmächtig hinter ihrem Rücken über sie zu verfügen.

Er erwiderte, da er es nicht habe über die Zunge bringen können, ihr sein Herz zu entdecken, so habe er sich einen anderen Mund gewählt, um seine Herzensmeinung recht laut und deutlich auszusprechen.

Sie lachte und weinte zu gleicher Zeit und hörte nicht auf, ihn einen abscheulichen Bösewicht zu nennen, bis er ihr schwur, er habe nicht von ferne daran gedacht, daß die Überraschung, die er sich im Vertrauen auf ihre herzlichen Gesinnungen für ihn und die Seinigen ausgesonnen, ein Eingriff in ihren freien Willen sei, er habe gemeint, so müsse man es angreifen, wenn man frischweg und ganz aus eigenen Stücken in die Welt hinein rufen wolle: „Die will ich und keine andere!"

Wer liebt, vergibt leicht, wenn er seinen Willen, sei es auch auf Kosten eben dieses Willens, erlangt hat; daher, als er aufs treuherzigste um Verzeihung bat und sie fragte, ob sie nun das Geschehene gelten lasse und die Einwilligung der beiderseitigen Eltern durch die ihrige bestätige, faßte ihn das schöne Kind statt aller Antwort beim Kopf und küßte ihn recht herzhaft. Dieser Kuß tat Wunder und brachte unseren Helden auf einmal in Weisheit und Verstand um viele Jahre vorwärts; es ging ihm wie dem kühnen Jonathan, als er den Honig gekostet hatte, wovon geschrieben steht: „Da wurden seine Augen wacher." Er war zur Erkenntnis gekommen, aber auf eine Art, wie sie nur einem Schoßkinde des Glücks zuteil wird, zu einer Erkenntnis, wie sie der Dichter bezeichnet:

> „Um die gemeine Deutlichkeit der Dinge
> Den gold'nen Duft der Morgenröte webend."

Mitten im Jubel der beiden glücklichen Kinder traf der alte Geistliche auf seinem Schimmel ein, bereits von allem unterrichtet; der Vikar war ihm entgegengegangen und hatte sich das Gewissen durch eine aufrichtige Beichte befreit, wobei er den Zustand seines eigenen Herzens nicht ganz hatte verbergen können. Der alte Herr legte heiter lachend Mariens und Theodors Hände ineinander, und da die Herzen nun einmal geöffnet waren, so fügte es sich, daß die untergehende Sonne dieses Tags auf das Glück zweier Brautpaare leuchtete.

Es war unserem Helden doch erst wohl, als am nächsten Sonntag die zweite, rechtmäßige Ausgabe seiner Proklamation erfolgte. Wie er aber am Hochzeitstage seine Neuvermählte aus der Kirche führte, wurde er von den Leuten mit Verwunderung betrachtet, und sie flüsterten sich zu, er sehe aus, als ob er in der kurzen Zeit um einen ganzen Kopf in die Höhe und um eine ganze Brust in die Breite gewachsen wäre.

Friedrich Schiller

Spiel des Schicksals

Ein Bruchstück aus einer wahren Geschichte

Aloysius von G... war der Sohn eines Bürgerlichen von Stande in ...schen Diensten, und die Reime seines glücklichen Genies wurden durch eine liberale Erziehung frühzeitig entwickelt. Noch sehr jung, aber mit gründlichen Kenntnissen versehen, trat er in Militärdienste bei seinem Landesherrn, dem er als ein junger Mann von großen Verdiensten und noch größeren Hoffnungen nicht lange verborgen blieb. G... war in vollem Feuer der Jugend, der Fürst war es auch; G... war rasch unternehmend, der Fürst, der es auch war, liebte solche Charaktere. Durch eine reiche Ader von Witz und eine Fülle von Wissenschaft wußte G... seinen Umgang zu beseelen, jeden Zirkel, in den er sich mischte, durch eine immer gleiche Jovialität aufzuheitern und über alles, was sich ihm darbot, Reiz und Leben auszugießen, und der Fürst verstand sich darauf, Tugenden zu schätzen, die er in einem hohen Grade selbst besaß. Alles, was er unternahm, seine Spielereien selbst, hatten einen Anstrich von Größe: Hindernisse schreckten ihn nicht, und kein Fehlschlag konnte seine Beharrlichkeit besiegen. Den Wert dieser Eigenschaften erhöhte eine empfehlende Gestalt, das volle Bild blühender Gesundheit und herkulischer Stärke, durch das beredte Spiel eines regen Geistes beseelt, in Blick, Gang und Wesen eine anerschaffene natürliche Majestät, durch eine edle Bescheidenheit gemildert. War der Prinz von dem Geiste seines jungen Gesellschafters bezaubert, so riß diese verführerische Außenseite seine Sinnlichkeit unwiderstehlich hin. Gleichheit des Alters, Harmonie der Nei-

gungen und der Charaktere stifteten in kurzem ein Verhältnis zwischen beiden, das alle Stärke von der Freundschaft und von der leidenschaftlichen Liebe alles Feuer und alle Heftigkeit besaß. G . . . flog von einer Beförderung zur anderen; aber diese äußerlichen Zeichen schienen sehr weit hinter dem, was er dem Fürsten in der Tat war, zurückzubleiben. Mit erstaunlicher Schnelligkeit blühte sein Glück empor, weil der Schöpfer desselben, sein Anbeter, sein leidenschaftlicher Freund war. Noch nicht zweiundzwanzig Jahre alt, sah er sich auf einer Höhe, womit die Glücklichsten sonst ihre Laufbahn beschließen. Aber sein tätiger Geist konnte nicht lange im Schoß müßiger Eitelkeit rasten, noch sich mit dem schimmernden Gefolge einer Größe begnügen, zu deren gründlichem Gebrauch er Mut und Kräfte genug fühlte. Während der Fürst nach dem Ringe des Vergnügens flog, vergrub sich der junge Günstling unter Akten und Büchern und widmete sich mit lasttragendem Fleiß den Geschäften, deren er sich endlich so geschickt und so vollkommen bemächtigte, daß jede Angelegenheit, die nur einigermaßen von Belange war, durch seine Hände ging. Aus einem Gespielen seiner Vergnügen wurde er bald erster Rat und Minister und endlich Beherrscher seines Fürsten. Bald war kein Weg mehr zu diesem als durch ihn. Er vergab alle Ämter und Würden; alle Belohnungen wurden aus seinen Händen empfangen.

G ... war in zu früher Jugend und mit zu raschen Schritten zu dieser Größe emporgestiegen, um ihrer mit Mäßigung zu genießen. Die Höhe, worauf er sich erblickte, machte seinen Ehrgeiz schwindeln; die Bescheidenheit verließ ihn, sobald das letzte Ziel seiner Wünsche erstiegen war. Die demutsvolle Unterwürfigkeit, welche von den Ersten des Landes, von allen, die durch Geburt, Ansehen und Glücksgüter so weit über ihn erhoben waren, welche von Greisen selbst, ihm, einem Jünglinge, gezollt wurde, berauschte seinen Hochmut, und die unumschränkte Gewalt, von der er Besitz genommen, machte bald eine gewisse Härte in seinem Wesen sichtbar, die von jeher als Charakterzug in ihm gelegen hatte und ihm auch durch alle Abwechslungen seines Glückes geblieben ist. Keine Dienstleistung war so mühevoll und groß, die ihm seine Freunde nicht zumuten durften; aber seine Feinde mochten zittern: Denn so sehr er auf der einen Seite sein Wohlwollen übertrieb, so wenig Maß hielt er in seiner Rache. Er gebrauchte sein Ansehen weniger, sich selbst zu bereichern, als viele Glückliche zu machen, die ihm als dem Schöpfer ihres Wohlstandes huldigen sollten; aber Laune, nicht Gerechtigkeit wählte die Subjekte. Durch ein hochfahrendes gebieterisches Wesen entfremdete er selbst die Herzen derjenigen von sich, die er am meisten verpflichtet hatte, indem er zugleich alle seine Nebenbuhler und heimlichen Neider in ebenso viele unversöhnliche Feinde verwandelte.

Unter denen, welche jeden seiner Schritte mit Augen der Eifersucht und des Neides bewachten und in der Stille schon die Werkzeuge zu seinem Untergange zurichteten, war ein piemontesischer Graf, Joseph Martinengo, von der Suite des Fürsten, den G... selbst, als eine unschädliche und ihm ergebene Kreatur, in diesen Posten eingeschoben hatte, um ihn bei den Vergnügungen seines Herrn den Platz ausfüllen zu lassen, dessen er selbst überdrüssig zu werden anfing und den er lieber mit einer gründlicheren Beschäftigung vertauschte. Da er diesen Menschen als ein Werk seiner Hände betrachtete, das er, sobald es ihm nur einfiele, in das Nichts wieder zurückwerfen könnte, woraus er es gezogen, so hielt er sich desselben durch Furcht sowohl als durch Dankbarkeit versichert und verfiel dadurch in eben den Fehler, den Richelieu beging, da er Ludwig dem Dreizehnten den jungen le Grand zum Spielzeug überließ. Aber ohne diesen Fehler mit Richelieus Geiste verbessern zu können, hatte er es mit einem verschlageneren Feinde zu tun, als der französische Minister zu bekämpfen gehabt hatte. Anstatt sich seines guten Glücks zu überheben und seinen Wohltäter fühlen zu lassen, daß man seiner nun entübrigt sei, war Martinengo vielmehr aufs sorgfältigste bemüht, den Schein dieser Abhängigkeit zu unterhalten und sich mit verstellter Unterwürfigkeit immer mehr und mehr an den Schöpfer seines Glücks anzuschließen. Zu gleicher Zeit aber unterließ er nicht die Gelegenheit, die sein Posten ihm verschaffte, öfters um den Fürsten zu sein, in ihrem ganzen Umfang zu benutzen und sich diesem nach und nach notwendig und unentbehrlich zu machen. In kurzer Zeit wußte er das Gemüt seines Herrn auswendig, alle Zugänge zu seinem Vertrauen hatte er ausgespäht und sich unbemerkt in seine Gunst eingestohlen. Alle jene Künste, die ein edler Stolz und eine natürliche Erhabenheit der Seele den Minister verachten gelehrt hatte, wurden von dem Italiener in Anwendung gebracht, der zu Erreichung seines Zwecks auch das niedrigste Mittel nicht verschmähte. Da ihm sehr gut bewußt war, daß der Mensch nirgends mehr eines Führers und Gehilfen bedarf als auf dem Wege des Lasters und daß nichts zu kühneren Vertraulichkeiten berechtigt als eine Mitwisserschaft geheim gehaltener Blößen, so weckte er Leidenschaften bei dem Prinzen, die bis jetzt noch in ihm geschlummert hatten, und dann drang er sich ihm selbst zum Vertrauten und Helfershelfer dabei auf. Er riß ihn zu solchen Ausschweifungen hin, die die wenigsten Zeugen und Mitwisser dulden; und dadurch gewöhnte er ihn unbemerkt, Geheimnisse bei ihm niederzulegen, wovon jeder dritte ausgeschlossen war. So gelang es ihm endlich, auf die Verschlimmerung des Fürsten seinen schändlichen Glücksplan zu gründen, und eben darum, weil das Geheimnis ein wesentliches Mittel dazu war, so war das Herz des Fürsten sein, ehe sich G ... nur träumen ließ, daß er es mit einem anderen teilte.

Man dürfte sich wundern, daß eine so wichtige Veränderung der Aufmerksamkeit des letzteren entging; aber G ... war seines eigenen Wertes zu gewiß, um sich einen Mann wie Martinengo als Nebenbuhler auch nur zu denken, und dieser sich selbst zu gegenwärtig, zu sehr auf seiner Hut, um durch irgendeine Unbesonnenheit seinen Gegner aus dieser stolzen Sicherheit zu reißen. Was Tausende vor ihm auf dem glatten Grunde der Fürstengunst straucheln gemacht hat, brachte auch G ... zum Falle – zu große Zuversicht zu sich selbst. Die geheimen Vertraulichkeiten zwischen Martinengo und seinem Herrn beunruhigten ihn nicht. Gerne gönnte er einem Aufkömmling ein Glück, das er selbst im Herzen verachtete und das nie das Ziel seiner Bestrebungen gewesen war. Nur weil sie allein ihm den Weg zu der höchsten Gewalt bahnen konnte, hatte die Freundschaft des Fürsten einen

Reiz für ihn gehabt, und leichtsinnig ließ er die Leiter hinter sich fallen, sobald sie ihm auf die erwünschte Höhe geholfen hatte.

Martinengo war nicht der Mann, sich mit einer so untergeordneten Rolle zu begnügen. Mit jedem Schritte, den er in der Gunst seines Herrn vorwärts tat, wurden seine Wünsche kühner, und sein Ehrgeiz fing an, nach einer gründlicheren Befriedigung zu streben. Die künstliche Rolle von Unterwürfigkeit, die er bis jetzt noch immer gegen seinen Wohltäter beibehalten hatte, wurde immer drükkender für ihn, je mehr das Wachstum seines Ansehens seinen Hochmut weckte. Da das Betragen des Ministers gegen ihn sich nicht nach den schnellen Fortschritten verfeinerte, die er in der Gunst des Fürsten machte, im Gegenteil oft sichtbar genug darauf eingerichtet schien, seinen aufsteigenden Stolz durch eine heilsame Rückerinnerung an seinen Ursprung niederzuschlagen, so wurde ihm dieses gezwungene und widersprechende Verhältnis endlich so lästig, daß er einen ernstlichen Plan entwarf, es durch den Untergang seines Nebenbuhlers auf einmal zu beendigen. Unter dem undurchdringlichsten Schleier der Verstellung brütete er diesen Plan zur Reife. Noch durfte er es nicht wagen, sich mit seinem Nebenbuhler in offenbarem Kampfe zu messen; denn obgleich die erste Blüte von G . . . s Favoritschaft dahin war, so hatte sie doch zu frühzeitig angefangen und zu tiefe Wurzeln im Gemüte des jungen Fürsten geschlagen, um so schnell daraus verdrängt zu werden. Der kleinste Umstand konnte sie in ihrer ersten Stärke zurückbringen; darum begriff Martinengo wohl, daß der Streich, den er ihm beibringen wollte, ein tödlicher Streich sein müsse. Was G . . . an des Fürsten Liebe vielleicht verloren haben mochte, hatte er an seiner Ehrfurcht gewonnen; je mehr sich letzterer den Regierungsgeschäften entzog, desto weniger konnte er des Mannes entraten, der, selbst auf Unkosten des Landes, mit der gewissenhaftesten Ergebenheit und Treue seinen Nutzen besorgte –

und so teuer er ihm ehedem als Freund gewesen war, so wichtig war er ihm jetzt als Minister.

Was für Mittel es eigentlich gewesen, wodurch der Italiener zu seinem Zwecke gelangte, ist ein Geheimnis zwischen den wenigen geblieben, die der Schlag traf und die ihn führten. Man mutmaßt, daß er dem Fürsten die Originalien einer heimlichen und sehr verdächtigen Korrespondenz vorgelegt, welche G ... mit einem benachbarten Hofe soll unterhalten haben; ob echt oder unterschoben, darüber sind die Meinungen geteilt. Wie dem aber auch gewesen sein möge, so erreichte er seine Absicht in einem fürchterlichen Grade. G ... erschien in den Augen des Fürsten als der undankbarste und schwärzeste Verräter, dessen Verbrechen so außer allen Zweifel gesetzt war, daß man ohne fernere Untersuchung sogleich gegen ihn verfahren zu dürfen glaubte. Das Ganze wurde unter dem tiefsten Geheimnis zwischen Martinengo und seinem Herrn verhandelt, daß G ... auch nicht einmal von ferne das Gewitter merkte, das über seinem Haupte sich zusammenzog. In dieser verderblichen Sicherheit verharrte er bis zu dem schrecklichen Augenblick, wo er von einem Gegenstande der allgemeinen Anbetung und des Neides zu einem Gegenstand der höchsten Erbarmung heruntersinken sollte.

Als dieser entscheidende Tag erschienen war, besuchte G ... nach seiner Gewohnheit die Wachparade. Vom Fähnrich war er in einem Zeitraum von wenigen Jahren bis zum Rang eines Obristen hinaufgerückt; und auch dieser Posten war nur ein bescheidener Name für die Ministerwürde, die er in der Tat bekleidete und die ihn über die Ersten im Lande hinaussetzte. Die Wachparade war der gewöhnliche Ort, wo sein Stolz die allgemeine Huldigung einnahm, wo er in einer kurzen Stunde eine Größe und Herrlichkeit genoß, für die er den ganzen Tag über Lasten getragen hatte. Die Ersten von Range nahten sich ihm hier nicht anders als mit ehrerbietiger Schüchternheit, und die sich seiner Wohlgewogenheit nicht ganz sicher wußten, mit Zittern. Der Fürst selbst, wenn er sich je zuweilen hier einfand, sah sich neben seinem Wesir vernachlässigt, weil es weit gefährlicher war, diesem letzteren zu mißfallen, als es Nutzen brachte, jenen zum Freunde zu haben. Und eben dieser Ort, wo er sich sonst als einem Gott hatte huldigen lassen, war jetzt zu dem schrecklichen Schauplatz seiner Erniedrigung erkoren.

Sorglos trat er in den wohlbekannten Zirkel, der sich, ebenso unwissend über das, was kommen sollte, als er selbst, heute wie immer ehrerbietig vor ihm auftat, seine Befehle erwartend. Nicht lange, so erschien in Begleitung einiger Adjutanten Martinengo, nicht mehr der geschmeidige, tiefgebückte, lächelnde Höfling – frech und bauernstolz, wie ein zum Herrn gewordener Lakai, mit trotzigem, festem Tritte schreitet er ihm entgegen, und mit bedecktem Haupte steht er vor ihm still, im Namen des Fürsten seinen Degen fordernd. Man reicht ihm diesen mit einem Blicke schweigender Bestürzung, er stemmt die entblößte Klinge gegen den Boden, sprengt sie durch einen Fußtritt entzwei und läßt die Splitter zu G . . .s Füße fallen. Auf dieses gegebene Signal fallen beide Adjutanten über ihn her, der eine beschäftigt, ihm das Ordenskreuz von der Brust zu schneiden, der andere, beide

Achselbänder nebst den Aufschlägen der Uniform abzulösen und Kordon und Federbusch von dem Hute zu reißen. Während dieser ganzen schrecklichen Operation, die mit unglaublicher Schnelligkeit vonstatten geht, hört man von mehr als fünfhundert Menschen, die dicht umherstehen, nicht einen einzigen Laut, nicht einen einzigen Atemzug in der ganzen Versammlung. Mit bleichen Gesichtern, mit klopfendem Herzen und in totenähnlicher Erstarrung steht die erschrockene Menge im Kreis um ihn herum, der in dieser sonderbaren

Ausstaffierung – ein seltsamer Anblick von Lächerlichkeit und Entsetzen! – einen Augenblick durchlebt, den man ihm nur auf dem Hochgericht nachempfindet. Tausend andere an seinem Platze würde die Gewalt des ersten Schreckens sinnlos zu Boden gestreckt haben; sein robuster Nervenbau und seine starke Seele dauerten diesen fürchterlichen Zustand aus und ließen ihn alles Gräßliche desselben erschöpfen.

Kaum ist diese Operation geendigt, so führt man ihn durch die Reihen zahlloser Zuschauer bis ans äußerste Ende des Paradeplatzes, wo ein bedeckter Wagen ihn erwartet. Ein stummer Wink befiehlt ihm, in denselben zu steigen; eine Eskorte von Husaren begleitet ihn. Das Gerücht dieses Vorgangs hat sich unterdessen durch die ganze Residenz verbreitet, alle Fenster öffnen sich, alle Straßen sind von Neugierigen erfüllt, die schreiend dem Zuge folgen und unter abwechselnden Ausrufungen des Hohnes, der Schadenfreude und einer noch weit kränkenderen Bedauernis seinen Namen wiederholen. Endlich sieht er sich im Freien, aber ein neuer Schrecken wartet hier auf ihn. Seitab von der Heerstraße lenkt der Wagen einen wenig befahrenen menschenleeren Weg – den Weg nach dem Hochgericht, gegen welches man ihn, auf einen aus-

drücklichen Befehl des Fürsten, langsam heranfährt. Hier, nachdem man ihm alle Qualen der Todesangst zu empfinden gegeben, lenkt man wieder nach einer Straße ein, die von Menschen besucht wird. In der sengenden Sonnenhitze ohne Labung, ohne menschlichen Zuspruch, bringt er sieben schreckliche Stunden in diesem Wagen zu, der endlich mit Sonnenuntergang an dem Ort seiner Bestimmung, der Festung, stille hält. Des Bewußtseins beraubt, in einem mittleren Zustand zwischen Leben und Tod (ein zwölfstündiges Fasten und der brennende Durst hatten endlich seine Riesennatur überwältigt), zieht man ihn aus dem Wagen – und in einer scheußlichen Grube unter der Erde wacht er wieder auf. Das erste, was sich, als er die Augen zum neuen Leben wieder aufschlägt, ihm darbietet, ist eine grauenvolle Kerkerwand, durch einige Mondstrahlen matt erleuchtet, die in einer Höhe von neunzehn Klaftern durch schmale Ritzen auf ihn herunterfallen. – An seiner Seite findet er ein dürftiges Brot nebst einem Wasserkrug und daneben eine Schütte Stroh zu seinem Lager. In diesem Zustand verharrt er bis zum folgenden Mittag, wo endlich in der Mitte des Turmes ein Laden sich auftut und zwei Hände sichtbar werden, von welchen in einem hängenden Korbe dieselbe Kost, die er gestern gefunden, heruntergelassen wird. Jetzt, seit diesem ganzen fürchterlichen Glückswechsel zum erstenmal, entrissen ihm Schmerz und Sehnsucht einige Fragen: wie er hierher komme? und was er verbrochen habe? Aber keine Antwort von oben. Die Hände verschwinden, und der Laden geht wieder zu. Ohne das Gesicht eines Menschen zu sehen, ohne auch nur eines Menschen Stimme zu hören, ohne irgendeinen Aufschluß über dieses entsetzliche Schicksal, über

Künftiges und Vergangenes in gleich fürchterlichen Zweifeln, von keinem warmen Lichtstrahl erquickt, von keinem gesunden Lüftchen erfrischt, aller Hilfe unerreichbar und vom allgemeinen Mitleid vergessen, zählt er in diesem Ort der Verdammnis vierhundertneunzig gräßliche Tage an den kümmerlichen Broten ab, die ihm von einer Mittagsstunde zur anderen in trauriger Einförmigkeit hinunter gereicht werden. Aber eine Entdekkung, die er schon in den ersten Tagen seines Hierseins macht, vollendet das Maß seines Elends. Er kennt diesen Ort – er selbst war es, der ihn, von einer niedrigen Rachgier getrieben, wenige Monate vorher neu erbaute, um einen verdienten Offizier darin verschmachten zu lassen, der das Unglück gehabt hatte, seinen Unwillen auf sich zu laden. Mit erfinderischer Grausamkeit hatte er selbst die Mittel angegeben, den Aufenthalt in diesem Kerker grauenvoller zu machen. Er hatte vor nicht gar langer Zeit in eigener Person eine Reise hierher getan, den Bau in Augenschein zu nehmen und die Vollendung desselben zu beschleunigen. Um seine Marter aufs Äußerste zu treiben, muß es sich fügen, daß derselbe Offizier, für den dieser Kerker zugerichtet worden, ein alter würdiger Obrist, dem eben verstorbenen Kommandanten der Festung im Amte nachfolgt und aus einem Schlachtopfer seiner Rache der Herr seines Schicksals wird. So floh ihm auch der letzte traurige Trost, sich selbst zu bemitleiden, und das Schicksal, so hart es ihn auch behandelte, einer Ungerechtigkeit zu zeihen. Zu dem sinnlichen Gefühl seines Elends gesellte sich noch eine wütende Selbstverachtung und der Schmerz, der für stolze Herzen der bitterste ist, von der Großmut eines Feindes abzuhängen, dem er keine gezeigt hatte.

Aber dieser rechtschaffene Mann war für eine niedere Rache zu edel. Unendlich viel kostete seinem menschenfreundlichen Herzen die Strenge, die seine Instruktion ihm gegen den Gefangenen auflegte; aber als ein alter Soldat gewöhnt, den

Buchstaben seiner Order mit blinder Treue zu befolgen, konnte er weiter nichts als ihn bedauern. Einen tätigeren Helfer fand der Unglückliche an dem Garnisonsprediger der Festung, der, von dem Elend des gefangenen Mannes gerührt, wovon er nur spät, und nur durch dunkle unzusammenhängende Gerüchte, Wissenschaft bekam, sogleich den festen Entschluß faßte, etwas zu seiner Erleichterung zu tun. Dieser achtungswürdige Geistliche, dessen Namen ich ungern unterdrücke, glaubte seinem Hirtenberufe nicht besser nachkommen zu können, als wenn er ihn jetzt zum Besten eines unglücklichen Mannes geltend machte, dem auf keinem anderen Wege mehr zu helfen war.

Da er von dem Kommandanten der Festung nicht erhalten konnte, zu dem Gefangenen gelassen zu werden, so machte er sich in eigener Person auf den Weg nach der Hauptstadt, sein Gesuch dort unmittelbar bei dem Fürsten zu betreiben. Er tat einen Fußfall vor demselben und flehte seine Erbarmung für den unglücklichen Menschen an, der ohne die Wohltaten des Christentums, von denen auch das ungeheuerste Verbrechen nicht ausschließen könne, hilflos verschmachte und der Verzweiflung vielleicht nahe sei. Mit aller Unerschrokkenheit und Würde, die das Bewußtsein erfüllter Pflicht verleiht, forderte er einen freien Zutritt zu dem Gefangenen, der ihm als Beichtkind angehöre und für dessen Seele er dem Himmel verantwortlich sei. Die gute Sache, für die er sprach, machte ihn beredt, und den ersten Unwillen des Fürsten hatte die Zeit schon etwas gebrochen. Er bewilligte ihm seine Bitte, den Gefangenen mit einem geistlichen Besuch erfreuen zu dürfen.

Das erste Menschenantlitz, das der unglückliche G... nach einem Zeitraum von sechzehn Monaten erblickte, war das Gesicht seines Helfers. Den einzigen Freund, der ihm in der Welt lebte, dankte er seinem Elend; sein Wohlstand hatte ihm keinen erworben. Der Besuch des Predigers war für ihn eines Engels Erscheinung. Ich beschreibe seine Empfindungen nicht. Aber von diesem Tage an flossen seine Tränen gelinder, weil er sich von einem menschlichen Wesen beweint sah.

Entsetzen hatte den Geistlichen ergriffen, da er in die Mordgrube hineintrat. Seine Augen suchten einen Menschen – und ein Grauen erweckendes Scheusal kroch aus einem Winkel ihm entgegen, der mehr dem Lager eines wilden Tieres als dem Wohnort eines menschlichen Geschöpfes glich. Ein blasses, totenähnliches Gerippe, alle Farbe des Lebens aus einem Angesicht verschwunden, in welches Gram und Verzweiflung tiefe Furchen gerissen hatten, Bart und Nägel durch eine so lange Vernachlässigung bis zum Scheußlichen gewachsen, vom langen Gebrauche die Kleidung halb vermodert, und aus gänzlichem Mangel der Reinigung die Luft um ihn verpestet – so fand er diesen Liebling des Glücks, und diesem allem hatte seine eiserne Gesundheit widerstanden! Von diesem Anblick noch außer sich gesetzt, eilte der Prediger auf der Stelle zu dem Gouverneur, um auch noch die zweite Wohltat für den armen Unglücklichen auszuwirken, ohne welche die erste für keine zu rechnen war.

Da sich dieser abermals mit dem ausdrücklichen Buchstaben seiner Instruktion entschuldigt, entschließt er sich großmütig zu einer zweiten Reise nach der Residenz, die Gnade des Fürsten noch einmal in Anspruch zu nehmen. Er erklärt, daß er sich, ohne die Würde des Sakraments zu verletzen, nimmermehr entschließen könnte, irgendeine heilige Handlung mit seinem Gefangenen vorzunehmen, wenn ihm nicht zuvor die Ähnlichkeit mit Menschen zurückgegeben würde. Auch dieses wird bewilligt, und erst von diesem Tage an lebte der Gefangene wieder.

Noch viele Jahre brachte G ... auf dieser Festung zu, aber in einem weit leidlicheren Zustand, nachdem der kurze Sommer des neuen Günstlings verblüht war und andere an seinem Posten wechselten, welche menschlicher dachten oder doch keine Rache an ihm zu sättigen hatten. Endlich nach einer zehnjährigen Gefangenschaft erschien ihm der Tag der Erlösung – aber keine gerichtliche Untersuchung, keine förmliche Lossprechung. Er empfing seine Freiheit als Geschenk aus den Händen der Gnade; zugleich ward ihm auferlegt, das Land auf ewig zu räumen.

Hier verlassen mich die Nachrichten, die ich, bloß aus mündlichen Überlieferungen, über seine Geschichte habe sammeln können; und ich sehe mich gezwungen, über einen Zeitraum von zwanzig Jahren hinwegzuschreiten. Während desselben fing G ... in fremden Kriegsdiensten von neuem seine Laufbahn an, die ihn endlich auch dort auf eben den glänzenden Gipfel führte, wovon er in seinem Vaterlande so schrecklich heruntergestürzt war. Die Zeit endlich, die Freundin des Unglücklichen, die eine langsame, aber unausbleibliche Gerechtigkeit übt, nahm endlich auch diesen Rechtshandel über sich. Die Jahre der Leidenschaften wa-

ren bei dem Fürsten vorüber, und die Menschheit fing allgemach an, einen Wert bei ihm zu erlangen, wie seine Haare sich bleichten. Noch am Grabe erwachte in ihm eine Sehnsucht nach dem Lieblinge seiner Jugend. Um womöglich dem Greis die Kränkungen zu vergüten, die er auf den Mann gehäuft hatte, lud er den Vertriebenen freundlich in seine Heimat zurück, nach welcher auch in G . . .s Herzen schon längst eine stille Sehnsucht zurückgekehrt war. Rührend war dieses Wiedersehen, warm und täuschend der Empfang, als hätte man sich gestern erst getrennt. Der Fürst ruhte mit einem nachdenkenden Blick auf dem Gesicht, das ihm so wohl bekannt und doch wieder so fremd war; es war, als zählte er die Furchen, die er selbst darein gegraben hatte. Forschend suchte er in des Greises Gesicht die geliebten Züge des Jünglings wieder zusammen, aber was er suchte, fand er nicht mehr. Man zwang sich zu einer frostigen Vertraulichkeit – Beider Herzen hatten Scham und Furcht auf immer und ewig getrennt. Ein Anblick, der ihm seine schwere Übereilung wieder in seine Seele rief, konnte dem Fürsten nicht wohl tun; G ... konnte den Urheber seines Unglücks nicht mehr lieben. Doch getröstet und ruhig sah er in die Vergangenheit, wie man sich eines überstandenen schweren Traumes erfreut.

Nicht lange, so erblickte man G ... wieder im vollkommenen Besitz aller seiner vorigen Würden, und der Fürst bezwang seine innere Abneigung, um ihm für das Vergangene einen glänzenden Ersatz zu geben. Aber konnte er ihm auch das Herz dazu wiedergeben, das er auf immer für den Genuß des Lebens verstümmelte? Konnte er ihm die Jahre der Hoffnungen wiedergeben, oder für den abgelebten Greis ein Glück erdenken, das auch nur von weitem den Raub ersetzte, den er an dem Manne begangen hatte?

Noch neunzehn Jahre genoß G ... diesen heiteren Abend seines Lebens. Nicht Schicksale, nicht die Jahre hatten das Feuer der Leidenschaft bei ihm aufzehren noch die Jovialität seines Geistes ganz bewölken können. Noch in seinem siebenzigsten Jahre haschte er nach dem Schatten eines Guts, das er im zwanzigsten wirklich besessen hatte. Er starb endlich – als Befehlshaber von der Festung, wo Staatsgefangene aufbewahrt wurden. Man wird erwarten, daß er gegen diese eine Menschlichkeit geübt, deren Wert er an sich selbst hatte schätzen lernen müssen. Aber er behandelte sie hart und launisch, und eine Aufwallung des Zorns gegen einen derselben streckte ihn auf den Sarg in seinem achtzigsten Jahre.

Eduard Mörike

Lucie Gelmeroth

Ich wollte – so erzählt ein deutscher Gelehrter in seinen noch ungedruckten Denkwürdigkeiten – als Göttinger Student auf einer Ferienreise auch meine Geburtsstadt einmal wieder besuchen, die ich seit langem nicht gesehen hatte. Mein verstorbener Vater war Arzt daselbst gewesen. Tausend Erinnerungen, und immer gedrängter, je näher ich der Stadt nun kam, belebten sich vor meiner Seele. Die Postkutsche rollte endlich durchs Tor, mein Herz schlug heftiger, und mit taumligem Blick sah ich Häuser, Plätze und Alleen an mir vorübergleiten. Wir fuhren um die Mittagszeit beim Gasthofe vor ich speiste an der öffentlichen Tafel, wo mich, so wie zu hoffen war, kein Mensch erkannte.

Über dem Essen kamen nur Dinge zur Sprache, die mir ganz gleichgültig waren, und ich teilte daher in der Stille die Stunden des übrigen Tags für mich ein. Ich wollte nach Tische die nötigsten Besuche schnell abtun, dann aber möglichst unbeschrien und einsam die alten Pfade der Kindheit beschleichen.

Die Gesellschaft war schon im Begriff auseinander zu gehen, als ihre Unterhaltung noch einige Augenblicke bei einer Stadtbegebenheit verweilte, die das Publikum sehr zu beschäftigen schien und alsbald auch meine Aufmerksamkeit im höchsten Grad erregte. Ich hörte einen mir aus alter Zeit gar wohlbekannten Namen nennen; allein es war von einer Missetäterin die Rede, von einem Mädchen, das eines furchtbaren Verbrechens geständig sein sollte; unmöglich konnte es ein und dieselbe Person mit derjenigen sein, die mir im Sinne lag. Und doch, es hieß ja immer Lucie Gelmeroth und wieder Lucie Gelmeroth; es wurde zuletzt ein Umstand berührt, der mir keinen Zweifel mehr übrigließ; der Bissen stockte mir im Munde, ich saß wie gelähmt.

Dies Mädchen war die jüngere Tochter eines vordem sehr wohlhabenden Kaufmanns. Als Nachbarskinder spielten wir zusammen, und ihr liebliches Bild hat, in so vielen Jahren, niemals bei mir verwischt werden können. Das Geschäft ihres Vaters geriet, nachdem ich lange die Heimat verlassen, in tiefen Zerfall; bald starben beide Eltern. Vom Schicksal ihrer Hinterbliebenen hatte ich die ganze Zeit kaum mehr etwas gehört; ich hätte aber wohl, auch ohne auf eine so traurige Art, wie eben geschah, an die Familie erinnert zu werden, in keinem Fall versäumt, sie aufzusuchen. Ich ward, was des Mädchens Vergehen betrifft, aus dem Gespräch

der Herren nicht klug, die sich nun überdies entfernten; da ich jedoch den Prediger S., einen Bekannten meines väterlichen Hauses, als Beichtiger der Inquisitin hatte nennen hören, so sollte ein Besuch bei ihm mein erster Ausgang sein, das Nähere der Sache zu vernehmen.

Herr S. empfing mich mit herzlicher Freude, und sobald es nur schicklich war, bracht ich mein Anliegen vor. Er zuckte die Achsel, seine freundliche Miene trübte sich plötzlich. „Das ist", sagte er, „eine böse Geschichte und noch bis jetzt für jedermann ein Rätsel. Soviel ich selber davon weiß, erzähl ich Ihnen gerne."

Was er mir sofort sagte, gebe ich hier wieder, berichtigt und ergänzt durch anderweitige Eröffnungen, die mir erst in der Folge aus unmittelbarer Quelle geworden.

Die zwei verwaisten Töchter des alten Gelmeroth fanden ihr gemeinschaftliches Brot durch feine weibliche Handarbeit. Die jüngere, Lucie, hing an ihrer nur um wenig älteren Schwester Anna mit der zärtlichsten Liebe, und sie verlebten in dem Hinterhause der vormaligen Wohnung ihrer Eltern einen Tag wie den andern zufrieden und stille. Zu diesem Winkel des genügsamsten Glücks hatte Richard Lüneborg, ein junger subalterner Offizier von gutem Rufe, den Weg gefunden. Seine Neigung für Anna sprach sich aufs redlichste aus und verhieß eine sichere Versorgung. Seine regelmäßigen Besuche erheiterten das Leben der Mädchen, ohne daß es darum aus der gewohnten und beliebten Enge nur im mindesten herauszugehen brauchte. Offen vor jedermann lag das Verhältnis da, kein Mensch hatte mit Grund etwas dagegen einzuwenden. Das lustige Wesen Luciens stimmte neben der ruhigern Außenseite der gleichwohl innig liebenden Braut sehr gut mit Richards munterer Treuherzigkeit, und sie machten ein solches Kleeblatt zusammen, daß ein Fremder vielleicht hätte zweifeln mögen, welches von beiden Mädchen er denn eigentlich dem jungen Manne zuteilen solle. Hatte beim traulichen Abendgespräch die ältere seine Hand in der ihrigen ruhen, so durfte Lucie von der andern Seite sich auf seine brüderliche Schulter lehnen; kein Spaziergang wurde einseitig gemacht, nichts ohne Luciens Rat von Richard gutgeheißen. Dies konnte der Natur der Sa-

che nach in die Länge so harmlos nicht bleiben. Anna fing an, in ihrer Schwester eine Nebenbuhlerin zu fürchten, zwar zuverlässig ohne Ursache, doch dergestalt, daß es den andern nicht entging. Ein Wink reichte hin, um beider Betragen zur Zufriedenheit der Braut zu mäßigen, und alles war ohne ein Wort ausgeglichen.

Um diese Zeit traf den Leutnant der unvermutete Befehl seiner Versetzung vom hiesigen Orte. Wie schwer sie auch allen aufs Herz fiel, so konnte man sich doch, insofern ein lange ersehntes Avancement, und hiermit die Möglichkeit einer Heirat, als die nächste Folge vorauszusehen war, so etwas immerhin gefallen lassen. Die Entfernung war beträchtlich, desto kürzer sollte die Trennung sein. Sie war's; doch schlug sie leider nicht zum Glück des Paares aus. – Daß Richard die erwartete Beförderung nicht erhielt, wäre das wenigste gewesen, allein er brachte sich selbst, er brachte das erste gute Herz – wenn er es je besaß – nicht mehr zurück. Es wird behauptet, Anna habe seit einiger Zeit abgenommen, aber nicht, daß irgend jemand sie weniger liebenswürdig gefunden hätte. Ihr Verlobter tat immer kostbarer mit seinen Besuchen, er zeigte sich gegen die Braut nicht selten rauh und schnöde, wozu er die Anlässe weit genug suchte. Die ganze Niedrigkeit seines Charakters bewies er endlich durch die Art, wie er die schwache Seite Annas, ihre Neigung zur Eifersucht, benützte. Denn der Schwester, die ihn mit offenbarem Abscheu ansah, tat er nun schön auf alle Weise, als wollte er durch dies gefühllose Spiel die andere an den Gedanken gewöhnen, daß er ihr weder treu sein wolle noch könne; er legte es recht darauf an, daß man ihn übersatt bekommen und je eher, je lieber fortschikken möge. Die Mädchen machten ihm den Abschied leicht. Lucie schrieb ihm im Namen ihrer Schwester. Diese hatte zuletzt unsäglich gelitten. Nun war ein unhaltbares Band auf einmal losgetrennt von ihrem Herzen, sie fühlte sich erleichtert und schien heiter; allein sie glich dem Kranken, der nach einer gründlichen Kur seine Erschöpfung nicht merken lassen will und uns nur durch den freundlichen Schein der Genesung betrügt. Nicht ganz acht Monate mehr, so war sie eine Leiche. Man denke sich Luciens Schmerz. Das Liebste auf der Welt, ihre nächste und einzige Stütze, ja alles ist ihr mit Anna gestorben. Was aber diesem Gram einen unversöhnlichen Stachel verlieh, das war der ohnmächtige Haß gegen den ungestraften Treulosen, war der Gedanke an das grausame Schicksal, welchem die Gute vor der Zeit hatte unterliegen müssen.

Vier Wochen waren so vergangen, als eines Tags die schreckliche Nachricht erscholl, man habe den Leutnant Richard Lüneborg in einem einsam gelegenen Garten unweit der Stadt erstochen gefunden. Die meisten sahen die Tat sogleich als Folge eines Zweikampfs an, doch waren die Umstände zweifelhaft, und man vermutete bald dies, bald das. Ein Zufall führte die Gerichte gleich anfangs auf einen falschen Verdacht, von dem man nicht sobald zurückkam. Vom wahren Täter hatte man in monatelanger Untersuchung auch noch die leiseste Spur nicht erhalten. Allein wie erschrak, wie erstaunte die Welt, als – Lucie Gelmeroth, das unbescholtenste Mädchen, sich plötzlich vor den Richter stellte mit der freiwilligen Erklärung: sie habe den Leutnant getötet, den Mörder ihrer armen Schwester; sie wolle gerne sterben, sie verlange keine Gnade! – Sie sprach mit einer Festigkeit, welche Bewunderung erregte, mit einer feierlichen Ruhe, die etlichen verdächtig vorkommen wollte und gegen des Mädchens eigene schauderhafte Aussage zu streiten schien, wie denn die Sache überhaupt fast ganz unglaublich war. Umsonst drang man bei ihr auf eine genaue Angabe der sämtlichen Umstände, sie blieb bei ihrem ersten einfachen Bekenntnisse. Mit hinreißender Wahrheit schilderte sie die Tugend Annas, ihre Leiden, ihren Tod, sie schilderte die Tücke des Verlobten, und keiner der Anwesenden erwehrte sich der tiefsten Rührung. „Nicht wahr?" rief sie. „Von solchen Dingen weiß euer Gesetzbuch nichts? Mit Straßenräubern habt ihr, mit Mördern und Dieben allein es zu tun! Der Bettler, der für Hungersterben sich an dem Eigentum des reichen Nachbars vergreift – o freilich ja, der ist euch verfallen; doch wenn ein Bösewicht in seinem Übermut ein edles himmlisches Gemüt, nachdem er es durch jeden Schwur an sich gefesselt, am Ende hintergeht, mit kaltem Blut mißhandelt und schmachvoll in den Boden tritt, das geht euch wenig, geht euch gar nichts an! Wohl denn! Wenn niemand deine Seufzer hörte, du meine arme, arme Anna, so habe doch ich sie vernommen! An deinem Bett stand ich und nahm den letzten Hauch von der verwelkten Lippe; du kennst mein Herz, dir ist vielleicht schon offenbar, was ich vor Menschen auf ewig verschweige – du kannst, du wirst der Hand nicht fluchen, die sich verleiten ließ, deine beleidigte Seele durch Blut versöhnen zu wollen. Aber leben darf ich nicht bleiben, das fühl ich wohl, das ist sehr billig, und" – dabei wandte sie sich mit flehender Gebärde aufs neue an die Richter – „und ist Barmherzigkeit bei euch, so darf ich hoffen, man werde mein Urteil nicht lange verzögern, man werde mich um nichts weiter befragen."

Der Inquirent wußte nicht, was er hier denken sollte. Es war der seltsamste Fall, der ihm je vorgekommen war. Doch blickte schon so viel aus allem hervor, daß das Mädchen, wenn sie auch selbst nicht ohne alle Schuld sein könne, doch den ungleich wichtigern Anteil von Mitschuldigen ängstlich unterdrücke. Übrigens hieß es bald unter dem Volk: sie habe mit dem Leutnant öfters heimliche Zusammenkünfte am dritten Orte gepflogen, sie habe ihm Liebe und Wollust geheuchelt und ihn nach jenem Garten arglistig in den Tod gelockt.

Inzwischen sperrte man das sonderbare Mädchen ein und hoffte ihr auf diesem Weg in Bälde ein umfassendes Bekenntnis abzunötigen. Man irrte sehr; sie hüllte sich in hartnäckiges Schweigen, und weder List noch Bitten noch Drohung vermochten etwas. Da man bemerkte, wie ganz und einzig ihre Seele von dem Verlangen zu sterben erfüllt sei, so wollte man ihr hauptsächlich durch die wiederholte Vorstellung beikommen, daß sie auf diese Weise ihren Prozeß niemals beendigt sehen würde; allein man konnte sie dadurch zwar ängstigen und völlig außer sich bringen, doch ohne das geringste weiter von ihr zu erhalten.

Noch sagte mir Herr S., daß ein gewisser Hauptmann Ostenegg, ein Bekannter des Leutnants, sich unmittelbar auf Luciens Einsetzung entfernt und durch Verschiedenes verdächtig gemacht haben solle; es sei sogleich nach ihm gefahndet worden, und gestern habe man ihn eingebracht. Es müsse sich bald zeigen, ob dies zu irgend etwas führe.

Als ich am Ende unseres Gesprächs den Wunsch durchblicken ließ, die Gefangene selber zu sprechen, indem der Anblick eines alten Freundes gewiß wohltätig auf sie wirken, wohl gar ein Geständnis beschleunigen könnte, schien zwar der Prediger an seinem Teile ganz geneigt, bezweifelte aber, ob er imstande sein werde, mir bei der weltlichen Behörde die Erlaubnis auszuwirken; ich sollte deshalb am folgenden Morgen zum Frühstück bei ihm vorsprechen und die Antwort einholen.

Den übrigen Abend zersplitterte ich wider Willen da und dort in Gesellschaft. Unruhig, wie ich war, und immer in Gedanken an die Unglückliche, welche zu sehen, zu beraten, zu trösten ich kaum erwarten konnte, suchte ich beizeiten die Stille meines Nachtquartiers, wo ich doch lange weder Schlaf noch Ruhe finden konnte. Ich überließ mich mancherlei Erinnerungen aus meiner und Luciens Kindheit, und es ist billig, daß der Leser, eh er die Auflösung der wunderbaren Geschichte erfährt, die Ungeduld dieser Nacht ein wenig mit mir teile, indem ich ihm eine von diesen kleinen Geschichten erzähle.

In meinem väterlichen Hause lebte man auf gutem und reichlichem Fuße. Wir Kinder genossen eine vielleicht nur allzu liberale Erziehung, und es gab keine Freude, kein fröhliches Fest, woran wir nicht teilnehmen durften. Besonders lebhaft tauchte jetzt wieder eine glänzende Festivität vor mir auf,

welche zu Ehren der Herzogin von ... veranstaltet wurde. Sie hatte eine Vorliebe für unsere Stadt, und da sie eine große Kinderfreundin war, so war in diesem Sinne ihr jährlicher kurzer Aufenthalt immer durch neue Wohltaten und Stiftungen gesegnet. Diesmal feierte sie ihr Geburtsfest in unsern Mauern. Ein Aufzug schön geputzter Knaben und Mädchen bewegte sich des Morgens nach dem Schlosse, wo die Huldigung durch Gesänge und eingelernte Glückwünsche nichts Außerordentliches darbot. Am Abend aber sollte durch eine Anzahl von Kindern, worunter Lucie und ich, vor Ihrer Königlichen Hoheit ein Schauspiel aufgeführt werden, und zwar auf einem kleinen natürlichen Theater, das, zu den Hofgärten gehörig, in einer düsteren Allee, dem sogenannten Salon, gelegen, nach allen seinen Teilen, Kulissen, Seitengemächern und dergleichen, aus grünem Buschwerk und Rasen bestand und, obschon sorgfältig unterhalten, seit Jahren nicht mehr gebraucht worden war. Wir hatten unter der Leitung eines erfahrenen Mannes verschiedene Proben gehalten, und endlich schien zu einer anständigen Aufführung nichts mehr zu fehlen. Mein Vater hatte mir einen vollständigen türki-

schen Anzug machen lassen, meiner Rolle gemäß, welche überdies einen berittenen Mann verlangte, was durch die Gunst des königlichen Stallmeisters erreicht wurde, der eines der artigen, gutgeschulten

Zwergpferdchen abgab. Da sämtliche Mitspielende zur festgesetzten Abendstunde schon in vollem Kostüm und, nur etwa durch einen Überwurf gegen die Neugier und Zudringlichkeit der Gassenjugend geschützt, jedes einzeln von seinem Hause aus nach dem Salon gebracht wurden, so war es meiner Eitelkeit doch nicht zuwider, daß, als der Knecht den mir bestimmten kleinen Rappen in der Dämmerung vorführte, ein Haufen junger Pflastertreter mich aufsitzen und unter meinem langen Mantel den schönen krummen Säbel, den blauen Atlas der Pumphosen, die gelben Stiefelchen und silbernen Sporen hervorschimmern sah. Bald aber hatte ich sie hinter mir und wäre sehr gern auch den Reitknecht los gewesen, der seine Hand nicht von dem Zügel ließ und unter allerlei Späßen und Sprüngen durch die Stadt mit mir trabte.

Der Himmel war etwas bedeckt, die Luft sehr still und lau. Als aber nun der fürstliche Duft der Orangerie auf mich zugeweht kam und mir bereits die hundertfältigen Lichter aus den Kastanienschatten entgegenflimmerten, wie schwoll mir die Brust von bänglich stolzer Erwartung! Ich fand die grüne offene Szene, Orchester und Parterre aufs niedlichste beleuchtet, das junge Personal bereits beisammen; verwirrt und geblendet trat ich herzu. Indes die hohen Herrschaften noch in einem nahen Pavillon bei Tafel säumten, ließ auch die kleine Truppe sich es hier an seitwärts in der Garderobe angebrachten, lecker besetzten Tischen herrlich schmecken, sofern nicht etwa diesem oder jenem eine selige Ungeduld den Appetit benahm. Die lustigsten unter den Mädchen vertrieben sich die Zeit mit Tanzen auf dem glattgemähten, saubern Grasschauplatz. Lucie kam mir mit glänzenden Augen entgegen und rief: „Ist's einem hier nicht wie im Traum? Ich wollte, das Stück ginge heut gar nicht los, und wir dürften nur immer passen und spaßen; mir wird kurios zumut, sobald mir einfällt, daß es Ernst werden soll." Wir hörten einander noch einige Hauptpartien unserer Rollen ab. Sie kam nämlich als Christensklavin mit meiner sultanischen Großmut in vielfache Berührung und sollte zuletzt durch ihre Tugend, ihren hohen Glauben, welcher selbst dem Heiden Teilnahme und Bewunderung abzwang, der rettende Schutzengel einer braven Familie werden.

Wir waren mitten im Probieren, da erschien ein Lakai: Die Gesellschaft habe sich fertig zu halten, man werde sogleich kommen. Geschwind sprang alles hinter die Kulissen, die lachenden Gesichter verwandelten sich, die Musik fing an, und das vornehme Auditorium nahm seine Plätze ein. Mit dem letzten Posaunenton trat, ohne daß erst ein Vorhang aufzuziehen war, jene Sklavin heraus. Die zarten Arme mit Ketten belastet, erhob sie ihre rührende Klage. Auftritt um Auftritt folgte sofort ohne Anstoß rasch aufeinander, bis gegen das Ende des ersten Akts. Ich glaubte schon ein lobreiches Flüstern sich durch die Reihen verbreiten zu hören; doch leider galten diese Rumore ganz etwas andrem. Ein regnerischer Wind hatte sich erhoben, der in wenigen Minuten so stark wurde, daß die Lampen gleich zu Dutzenden verloschen und die

Zuschauer, laut redend und lachend, aufbrachen, um eilig unter Dach zu kommen, bevor die Tropfen dichter fielen. Ein grauer Emir im Schauspiel deklamierte, ganz blind vor Eifer, noch eine Weile in den Sturm hinein, indes wir andern, wie vor die Köpfe geschlagen, bald da-, bald dorthin rannten. Einige lachten, andere weinten; unzählige Stimmen, mit Rufen und Fragen durcheinander, verhallten unverstanden im heftigsten Wind. Ein Hofbedienter kam herbeigesprungen und lud uns hinüber in den festlich erleuchteten Saal. Weil aber diese angenehme Botschaft nicht alsbald überall vernommen wurde und gleichzeitig verschiedene erwachsene Personen uns immer zuschrien: „Nach Hause, Kinder! Macht, daß ihr fortkommt!" – So legt' ich schon die Hand an meinen kleinen Rappen, und nur ein Blick auf Lucien, die nah bei mir in einer Ecke ein flackerndes Lämpchen mit vorgeschützten Händen hielt, machte mich zaudern. „Frisch! Aufgesessen, Junker!" rief ein riesenhafter, schwarzbärtiger Gardist, warf mich mutwillig in den Sattel, faßte dann Lucien trotz ihres Sträubens und Schreiens und schwang sie hinter mich. Das Mädchen saß kaum oben, mit beiden Armen mich umklammernd, so rannte das Tier, der doppelten Last ungewohnt, mit Blitzesschnelligkeit davon, dem nächsten offenen Baumgang zu, und so die Kreuz und Quer wie ein Pfeil durch die feuchte Nacht der mannigfaltigen Alleen. An ein Aufhalten, an ein Umkehren war gar nicht zu denken. Zum Glück blieb ich im Bügel fest und wankte nicht, nur daß mir Luciens Umarmung fast die

Brust eindrückte. Von Natur mutig und resolut, ergab sie sich bald in ihre verzweifelte Lage, ja mitten im Jammer kam ihr die Sache komisch vor, wenn anders nicht ihr lautes Lachen krampfhaft war.

Der Regen hatte nachgelassen, es wurde etwas heller; aber das Tote, Geisterhafte dieser Einsamkeit in einem Labyrinth von ungeheuren, regelmäßig schnell aufeinanderfolgenden Bäumen, der Gedanke, daß man, dem tollen Mute dieser Bestie unwiderstehlich preisgegeben, mit jedem Augenblikke weiter von Stadt und Menschen fortgerissen werde, war schrecklich über alle Vorstellung.

Auf einmal zeigte sich von fern ein Licht – es war, wie ich richtig mutmaßte, in der Hofmeierei –, wir kamen ihm näher und riefen um Hilfe, was nur aus unsern Kehlen wollte – da prallte das Pferd vor der weißen Gestalt eines kleinen Obelisken zurück und schlug einen Seitenweg ein, wo es aber sehr bald bei einer Planke ohnmächtig auf die Vorderfüße niederstürzte und zugleich uns beide nicht unglücklich abwarf.

Nun zwar für unsere Person gerettet, befanden wir uns schon in einer neuen großen Not. Das Pferd lag wie am Tode keuchend und war mit allen guten Worten nicht zum Aufstehen zu bewegen; es schien an dem, daß es vor unsern Augen hier verenden würde. Ich gebärdete mich wie unsinnig darüber; meine Freundin jedoch, gescheiter als ich, verwies mir ein so kindisches Betragen, ergriff den Zaum, schlang ihn um die Planke und zog mich mit sich fort, jenem tröstlichen Lichtschein entgegen, um jemand herzuholen. Bald hatten wir die

Meierei erreicht. Die Leute, soeben beim Essen versammelt, schauten natürlich groß auf, als das Pärchen in seiner fremdartigen Tracht außer Atem zur Stube hereintrat. Wir trugen unser Unglück vor, und derweil nun der Mann sich gemächlich anzog, standen wir Weibern und Kindern zur Schau, die uns durch übermäßiges Lamentieren über den Zustand unserer kostbaren Kleidung das Herz nur immer schwerer machten. Jetzt endlich wurde die Laterne angezündet, ein Knecht trug sie, und so ging man zu vieren nach dem unglücklichen Platz, wo wir das arme Tier noch in derselben Stellung fanden. Doch auf den ersten Ruck und Streich von einer Männerhand sprang es behend auf seine Füße,

und der Meier in seinem mürrischen Ton versicherte sofort, der dummen Kröte fehle auch kein Haar. Ich hätte in der Freude meines Herzens gleich vor dem Menschen auf die Knie fallen mögen: statt dessen fiel mir Lucie um den Hals, mehr ausgelassen als gerührt und zärtlich allerdings; doch wohler hatte mir im Leben nichts Ähnliches getan.

Nach einer Viertelstunde kamen wir unter Begleitung des Mannes nach Hause. Die Eltern, welche beiderseits in der tödlichsten Angst nach uns ausgeschickt hatten, dankten nur Gott, daß wir mit unzerbrochenen Gliedern davongekommen waren.

Am andern Tag verließ die Herzogin die Stadt. Wir spielten bald nachher in meinem Hause unser Stück vor Freunden und Bekannten zu allerseitiger Zufriedenheit. Aber auch an diese zweite Aufführung hing sich ein bedenklicher Zufall. Beim Aufräumen meiner Garderobe nämlich vermißte meine Mutter eine schöne Agraffe, die sie mir an den Turban befestigt hatte. Es schien, der Schmuck sei absichtlich herabgetrennt worden. Vergeblich war alles Nachforschen und Suchen; zuletzt wollte eine Gespielin den Raub bei Luciens kleinem Kram gesehen haben. Ich weiß nicht mehr genau, wie meine Mutter sich davon zu überzeugen suchte, nur kann ich mich erinnern, sehr wohl bemerkt zu haben, daß sie in einer ängstlichen Beratung mit einer Hausfreundin, wovon mir im Vorübergehen etwas zu Ohren kam, den Fehltritt des Kindes als ausgemacht annahm. Ich selbst war von dem Falle höchst sonderbar ergriffen. Ich vermied meine Freundin und begrüßte sie kaum, als sie in diesen Tagen wie gewöhnlich zu meiner Schwester kam. Merkwürdig, obwohl in Absicht auf das undurchdringliche Gewebe verkehrter Leidenschaft und feiner Sinnlichkeit, wie sie bereits in Kinderherzen wirkt, zu meiner Beschämung merkwürdig ist mir noch heute der reizende Widerstreit, welchen der Anblick der schönen Diebin in meinem Innern rege machte. Denn wie ich mich zwar vor ihr scheute und nicht mit ihr zu reden, viel weniger sie zu berühren wagte, so war ich gleichwohl mehr als jemals von ihr angezogen; sie war mir durch den neuen, unheimlichen Charakterzug interessanter geworden, und wenn ich sie so von der Seite verstohlen ansah, kam sie mir unglaublich schön und zauberhaft vor.

Die Sache klärte sich aber zum Glück auf eine unerwartete Art noch zeitig genug von selbst auf, wovon ich nur sage, daß Luciens Unschuld vollkommen gerechtfertigt wurde. Bestürzt, beschämt durch diese plötzliche Enttäuschung, sah ich den unnatürlichen Firnis, den meine Einbildung so verführerisch über die scheinbare Sünderin zog, doch keineswegs ungern verschwinden, indem sich eine lieblichere Glorie um sie zu verbreiten anfing.

Diese und ähnliche Szenen rief ich mir in jener unruhigen Nacht zurück und hatte mehr als eine bedeutsame vergleichende Betrachtung dabei anzustellen.

Am Morgen eilte ich bei Zeit zum Geistlichen, der mir mit der Nachricht entgegenkam, daß mein Besuch bei der Gefangenen keinen Anstand habe; er war nur über die Unbedenklichkeit verwundert, womit man die Bitte gewährte. – Wir säumten nicht, uns auf den Weg zu machen.

Mit Beklommenheit sah ich den Wärter die Türe

zu Luciens einsamer Zelle aufschließen. Wir fanden sie vor einem Buche sitzen. Ich hätte sie freilich nicht wiedererkannt, so wenig als sie mich. Sie sah sehr blaß und leidend aus; ihre angenehmen Züge belebten sich mit einem flüchtigen Rot in sichtbar freudiger Überraschung, als ich ihr vorgestellt wurde. Allein sie sprach wenig, sehr behutsam und nur im allgemeinen über ihre Lage, indem sie davon Anlaß nahm, auf ihre christliche Lektüre überzugehen, von welcher sie viel Gutes rühmte.

Der Prediger fühlte eine Spannung und entfernte sich bald. Wirklich wurde nun Lucie nach und nach freier, ich selber wurde wärmer, ihr Herz fing an, sich mir entgegenzuneigen. In einer Pause des Gesprächs, nachdem sie kurz zuvor dem eigentlichen Fragepunkt sehr nah gekommen war, sah sie mir freundlich, gleichsam lauschend in die Augen, ergriff meine Hand und sagte: „Ich brauche den Rat eines Freundes; Gott hat Sie mir gesandt, Sie sollen alles wissen! Was Sie dann sagen oder tun, will ich für gut annehmen."

Wir setzten uns, und mit bewegter Stimme erzählte sie, was ich dem Leser hiermit nur im kürzesten Umriß und ohne eine Spur der schönen lebendigen Fülle ihrer eigenen Darstellung mitteilen kann.

Noch war Anna erst einige Wochen begraben, so erhielt Lucie eines Abends in der Dämmerung den unerwarteten Besuch eines früheren Jugendfreundes, Paul Wilkens, eines jungen Kaufmanns. Lange vor Richard hatte derselbe für die ältere Schwester eine stille Verehrung gehegt, doch niemals Leidenschaft, nie eine Absicht blicken lassen. Er hätte aber auch als offener Bewerber kaum seinen Zweck erreicht, da er bei aller Musterhaftigkeit seiner Per-

son und Sitten durch eine gewisse stolze Trockenheit sich wider Willen gerade bei denen am meisten schadete, an deren Gunst ihm vor andern gelegen sein mußte. Die Krankheit und den Tod Annas erfuhr er nur zufällig bei seiner Rückkehr von einer längeren Reise. Es war ein trauriges Wiedersehen in Luciens verödetem Stübchen. Der sonst so verschlossene, wortkarge Mensch zerfloß in Tränen neben ihr. Sie erneuerten ihre Freundschaft, und mir ist nicht ganz unwahrscheinlich, obwohl es Lucie bestritt, daß Paul die Neigung zu der Toten im stillen schon auf die Lebende kehrte. Beim Abschiede nun, im Übermaß der Schmerzen, entschlüpften ihr, sie weiß nicht wie, die lebhaften Worte: „Räche die Schwester, wenn du ein Mann bist!“ Sie dachte, wie ich gerne glauben mag, dabei an nichts Bestimmtes. Als aber sechs Tage darauf die Schreckenspost von ungefähr auch ihr zukam, war jenes Wort freilich ihr erster Gedanke. Ein Tag und eine Nacht verging ihr in furchtbarer Ungewißheit, unter den bängsten Ahnungen. Paul hatte sich seit jenem Abend nicht wieder bei ihr sehen lassen, er hatte ihr noch unter der Türe empfohlen, gegen niemand von seinem Besuche zu sprechen. Bei seiner eigenen Art und Weise fiel ihr dies nicht sogleich auf; jetzt mußte sie notwendig das Ärgste daraus schließen. Indes fand er Mittel und Wege, um heimliche Kunde von sich zu geben. Sein Billett ließ deutlich genug für Lucien erraten, daß der

Leutnant durch ihn, aber im ehrlichen Zweikampf gefallen. Sie möge sich beruhigen und außer Gott, der mit der gerechten Sache gewesen, niemanden zum Vertrauten darin machen. Er werde unverzüglich verreisen, und es stehe dahin, ob er je wiederkehre; sie werde im glücklichen Fall von ihm hören. – Es lag eine Summe in Gold beigeschlossen, die anzunehmen er auf eine zarte Weise bat.

Das Mädchen war in Verzweiflung. Sie sah sich einer Handlung teilhaftig, welche in ihren Augen um so mehr die Gestalt eines schweren Verbrechens annahm, je ängstlicher sie das Geheimnis bei sich verschließen mußte, je größer die Emsigkeit der Gerichte, der Aufruhr im Publikum war. Die Vorstellung, daß sie den ersten, entscheidenden Impuls zur Tat gegeben, wurde bald so mächtig in ihr, daß sie sich selbst als Mörderin im eigentlichen Sinn betrachtete. Dazu kam die Sorge um Paul, er könne verraten und gefangen werden, um seine Treue lebenslang im Kerker zu bereuen. Ihre lebhafte Einbildungskraft, mit dem Gewissen verschworen, bestürmte nun die arme Seele Tag und Nacht. Sie sah fast keinen Menschen, sie zitterte, sooft jemand der Türe nahe kam. Und zwischen allen diesen Ängsten schlug alsdann der Schmerz um die verlorene Schwester auf ein neues mit verstärkter Heftigkeit hervor. Ihre Sehnsucht nach der Toten, durch die Einsamkeit gesteigert, ging bis zur Schwärmerei. Sie glaubte sich in eine Art von fühlbarem Verkehr durch stundenlange nächtliche Gespräche mit ihr zu setzen, ja mehr als einmal streifte sie vorübergehend schon an der Versuchung hin, die Scheidewand gewaltsam aufzuheben, ihrem unnützen, qualvollen Leben ein Ende zu machen.

An einem trüben Regentag, nachdem sie kurz vorher auf Annas Grabe nach Herzenslust sich ausgeweint, kam ihr mit eins und wie durch eine höhere Eingebung der ungeheure Gedanke: sie wolle, müsse sterben, die Gerechtigkeit selbst sollte ihr die Hand dazu leihen.

Es sei ihr da, bekannte sie mir, die Sünde des Selbstmords so eindrücklich und stark im Geiste vorgehalten worden, daß sie den größten Abscheu davor empfunden habe. Dann aber sei es wie ein Licht in ihrer Seele aufgegangen, als ihr dieselbe Stimme zugeflüstert habe: Gott wolle sie selbst ihres Lebens in Frieden entlassen, sofern sie es zur Sühnung der Blutschuld opfern würde.

In dieser seltsamen Suggestion lag, wie man sehr leicht sieht, ein großer Selbstbetrug versteckt. Sie wurde nicht einmal gewahr, daß der glühende Wunsch und die Aussicht zu sterben bei ihr die Idee jener Buße oder doch die volle Empfindung davon, die eigentliche Reue, beinahe verschlang und aufhob.

Nach ihren weiblichen Begriffen konnte übrigens von seiten der Gerichte, nachdem sie sich einmal als schuldig angegeben hätte, ihrer Absicht weiter nichts entgegenstehen, und da sie, völlig unbekannt mit den Gesetzen des Duells, weder an Zeugen noch Mitwisser dachte, so fürchtete sie auch von dorther keinen Einspruch. Genug, sie tat den abenteuerlichen Schritt sofort mit aller Zuversicht, und länger als man denken sollte, erhielt sich das Gefühl des Mädchens in dieser phantastischen Höhe.

Aus ihrer ganzen Darstellung mir gegenüber ging jedoch hervor, daß sie inzwischen selbst schon angefangen hatte, das Unhaltbare und Verkehrte ihrer Handlung einzusehen. Und so konnte denn jetzt zwischen uns kaum die Frage mehr sein, was man nun zu tun habe. „Nichts anderes", erklärte ich, „als ungesäumt die ganze, reine Wahrheit sagen!" – Einen Augenblick fühlte sich Lucie sichtlich bei diesem Gedanken erleichtert. Dann aber wurde sie plötzlich wieder zweifelnd, ihre Lippen zitterten, und jede Miene verriet den heftigen Kampf ihres Innern. Sie wurde ungeduldig, bitter bei allem, was ich sagen mochte. „Ach Gott!" rief sie zuletzt. „Wohin bin ich geraten! Wer hilft aus diesem schrecklichen Gedränge! Mein teurer und einziger Freund, haben Sie Nachsicht mit einer Törin, die sich so tief in ihrem eigenen Netz verstrickte, daß sie nun nicht mehr weiß, was sie will oder soll – Sie dürfen mein Geheimnis nicht bewahren, das seh ich ein und konnte es denken, bevor ich zu reden anfing. – War's etwa besser, ich hätte geschwiegen? Nein, nein! Gott selber hat Sie mir geschickt und mir den Mund geöffnet. – Nur bitte ich, beschwör ich Sie mit Tränen: nicht zu rasch! Machen Sie heute und morgen noch keinen Gebrauch von dem, was Sie hörten! Ich muß mich bedenken, ich muß mich erst fassen. – Die Schande, die Schmach! Wie werd ich's überleben –"

Sie hatte noch nicht ausgeredet, als wir durch ein Geräusch erschreckt und unterbrochen wurden; es kam gegen die Türe. „Man wird mir ein Verhör ankündigen“, rief Lucie und faßte angstvoll meine Hände: „Um Gottes willen, schnell! Wie verhalte ich mich? Wozu sind Sie entschlossen?“ – „Bekennen Sie!“ versetzte ich mit Bestimmtheit und nahm mich zusammen. Drei Herren traten ein. Ein Wink des Oberbeamten hieß mich abtreten; ich sah nur noch, wie Lucie seitwärts schwankte, ich sah den unaussprechlichen Blick, den sie mir auf die Schwelle nachsandte.

Auf der Straße bemerkte ich, daß mir von fern eine Wache nachfolgte; unbekümmert ging ich nach meinem Quartier und in die allgemeine Wirtsstube, wo ich mich unter dem Lärmen der Gäste auf den entferntesten Stuhl in eine Ecke warf.

Indem ich mir nun mit halber Besinnung die ganze Situation samt allen schlimmen Möglichkeiten, und wie ich mich in jedem Falle zu benehmen hätte, so gut es ging, vorhielt, trat eilig ein junger Mann zu mir und sagte: „Ich bin der Neffe des Predigers S., der mich zu Ihnen sendet. Er hat vor einer Stunde von guter Hand erfahren, daß das Gericht in Sachen Luciens Gelmeroth seit gestern schon auf sicherem Grund sei, auch daß sich alles noch gar sehr zugunsten des Mädchens entwickeln dürfte. Wir haben überdies Ursache zu vermuten, es seien während Ihrer Unterredung mit dem Fräulein die Wände nicht ganz ohne Ohren gewesen; auf alle Fälle wird man Sie vernehmen; die Herren, merk ich, lieben die Vorsicht, wie uns die beiden Lümmel beweisen, die man in Absehn auf Ihre suspekte Person da draußen promenieren läßt. Glück zu, mein Herr! Der letzte Akt der Tragikomödie lichtet sich schon, und Luciens Freunde werden sich demnächst vergnügt die Hände schütteln können."

So kam es denn auch. Es fand sich in der Tat, daß durch das Geständnis des Hauptmanns, der sich, durch mehrere Indizien überführt, mit noch einem andern als Beistand des Duells bekannte, die Sache schon erhoben war, noch eh man Luciens und meine Bestätigung einzuholen kam. Das Mädchen hatte, unmittelbar auf jene Unterredung mit mir, unweigerlich alles gestanden. In kurzem war sie losgesprochen.

Jetzt aber forderte der Zustand ihres Innern die liebevollste, zarteste Behandlung. Sie glaubte sich entehrt, vernichtet in den Augen der Welt, als Abenteurerin verlacht, als Wahnsinnige bemitleidet. Fühllos und resigniert tat sie den unfreiwilligen Schritt ins menschliche Leben zurück. Die Zukunft lag wie eine unendliche Wüste vor ihr, sie selbst erschien sich nur eine leere verächtliche Lüge; sie wußte nichts mehr mit sich anzufangen.

Nun bot zwar für die nächste Zeit der gute Prediger und dessen menschenfreundliche Gattin eine wünschenswerte Unterkunft an. Allein wie sollte ein so tief zerrissenes Gemüt da, wo es überall an seinen Verlust, an seine Verirrung gemahnt werden mußte, je zu sich selber kommen? Man mußte darauf denken, ein stilles Asyl in einer entfernteren Gegend ausfindig zu machen. Meine Versuche blieben nicht fruchtlos. Ein würdiger Dorfpfarrer, mein nächster Anverwandter, der in einem der freundlichsten Täler des Landes mit seiner liebenswürdigen Familie ein echtes Patriarchenleben führte, erlaubte mir, die arme Schutzbefohlene ihm zu bringen. Ich durfte dort im Kreise feingesinnter, natürlich heiterer Menschen neben ihr noch mehrere Wochen verweilen, die mir auf ewig unvergeßlich bleiben werden.

Und soll ich nun zum Ende kommen, so wird nach alldem bisher Erzählten wohl niemand das Geständnis überraschen, daß Mitleid oder Pietät es nicht allein gewesen, was mir das Schicksal des Mädchens so nahegelegt. Ich liebte Lucien und konnte mich fortan getrost dem stillen Glauben überlassen, daß unser beiderseitiges Geschick für immer unzertrennlich sei. Mit welchen Gefühlen sah ich die Gegenwart oft im Spiegel der Vergangenheit! Wie ahnungsvoll war alles! Mein Kommen nach der Vaterstadt just im bedenklichsten Moment, wie bedeutend!

Noch aber fand ich es nicht an der Zeit, mich meiner Freundin zu erklären. Wir schieden wie Geschwister voneinander, sie ohne die geringste Ahnung meiner Absicht. Durch Briefe blieben wir in ununterbrochener Verbindung, und Lucie machte sich's zur Pflicht, in einer Art von Tagebuch mir von allem und jedem, was sie betraf, getreue Rechenschaft zu geben. Aus diesen Blättern ward mir denn bald klar, daß für das innere sittliche Leben des Mädchens infolge jener tief eingreifenden Erfahrung und durch die milde Einwirkung des Mannes, welcher sie in seine Pflege nahm, eine Epoche angebrochen war, von deren segensreicher, lieblicher Entwicklung viel zu sagen wäre.

Die Welt verfehlte nicht, mir ein hämisches Mitleid zu zollen, als ich nach kaum zwei Jahren Lucie Gelmeroth als meine Braut heimführte; und doch verdanke ich Gott in ihr das höchste Glück, das einem Menschen irgend durch einen andern werden kann.

Hier bricht die Handschrift des Erzählers ab. Wir haben vergeblich unter seinen Papieren gesucht, vom Schicksal jenes flüchtigen Kaufmanns noch etwas zu erfahren. Auch mit Erkundigungen anderwärts sind wir nicht glücklicher gewesen.

Isolde Kurz

Die „Allegria"

Ich wollte auf diese Blätter irgendeine tiefsinnige Betrachtung schreiben. Aber meine Gedanken lassen es nicht zu. Es ist merkwürdig, wie wenig man seine eigenen Gedanken in der Gewalt hat. Sie tauchen auf und unter, sie verschieben sich, ballen sich wie die Wolken, die ein starker Wind vor sich her treibt. „Der Geist weht, wo er will", man muß ihm den Willen lassen.

Aus den Tiefen längstvergessener Jahre sieht heute ein Gesicht mich an, das Gesicht eines jungen Mannes. Es ist von der Sonne verbrannt und hat Augen, die blau sind und lachen wie der Himmel. Wie der Himmel Italiens, zu dem sie gehören. Wie der Himmel über dem Golf von Spezia, der blauer ist als irgendein anderer. Und nun steht mit einem Male auch der Golf wieder vor mir mit seinen Buchten und Inseln und dem tiefen Wasser, das so blau ist, daß man unwillkürlich seine Hände betrachtet, ob sie nicht blau geworden sind, wenn man sie eingetaucht hat. Aber dieses Bild ist nur der Rahmen für die Luftgestalt eines Jünglings, der schräg her über die Wasser auf mich zuwandelt. Er trägt einen blühenden Asphodelosstengel in der Hand und lächelt. Und noch andere Gestalten sehe ich, vor allem mich selbst als junges Mädchen. Ich darf von der sprechen, die ich sehe, weil ich längst eine völlig andere geworden bin. Auch das junge Mädchen hat die Sonne im Auge und auf dem Scheitel. Sie klettert an Klippen auf und nieder, liegt den halben Tag im Wasser wie ein Meerweib und taucht wie eine Möwe. Bei Mondlicht schwimmt sie ins Meer hinaus und läßt wonnevoll das phosphorblitzende Wasser um ihre Glieder rieseln, das sie mit tausend Diamanten bestäubt. Dem Sonnenaufgang sieht sie von der höchsten Felsenspitze zu.

Seht ihr dort die altersgrauen
Schlösser sich entgegenschauen?

Es sind die beiden alten Felsenkastelle von Lerici und San Terenzo, die jede auf dem äußersten Horn einer tiefen Einbuchtung liegen und sich über das Meer entgegenzudrohen scheinen. Am Fuße des letzteren wohnt sie. Aber kein Leander findet zu ihr den Weg, und sie wartet auch auf keinen. Sie ist für ein paar Wochen wunschlos selig, völlig aufgelöst in Sonne, Seeluft und Selbstvergessenheit. Sie will gar nichts, als unter ihrem Ölbaum träumen, die Feige an dem sonnigen Felsenhang reifen sehen oder von ihrem Fenster, das turmhoch aufs Meer hinunterschaut und zuweilen doch noch von dem springenden Schaum der Brandung erreicht wird,

den ziehenden Segeln nachblicken und ihre Augen an den kühnen Umrissen des Kastells von Lerici weiden. Und jede Sonne, die sinkt, läßt ihr die Gewähr einer neuen, noch schöneren.

Aber all diese Schönheit, die man doch nicht an sich ziehen und völlig austrinken kann, wie man möchte, durchfährt die Seele zuweilen wie ein schneidendes Schwert. Was nützen uns die fünf Sinne, diese armen Waisenkinder, die uns das Schöne nur zeigen, wenn der sechste Bruder fehlt, der es uns zu eigen geben könnte! Die Möwe hat ihn vielleicht, die da draußen fliegt und gierig den Raum mit ihren Lungen trinkt. Hätte man wenigstens Flügel auszuspannen wie sie, um die lockenden Inseln zu umschweben und dem Südwind die Brust zu bieten. Zuweilen wird diese Ohnmacht fast zu einem körperlichen Schmerz. Wenn aber das Dunkel kommt, die Ferne zu verschleiern, und der Leuchtturm vom Tino seine kreisenden Strahlen über das Wasser wirft, dann ist auf einmal der Raum in mir, und die Sehnsucht ruht.

So schlürfte ich Tag für Tag meine Einsamkeit wie den allerberauschendsten Zaubertrank. Zwar an Gesellschaft fehlte es nicht im Ort, die allerbeste war dort zu haben, nur keine, die meinen Jahren entsprach. Es wandelten damals glänzende Gestalten in San Terenzo, an die ich zurückdenke wie an ein untergegangenes Heroengeschlecht. Sie waren voll Weisheit und Güte und gönnten dem jungen Mädchen gern ihr Gespräch, aber sie blickten schon alle nach Sonnenuntergang; ich allein blickte noch nach Sonnenaufgang.

Der Glänzendste unter ihnen war der berühmte Naturforscher, Schriftsteller und Senator Paolo Mantegazza. Er mochte ein Fünfziger sein, stand aber noch auf der vollen Höhe seiner Mannesschönheit und ging immer in weißer Seide wie ein indischer Rajah. Er trug seinen Weltruhm mit einer unwiderstehlichen Grazie und verflocht mich, wo er meiner ansichtig wurde, in seine bezaubernde Unterhaltung. Sein Garten stieg in breiten Terrassen über das Meer empor, daß man die darunterliegende Straße nicht sehen konnte, sondern unmittelbar über dem Wasser zu schweben glaubte. Nirgends sah man die Inseln so schön wie von dort. Die schönsten Dattelpalmen wuchsen vor seiner Tür im Freien, und die stachligen Früchte der indischen Feige habe ich dort zum erstenmal gesehen. Er hatte viele tropische Gewächse von seinen großen Reisen mitgebracht und auf seinem Grund und Boden in San Terenzo eingebürgert, den er dadurch zu einer Sehenswürdigkeit machte. Seine weiße Villa war ganz umrankt von Passionsblumen, von denen er dem fremden Gast zuweilen einen Korb voll schickte.

Aber mir noch werter war mein Hauswirt, der weißhaarige Giacomino. Welche Güte und menschliche Feinheit in diesem alten Seelöwen! Immer, wenn ich an ihn denke, fällt mir zugleich Garibaldi ein, dem er glich, und es ist mir dann, als hätte ich den Heros gekannt, denn ich bin gewiß, auch in Giacominos Seele war etwas von Garibaldi, dem Urbild aller Seelöwen, dem irrenden Ritter der Freiheit, dem Heldenmann mit dem Kinderherzen, der ja auch ein Sohn des Volkes war.

Ich zahlte dem guten Alten eine Lira Miete den Tag für sein hohes Zimmer über dem Meere. Aber was gab mir der Mann dafür. Er hielt mir Ordnung, machte mein Bett, kochte und briet für mich, lehrte mich rudern, und wenn ich über den Bergrücken spazieren gehen wollte, so begleitete er mich, denn er sagte, es schicke sich nicht für eine Signorina, allein zu gehen. Seine Dienstbarkeit war Gastfreundschaft und erniedrigte ihn nicht. Steckten nicht auch die Helden und Könige Homers die saftigen Bratenstücke selber an den Spieß und schichteten Glut auf? Ein solcher war Giacomino!

Und die Geschichten, die er mir erzählte! Ich werde niemals wieder solche Geschichten hören. Von dem schönen Briganten Giuseppe Suffardi, der sich vor den Kugeln der Carabinieri in den Fluten der Magra-Mündung barg, und dessen toten Leib eine schöne Gräfin mit Gold aufwiegen wollte, um über ihm zu weinen! Von den levantinischen Schiffern, die eines Tages mit einer Seekarte aus den Zeiten Julius Cäsars im Golfe landeten, um die seit Jahrhunderten vom Erdboden verschwundene Hafenstadt Luni zu besuchen! Von der alten Römerstadt Vada, die drüben bei Livorno auf dem Meeresgrunde liegt, und deren Straßenzüge man bei besonders klarem Wasser noch mit dem Boot verfolgen kann. Auch von seinen eigenen Abenteuern, von Piraterie und Schiffbruch auf beiden Hemisphären. Dann von der großen Zeit des Risorgimento und vom Alten von Caprera mit seinen Mille. Diese Geschichten waren damals noch nicht Geschichte geworden, sie hatten noch den zuckenden Puls des Lebens. Eines seiner Leibstücke war die Rettung des flüchtigen Verschwörers Felice Orsini durch die Einwohner von San Terenzo, die auf Giacominos Rat ein Volksfest veranstalteten und, während die päpstlichen Sbirren alle Häuser nach dem Flüchtling durchsuchten, den geächteten Mann im Gewühl verbargen. Es war wohl immer Dichtung und Wahrheit, was er zum besten gab, aber es mundete dafür nur um so besser.

Wenn wir zusammen hinausruderten, wurde der ganze Golf lebendig. Erinnerungen wechselten mit Sagen, man mußte alles nehmen, wie es kam: Dort bei Lerici lag voreinst Lord Byron mit seiner Jacht, der „Bolivar“, vor Anker, von der er über die ganze Breite des Golfs hinüberschwamm. Hier in dem großen Palast mit der meerumspülten Terrasse hat der Dichter Shelley gewohnt und in dem großen Park sein schönstes Lied gedichtet. Im Schloß von Lerici hat Franz I. von Frankreich genächtigt, als sie ihn gefangen nach Spanien führten, und hat mit seiner Schönheit und seinem Unglück das Herz der Kastellanstochter betört. Diese starrende Klippe im Meer hat der Rasende Roland mit einem Schwerthieb so scharf und glatt gespalten. So ging es unermüdlich weiter; es waren die wechselnden, immer neuen Gesänge des gewaltigen Epos vom Meere.

Groß war das Ansehen, das der alte Mann unter seinen Landsleuten genoß. Auch Mantegazza mit all seinem Ruhme galt ihnen nur als hochverehrter Gast, ihr eingeborenes Oberhaupt war Giacomino durch Erfahrung, Weisheit und Rechtsgefühl. In seinem Schutz, unter seiner unausgesprochenen Gerichtsbarkeit stand der ganze Ort. Wer dorthin kam, der trat in den Frieden der gemeinsamen Familie ein. Es gab keine Diebstähle unter den Einheimischen, keine Überteuerung der Fremden dazumal. Alles verkehrte auf dem Fuße der Gleichheit miteinander. Auch mich kannte jedermann, obschon niemand meinen Namen wußte. Ich war die Signorina und wohnte bei Giacomino, das genügte.

Eines Abends nahm er mich auf den Fang des Tintenfisches mit. Wir fuhren in die stillste Bucht hinein. Dort zog er ein Fläschchen Olivenöl aus der Tasche, und eine Redeweise, die ich bisher nur als Metapher gekannt hatte, wurde zur greifbaren Wirklichkeit: Ich sah, wie durch ein paar Tropfen Öl die Wasser sich weithin glätteten. In diese stille, fettglänzende Fläche senkte er ein dreikantig geschliffenes Spiegelglas hinab. Der Tintenfisch, belehrte er mich, gehöre zu den wenigen Fischen, die sich paaren. In dem Spiegel erblicke er sich selbst, halte sein eigenes Bild für das Weibchen, schieße darauf zu und bleibe in dem niedergelassenen Netze gefangen. Was das Glas für eine Anziehungskraft üben mag, lasse ich dahingestellt. Gesehen habe ich, wie gleich, nachdem es hinabgesenkt war, das Wasser sich vom ausgespritzten Gallensaft des Tieres tiefschwarz färbte, und wie Giacomino, still lächelnd im Triumph der Menschenlist, die Beute ins Boot warf. Aber das Gemengsel ringender Arme und glotzender Augen war so greulich anzusehen, daß ich es schleunigst ins Meer zurückzuschleudern trachtete, worüber Giacomino, der seinen Fang verteidigte, sich beinahe im Ernst mit mir entzweit hätte und ärgerlich schwor, mich niemals wieder auf den Fischfang mitzunehmen.

Als wir die Bucht verließen, lag ein kleiner Kutter, der zuvor nicht dagewesen, draußen im tieferen Wasser.

Giacomino sah sich fast die Augen aus. Das

Schiff war ihm unbekannt, und er kannte doch sonst alle Fahrzeuge, die in diesen Gewässern verkehrten.

Wir fuhren bei einbrechender Dämmerung noch nach Lerici hinüber, wo ich einen Besuch zu machen hatte.

Unbemerkt ließ ich mich dort festhalten und kam erst mit sinkender Nacht an die Lände zurück, nach Giacomino und unserem Schifflein zu rufen.

Ein Sturm war im Anzug und die Luft so dunkel, daß man sich nur noch an der Stimme erkennen konnte. Das Wasser klatschte schon laut gegen den Staden.

Der Alte war treulich zur Stelle; er drängte sein Boot gegen die moosbewachsene Wasserstufe, wobei er Mühe hatte, es vor dem Anprall zu schützen, und ließ mich einsteigen.

Kein anderes Fahrzeug war mehr im Wasser, man hatte sie alle klüglich ins Trockene gebracht. Ihre Inhaber saßen geborgen in der Osteria, und die Lände lag völlig verödet.

Wir wollten eben abstoßen, da rief eine Stimme durch die Nacht: „O barcainolo! Laß mich einsteigen. Ich muß noch nach San Terenzo hinüber."

Durch die Dunkelheit waren die Umrisse einer Männergestalt erkennbar, die rasch die Stufen herabsprang und mit den Armen winkte.

„Barcainolo! Barcainolo! Nimm mich auf!" Giacomino fluchte leise vor sich hin.

„Das hängt von der Dame ab, die ich fahre", gab er zur Antwort.

Die Gestalt hielt Hut und Mantel fest und

kämpfte gegen den Wind. Rauh klang die Stimme durch das Geschnaube.

„Darf ich mitfahren, Signora?“

Dieser fliegende Holländer wollte mir nur halb gefallen. Aber es schien mir feige und grausam, einen Menschen, der mitwollte, auf der flutbespritzten Wasserstufe in Sturm und Finsternis stehen zu lassen.

„Steigen Sie ein“, sagte ich.

Giacomino drängte das Boot noch einmal an die Lände, der Fremde sprang herein und setzte sich stumm am Bug, die ganze Länge des Bootes zwischen sich und mir lassend. Er war groß, das Gesicht erschien mir bleich und von schwarzem Vollbart umrahmt, doch ließ die düstere Nacht keine genaue Wahrnehmung zu. Seitdem er saß, war er überhaupt nur noch ein schwärzerer Flecken in der Dunkelheit. Er hielt den Kopf gesenkt, daß man bloß den Rand des Hutes sehen konnte, der Rest seiner Person war in dem schwarzen Mantel versunken.

„Eine rauhe Nacht, Herr“, sagte Giacomino.

Die gemurmelte Antwort verschlang der Wind.

Wir schwankten hinaus auf die einsamen, nacht- und sturmverdunkelten Wasser. Die See ging hoch, und der Weg war lang. Zerfetzte Wolken flogen über den Himmel hin, der gar keinen Schein gab. Giacomino war seltsam stille und ruderte aus Leibeskräften. Er war einer der unerschrockensten Menschen, aber er hatte eine starke Phantasie, und diese, das fühlte ich, war jetzt ganz mit dem stummen Fahrgast beschäftigt, den er über die Schulter hinweg beobachtete. Durch einen dunklen Einfluß übertrugen sich seine Gedanken auf mich.

Er dachte: Wir sind allein in der Finsternis zwischen Wasser und Himmel mit einem Unbekannten. Wir sind nur ein schwacher alter Mann und ein junges Mädchen. Wer er ist und weshalb er mitfährt, das wissen wir nicht.

Ich hörte ihn denken. (Er gestand mir später, daß er wirklich das alles gedacht hatte.) Und ich strengte mich an, ihm gleichfalls eine Gedankenwelle zuzusenden:

Ich fürchte mich nicht. Es ist ja ein bißchen unheimlich, aber fürchten tu ich mich gar nicht. Wir sind doch immer zwei gegen einen.

Wieder kommen seine Gedanken herüber und fragen:

Wenn er sich auf mich stürzte, mit mir zu ringen, würden Sie mir helfen, ihn ins Meer werfen?

Ich telegraphierte zurück:

Ja, lieber Alter, ich würde dir helfen.

Wenn nur Giacomino ein bißchen pfeifen wollte, wie er sonst beim Rudern tut! Aber heute pfeift er gar nicht, er hält seine ganze Kraft beisammen, um schneller vorwärts zu kommen. Statt seiner pfeift der Wind. Vor uns liegt eine endlose schwarze Wassermasse. Hinter uns liegt eine endlose schwarze Wassermasse. Die beiden Kastelle, die hüben und drüben die Grenze zwischen Meer und Land bezeichnen, sind verschwunden. Nur die Umrisse des fremden Kutters ragen gespenstisch aus der Dunkelheit. Es ist, als wäre die große Flut gekommen und hätte die Erde weggeschluckt. Vielleicht war es doch töricht, in solcher Nacht einen Unbekannten ins Boot zu nehmen. Wenn er uns auch nichts Böses sinnt, wer weiß, ob so eine schwarze Gestalt nicht, ohne es zu wollen, Unheil bringt?

Um mir selber den Mut zu stärken, beginne ich laut zu sprechen:

„Jetzt müssen wir auf halbem Wege sein."

„Ja, wir sind gerade in der Mitte", antwortet Giacomino mit einer Stimme, die anders klingt als sonst.

In diesem Augenblick macht der Fremde eine kleine Bewegung.

Sofort richtet sich Giacomino auf.

Der Fremde sitzt wieder ganz stille, das Gesicht vom Hutrand verschattet. Und der Wind bläst lauter.

Giacomino rudert jetzt im Stehen. Das vermehrt seine Kraft, und vielleicht behält er so auch den Fremden besser im Auge.

Wie die Ruder knarren! Er hat ja keine Muskeln mehr, der alte Mann, er ist ganz Nerv geworden. Aber was für eine Kraft in den fleischlosen Armen.

Das Schifflein sinkt tief hinunter, empfängt einen schäumenden Wasserguß, der alles übersprüht, und steigt steil wieder in die Höhe. Es ist, als ob sich unter uns ein erwachtes Ungeheuer recke und wälze mit dumpfem Brüllen, das jede Minute sich steigert. Und die Fahrt nimmt heute kein Ende. Im hellen Sonnenschein ist sie mir immer viel kürzer erschienen.

Indessen, der Meersturm ist eigentlich eine günstige Ablenkung von den unruhigen Gedanken, die um den dunklen Fahrgast irren. Denn vor dem Wasser darf man sich mit Giacomino an Bord nicht fürchten; es kennt seinen Herrn und Meister.

Da sieh, mit einem Male reißt eine Wolkenschicht. Groß und hell tritt der Mond hervor. Nur einen Blick wirft er aufs Meer, dann verhüllt er sich wieder. Aber der Blick hat genügt, daß die beiden Männer im Boot sich erkannten.

„O Giacò!"

„O Signorino! Sie sind's! Ich erkannte Sie gar nicht." – „Ich dich auch nicht."

Was die Phantasie für Spuk treibt! Der schwarze Holländerbart, den ich gesehen hatte, war der aufgeschlagene Rockkragen oder ein dunkles Halstuch – genau unterschieden hatte ich es auch jetzt nicht. Aber deutlich hatte ich ein ganz junges, bartloses Gesicht erkannt, und die Stimme klang aus der Nähe hell und jugendlich. Unser Fahrgast war ein junger Mensch, ein guter Mensch! Es war doch nicht töricht gewesen, daß wir ihn an Bord nahmen.

Gesprächig wurde er auch jetzt nicht. Er versank unter dem Hutrand aufs neue in seinen Mantel.

Als wir landeten, dankte er mir höflich für die Aufnahme, warf Giacomino ein rasches Gutenacht zurück und verschwand mit schnellen Schritten in der Dunkelheit.

„Wer hätte das gedacht! Der Signorino!" sagte der Alte, während er seine „Galatea" hochzog. – „Sitzt im Boot wie ein Nachtgespenst und gibt keinen Laut. Freilich, er darf bei starkem Wind nicht sprechen, er muß seine Lunge schonen. Aber daß ich seine Jacht nicht erkannte, die ‚Allegria'!"

Als er mir dann oben in seinem hohen Hause am knisternden Feuer das Abendessen bereitete, erzählte er mir, soviel ich nur hören wollte, vom Signorino.

Er war aus mailändischem Adelsgeschlechte, der letzte von drei Brüdern. Die Mutter, eine Engländerin von blumenhafter Schönheit, hatte ein kurzes Eheglück mit dem Leben bezahlt und lag in Madeira begraben. Dort lag auch ihr Mann, der sie nicht lange überlebt hatte. Durch sie war das Brustleiden in die Familie gekommen, das eins der Glieder ums andere wegriß.

Die drei Brüder, Marco, Mario und Marino, hatten sich eine eigene Jacht gebaut, die „Allegria“,

um teils auf den Rat der Ärzte, teils aus eigener Leidenschaft ihr halbes Leben auf dem Meere zu verbringen. An allen Küsten des Mittelmeers kannte man die „Allegria“ und ihre drei lustigen Gebieter. Denn die drei Brüder wußten, daß ihnen nur ein kurzes Lebenslos zugefallen war, und sie wollten seine Freuden auskosten.

„Es mögen fünf Jahre sein", erzählte Giacomino, „daß sie zum erstenmal im Golf erschienen; Marino, der Jüngste, war damals fast noch ein Kind. Da war es, wie wenn der Frühling gekommen wäre. Jeder Tag wurde zu einem Fest für die Leute von Lerici und San Terenzo. Die Brüder kamen selten an Land, aber wer nur konnte, kam zu ihnen. Da hörte man nichts als Lachen, Singen und Tanzmusik an Bord. Der Marino starb zuerst, er war der Schwächste, weil eine sterbende Mutter ihn getragen hatte. Nun wird es aus sein mit den Festen, dachte ich, als ich es hörte. Weit gefehlt. Im folgenden Sommer erschien die ‚Allegria' wieder mit zwei Brüdern an Bord. Es wurde gesungen und getanzt, als wäre nichts geschehen. Es hieß, sie seien übereingekommen, daß keiner den andern betraure, weil ja alle drei das gleiche Schicksal erwarte und die kurze Spanne für jeden kostbar sei. Vor zwei Jahren kamen die beiden noch einmal zum Besuch in unser Gewässer. Da stand es mit Marcos Befinden schon recht übel. Aber er wollte nichts davon wissen und tanzte fort, man kann sagen: bis zum letzten Tage. Kaum waren sie abgesegelt, so kam die Trauerbotschaft. Im letzten Sommer hat sich die ‚Allegria' nicht sehen lassen, ich glaubte schon, nun sei die Reihe auch an den Mario gekommen. Aber Gott erhalte ihn! – Er ist der kräftigste und gesündeste von den dreien, hatte immer die breitesten Schultern und die braunsten Backen. Ich glaube, er reißt sich durch. Der Mario reißt sich durch. Der ist ein Prachtjunge."

Wieder tritt ein versunkenes Bild aus der Tiefe. Ich sehe mich selbst im glühenden Vormittagsbrand auf der höchsten Klippe sitzen und meine Haare trocknen. Ein großer Seesturm hat eben ausgetobt, die heiße Luft ist still und leicht wie Äther. Nur das Meer wie ein müdgewordener Drache schnappt noch zuweilen auf und sendet eine ohnmächtige Schaumwelle zu mir empor, der es nicht einmal gelingt, meine Füße zu benetzen.

Draußen im tieferen Wasser liegt die „Allegria" verankert. Ihr Takelwerk ist über und über mit bunten Wimpeln geschmückt. Die „Allegria" ist das große Ereignis des Sommers, man denkt und spricht nichts anderes mehr in San Terenzo. Sie sticht des Vormittags mit allen ihren farbigen Wimpeln in See und verschwindet am Horizont. Am späten Abend kehrt sie zurück: Dann werden bunte Lampen angezündet, Musik kommt über die Wasser herüber – wie oft hab' ich an meinem hohen Fenster zugehört! – und auf Deck wird getanzt. Mitunter geschieht es, daß sie über Nacht ausbleibt, dann werden die Leute eifersüchtig, sie fürchten, ein anderer Strand habe sie ihnen weggekapert.

Am ganzen Golf kennt und liebt man den Signorino. Aber nie habe ich seinen Familiennamen nennen hören. Solange noch alle drei lebten, wurden die Brüder durch ihre Vornamen Marco, Mario, Marino unterschieden. Jetzt wo er allein ist, heißt er der Signorino schlechtweg, wie ich die Signorina heiße. Auf Namen legt man keinen Wert in San Terenzo.

Schön muß es sein, so über dem Wasser zu tanzen. Wie schade um mein neues lavendelblaues Kleid, das im Schranke hängt, und das bis jetzt nur die Möwen und die Fischweiber bewundert haben.

„Der Signorino möchte Ihnen gern vorgestellt sein und sich noch einmal bedanken", hatte Giacomino mir schon zwanzigmal gesagt. Aber die Gelegenheit gab sich nie. Er hauste auf dem Wasser, ich

auf den Klippen, am Lande begegnete man sich schwer. Es gab eigentlich überhaupt kein Land. Da war nur eine kleine Piazza und ein paar Gassen, die gar keine Gassen waren, sondern steile, roh gepflasterte Felsenstufen, worauf die Holzpantoffeln klapperten. Sonst gab es nur zerstreute Klippen im Uferwasser, olivenbewachsene Berghänge und mächtige, hügelangebaute Gärten mit unglaublicher tropischer Pflanzenfülle.

Der Signorino weiß also nicht, wie und wo er sich mir vorstellen soll. Er grüßt mich, wenn ich von meinem hohen Fenster aufs Meer hinuntersehe, er grüßt mich, wenn ich auf der Klippe sitzend die Haare trockne, er grüßt mich, wenn ich, von Giacominos Boot begleitet, in den Golf hinausschwimme. Einmal trafen wir auch in Mantegazzas Garten zusammen, aber ich hatte mich schon verabschiedet, als er kam; so blieb es bei dem üblichen Gruße. Und jedesmal muß ich lachen, wenn ich mich erinnere, daß ich in jener Sturmnacht einen Fliegenden Holländer in ihm gesehen habe. Er ist die sonnige Jugend und das Leben selbst.

Ich weiß auch, daß der Signorino den Wunsch hat, mich auf die „Allegria" einzuladen und daß er den Weg dazu nicht finden kann. Auch das hat mir Giacomino mitgeteilt. Ich lasse mich nicht aus meinem Gleichmut bringen. Wenn es des Schicksals Wille ist, daß ich auf der „Allegria" tanzen soll, so wird er den Weg finden. Ist er zu ungeschickt, so werd' ich's verschmerzen.

Eigentlich sollte ich ihm böse sein, denn er hat mir die Hälfte meines Ansehens gestohlen. Sonst staunte man die Signorina, die von so weit herkommt, wie ein Meerwunder an, aber vor dem Glanz des Signorino muß sie verbleichen. Freilich mit Blumenschiffen, Serenaden und Venezianischen Nächten auf dem Wasser hat sie nicht aufzuwarten.

Doch sie gönnt ihm seinen Ruhm. Er hat etwas an sich, daß man ihm gut sein muß. Die Mischung von italienischem und angelsächsischem Blut ergebe einen veredelten Typus, hörte ich Mantegazza einmal sagen, und ich sehe, daß es hier zutrifft. Die Landleute werden ordentlich poetisch, wenn sie von dem Signorino reden:

Er kommt wie der April mit seinen Gaben. (Der April ist dort der Wonnemond.) Jedem bringt er etwas mit. Er macht die Jungen froh und tröstet die Alten. Gott segne ihn. Gott erhalte ihn und schenke ihm ein langes Leben.

Über den Klippenweg, der nach Lerici führt – er ist wie so manches Schöne unterdessen verschwunden –, kommen braune Frauen und Mädchen barfüßig mit Körben auf dem Kopfe. Sie schürzen die Röcke hoch, denn ihr Weg, den auch ich zu gehen pflege, führt stellenweise durch das seichte Uferwasser, das warm ist wie ein Wannenbad. Sie sind geselliger Natur, und auf einen kleinen Zeitverlust kommt es ihnen nicht an. Also ziehen sie die Röcke noch etwas höher, waten bis zu den Klippen heran und erreichen auf und nieder kletternd den höchsten Vorsprung, worauf ich sitze. Alleinsein ist in ihren Augen das größte der Übel, also halten sie es für ein Gebot der Gastfreundschaft, mir ein wenig Gesellschaft zu leisten. Es hat mir nie gelingen wollen, einmal längere Zeit ungestört auf dieser Klippe zu sitzen. Nun müssen meine Haare befühlt werden, ob sie wirklich alle festgewachsen sind. Dann geht es an ein Fragen. Ob in Germanien alle jungen Mädchen solche Haarfarbe haben? Ob es wahr ist, daß ich auch im Mondschein bei den Klippen bade? usw. Dabei sagen sie mir die schmeichelhaftesten Dinge, denn sie sind stolz auf mein körperliches Wohlsein, das sie der Luft von San Terenzo zuschreiben. „Oh come sta bene! Come sta bene!"

Aber nicht mir allein gilt ihre Neugier. Leichte Ruderboote mit sommerlich gekleideten Damen und Herren – es sind die Insassen der umliegenden Villen – nähern sich der „Allegria", die Gesellschaft erklimmt die Leiter und wird oben von dem jungen Schiffsherrn bewillkommt.

„Eccolo, eccolo, il Signorino", heißt es, und nun häufen sich die zärtlichen Beiwörter auf seinen Scheitel:

„Wie schön er ist und wie gut. Er ist noch schöner geworden als vor zwei Jahren", sagt die eine. – „Und was für ein tüchtiger Seemann! Er kommandiert sein Fahrzeug selbst", sagt die andere. – „Ja, und wie freigiebig", fügt die dritte hinzu. Jede weiß eine neue Tugend, und gewöhnlich schließen sie mit der wichtigsten von allen, die mit besonderem Nachdruck ausgesprochen wird: „E' ricco!"

Vor allen Dingen aber freuen sie sich, daß er so frisch und blühend aussieht: „Sta bene anche lui, sta bene."

Auf der „Allegria" werden die Segel aufgezogen, denn jetzt hat sich etwas Wind erhoben. Das Schiff neigt sich, schwankt, es macht ein paar Drehungen, um den Wind abzufangen, und fährt dann mit stolzer Schwenkung nahe vorüber.

Ganz vorn steht weißgekleidet, die Schiffsmütze auf dem Kopf, der Signorino. Sein Gesicht ist gebräunt, das tiefe Blau seiner Augen leuchtet bis herüber.

Im Vorbeifahren zieht er die Mütze. Ich danke.

Wir haben uns jetzt schon so oft gegrüßt, daß wir alte Bekannte sind, ohne noch ein Wort gewechselt zu haben. Und jedes weiß vom andern, daß es an der Begegnung seine stille Freude hat.

Was für ein Fest war das Leben dazumal. Immer schöner wurden die wachsenden Tage. Sie waren um mich her wie eine blaue himmlische Ewigkeit. –

Ein neues Bild. Weit draußen auf dem Meere, in grüner Einsamkeit, schwimmt ein kleines Boot. Das junge Mädchen hat sich in Giacominos Abwesenheit seine „Galatea" flottmachen lassen und ist allein hinausgefahren, weit, so weit sie konnte. Die Sonne neigt sich schon, sie fährt ihr nach. Sie ist wenig geübt im Rudern, aber auf den leeren, unendlichen Wassern fühlt sie sich sicher und stark. Nur wenn in der Ferne ein Dampf- oder Segelschiff erscheint, wird sie aufgeregt; sie meint immer, solch ein Riese habe kein dringenderes Geschäft, als sie und ihr kleines Boot zu überfahren. Auch begegnende kleinere Fahrzeuge sind ihr nicht geheuer. Aber heute ist nichts zu fürchten, die Segel der großen Fischerbarken stehen draußen am fernsten Horizont. Bei der Rückfahrt freilich kann man leicht dem Dampfer aus Spezia begegnen, und in der Nähe der Marina kreuzen die vielen kleinen Ruderboote. Dort liegen auch die geheimnisvollen Gärten am Grund, deren höchste Zweige bisweilen an der Oberfläche spielen wie lange, fingernde Arme, die ihr immer ein neugieriges Grauen einflößen, als ob sie sie niederziehen wollten. Schön sind sie, diese Gärten, aber man kann da so seltsame Verzauberungen erleben, wenn man lange hinuntersieht. Oft blinkt es wie farbenwechselnde Edelsteine aus der Tiefe, dunkelgefärbte Pfauenaugen blicken herauf – sind's Seetiere, ist's farbiges Gestein? Es lockt und ängstet. Und dann sind auch die Klippen da, an denen die großen Polypen hausen mit den gewaltigen Fangarmen, die einen Menschen unrettbar hinunterziehen, wenn sie mit dem freien Arm eins seiner Gliedmaßen erhaschen und mit den übrigen sich am Felsen festfangen. Gesehen hat sie die Scheusäler ja nur im Kochtopf, aber durch Giacomino weiß sie von ihren greuelvollen Taten. Alle Schrecken der Odyssee werden lebendig, wenn sie an die Heimfahrt denkt. Und weil sie den Augenblick fürchtet, verschiebt sie ihn so lange wie möglich. Hier außen, über der stillen, grünen, undurchsichtigen Tiefe ist sie geborgen.

Die Sonne sinkt tiefer, nicht über dem Meere, dazu ist die Jahreszeit zu frühe, ihr Weg geht noch weiter westlich über die Vorgebirge, nur den Saum zwischen Himmel und Wasser färbt sie mit Purpur, Violett und Safran. Dorthin nimmt das Boot die Richtung. Dort liegen die Inseln der Seligen, wie Böcklin sie malt. (Er malte gerade damals in San Terenzo.) Weit hinaus über die schönen Inseln der

Nähe, über unsere lieben, wohlbekannten, im fernsten Abendgold liegen jene schöneren. O Menschenherz, du bist allein in einer ungeheuren Weite und steuerst nach einem unerreichbaren Glück.

Jetzt kommt ein Boot in Sicht vom Lande her. Es ist so klein, daß es sich kaum unterscheiden läßt. Aber es wächst mit der größten Geschwindigkeit. Schon kann sie seinen Bau erkennen und die zwei blitzenden Ruder, die wie zwei Möwenflügel auf und nieder gehen. Jetzt ist es schon so groß, daß man die Umrisse des Ruderers sieht. Sie fährt weiter und phantasiert.

Das Boot ist weiß wie ein Schwan und scheint zu fliegen. Es hält gerade auf sie. Vielleicht ist Giacomino besorgt geworden und sucht sie. Aber das Boot ist keines von den seinigen. Und der es führt, ist auch nicht Giacomino. Es ist ein jüngerer Mann im hellen Sommeranzug. Er fährt gerade in ihrem Kielwasser. Das macht sie unruhig, wie wenn auf der Straße ein Mensch auf ihren Schatten tritt. Gibt's denn auf der ganzen unendlichen Fläche keinen anderen Weg, den er fahren kann? Zur Unzeit fallen ihr all die Piratengeschichten ein, mit denen Giacomino sie unterhalten hat.

Nun ist der Friede der Natur gebrochen. Ein Mensch teilt diese Einsamkeit mit ihr; sie weiß nicht, wer er ist, und was er will. Fliehen wäre Torheit und völlig aussichtslos. Das sagt sie sich mit aller Klarheit und rudert dennoch unbewußt schneller.

Jetzt schießt er wie ein Pfeil. Noch ein paar Ruderschläge, so hat er sie erreicht.

„Halt! Oder ich entre Ihr Boot. Sie sind gefangen“, ruft er ihr zu.

Aber der es ruft, erweckt ihr keine Furcht. Seine Augen sind blauer als der tiefblaue Himmel und lachen, sein Gesicht ist voll Sonne. Es ist der Signorino.

„Giacomino hat sich um Sie gesorgt und schickt mich, Sie zu suchen.“

„Schönen Dank. Aber es war kein Grund dazu.“

Er machte mit seinem graziösen weißen Boot allerlei elegante Wendungen. Die Ängstlichkeit kam wieder über sie, daß sie sich schon angerannt im Wasser liegen sah und ihn himmelhoch bat, Abstand zu halten und vorsichtig zu sein.

„So wenig Mut haben Sie und fahren doch allein so weit hinaus?“

„Ich habe Mut, aber ich muß das Meer für mich allein haben.“

Der Signorino lachte über diese besondere Art von Mut, nahm sich aber in acht, die Signorina nicht zu erschrecken.

„Fahren wir weiter?“

„Nein, ich kehre um, ich bin müde.“

„Ihr Boot ist zu schwer für eine Damenhand. Giacomino müßte Ihnen ein leichteres geben.“

„Das ist es nicht. Aber der Ruderpflock wackelt, sehen Sie. Das verlangt doppelten Kraftaufwand.“

„Ich wundere mich, wie Sie mit dieser Arche Noah überhaupt so weit gekommen sind“, entgegnete er. – „Aber jetzt sollten Sie sich nicht weiter anstrengen, es kann Ihnen schaden. Man spürt es erst in der Nacht, wenn man sich übermüdet hat.

Steigen Sie über. In einer halben Stunde führe ich Sie glatt nach Hause. Sie werden sehen, wie mein Boot läuft."

„Schön! Und was würde da aus der ‚Galatea'?"

„Die holen meine Leute."

Sie legen Bord an Bord, die Signorina springt hinüber und setzt sich ans Steuer.

Die „Galatea" bleibt einsam schaukelnd zurück.

Es war ein göttlicher Abend. Der Westen brannte. Das Wasser war kein Wasser mehr, sondern flüssig schimmerndes Metall, in dem der Kiel einen langen weißen Streifen zog wie ein streichender Riesenfinger. Die Inseln verloren ihre Masse und waren nichts mehr als Form und Farbe.

Da sitzen sie, die zwei jungen Leute, ganz in Sonnengold getaucht. Was sie zusammen redeten? Den Worten nach das reine Nichts. Aber wer weiß denn, was die Worte jeweils bedeuten? Wie ich einmal in Florenz einen Brahmanen sagen hörte, daß die Gesänge der Bhagavad-Gita neben ihrem unmittelbaren, tatsächlichen Inhalt noch einen anderen mystischen, nur dem Eingeweihten verständlichen Sinn enthielten, so ging es mit dem Gespräch dieser beiden. Wenn sie sagten: Meer und Inseln sind schön wie ein Traum, so hieß es: Dein Anblick ist mir lieber als Meer und Inseln; daß wir hier beisammensitzen ist der schönste Traum.

Dies und noch viel Tieferes, Wunderbareres teilten sie sich unter den nichtssagendsten Worten mit. Selbst Mantegazza, der Weltwanderer, der mit seinem Gespräch gleich die beiden Hemisphären umspannte, wußte nichts so tief Bedeutsames zu sa-

gen. Seine Welt war eine bestimmte, eine endliche Welt, in uns war das Unerforschte, das Grenzenlose, in uns war die Jugend.

Der Signorino wollte mir die Fahrtgeschwindigkeit seines Bootes zeigen. Wir flogen nur so über das Wasser, das gar keinen Widerstand zu leisten schien.

Zuweilen hielt er inne und sah sich mit trunkenen Augen um.

„Es ist schade, so zu eilen. Wer weiß, wann wieder ein Abend schön wie dieser kommt. Blicken

Sie nur einmal nach Portovenere zurück. Es ist keine Wirklichkeit mehr, sondern eine Fata Morgana. Kennen Sie denn Portovenere? Ich wette, Sie sind noch gar nicht dort gewesen."

„Ob ich es kenne! Es ist ein steinernes Märchen. Eine verzauberte Wasserburg. Man steigt den überbauten Felsenhang hinauf bis zur allerhöchsten Spitze und blickt hinaus aufs offene Meer. Dort versteht man erst das Wort Wasserwüste. Unser Golf ist ja nur ein Binnensee."

„Und die Palmaria? Haben Sie Ihren Fuß schon auf die gesetzt? Nein? – Da möchte ich Sie einmal hinführen. Wollen Sie? Wir verankern die ‚Allegria' bei Portovenere und umschiffen im Ruderboot die Palmaria. Giacomino soll uns begleiten, damit es Ihnen nicht an der gewohnten Gesellschaft fehlt."

Er sprach von den blauen Grotten der Palmaria, die er mir zeigen wollte, die noch blauer seien als die von Capri, und beschrieb mir ihr überhängendes, buntgesprenkeltes Felsgestein.

„Und dann der Tino, unser Fackelträger! Und der kleine Tinetto, der sich hinter ihm versteckt! Möchten Sie die nicht auch sehen?"

Welch ein Traum, von den Segeln der „Allegria" wie von Flügeln getragen dahingleiten! Die große Sehnsucht endlich gestillt, diese ganze Weite mein! Kein Gedanke, daß das Schicksal mir soviel Freude mißgönnen könnte, kam in meine Seele.

Zwischen dem Tino und dem Tinetto liegt nur ein schmaler Wasserarm, fährt der Signorino in seiner Beschreibung fort. Es ist so nah, daß man ganz leicht einen Stein hinüberwerfen könnte, der in einen Brief gewickelt ist. Auf dem Tino stand einst ein Mönchskloster, hörte ich sagen, und gegenüber auf dem Tinetto lebten Nonnen.

„Ich weiß, die wurden von Seeräubern weggeführt", antwortet die Signorina. (Das war eine von Giacominos Lieblingsgeschichten.)

„Seeräuber!" lacht er. „Ich bin auch einer, ich will es Ihnen gestehen. Fürchten Sie sich nicht? Sie haben sich schon einmal vor mir gefürchtet. Wissen Sie noch, in jener Sturmnacht? Giacomino hat es mir verraten."

„Der dürfte schweigen. Er hat sich auch gefürchtet. Wir überlegten gleichzeitig, wie wir es anstellen sollten, Sie ins Meer zu werfen."

„Schöne Gastfreundschaft! Aber heute sind Sie in meiner Gewalt. Ich kann Sie nach der ‚Allegria' bringen, alle Segel aufspannen und Sie bis nach Afrika verschleppen."

„Giacomino wird mich befreien. Er ist der Herr dieses Gewässers, und er sieht uns schon durch sein großes Fernglas. Sehen Sie, hier taucht die Rolandsklippe auf. Gleich sind wir an der Marina."

„Warum nennen Sie sie die Rolandsklippe?"

Ich erzählte, was ich von Giacomino wußte, daß Roland, der Held, die Klippe im Zorn mit einem einzigen Schwerthieb gespalten hatte.

„Mit einem Schwerthieb! Non c'è male." – Er freute sich mit mir über einen solchen Helden und einen solchen Zorn. – „Aber was Ihr Giacomino für schöne Geschichten weiß! Ich möchte auch zuhören, wenn er Ihnen wieder erzählt. Darf ich?"

So geht das Geplauder fort wie Zwitschern junger Vögel.

Wir schwimmen jetzt mitten in der Bucht von Lerici, in gleicher Entfernung zwischen den beiden Kastellen und kreuzen somit die feuchte Straße, die wir in jener Sturmnacht miteinander durchfuhren, ohne uns zu kennen.

Die Villa Maccarani mit ihrer meerumspülten Säulenhalle kommt in Sicht. Ihre Fenster lodern wie eine Feuersbrunst.

„Haben Sie auch schon daran gedacht", fragt er, „daß von der Veranda dort der Dichter Shelley seine Todesfahrt antrat?"

„Wie oft denke ich daran! Ich besitze ein englisches Buch, worin das alles steht: wie die ‚Don Juan' bei Livorno unterging, wie man den toten Dichter auffischte, und wie am Strand von Viareggio das Leichenfeuer brannte, in das Lord Byron Öl und Wein in Strömen goß. Ich kenne auch einen uralten Mann in San Terenzo, der sich an das alles noch erinnert."

„Also an solche Dinge denken Sie, wenn Sie auf Ihrer Klippe sitzen? Kommt es Ihnen dann nie, der tote Dichter könnte aus dem Wasser steigen, Schilf und Muscheln im Haar, und Sie aus weitoffenen Augen anblicken, in denen das Grauen des Abgrunds liegt?"

„Nein, so schaurige Gedanken kommen mir nicht. Aber ich denke an die Lieder, die mit ihm versunken sind. Und ich möchte wissen, ob sie da unten Ruhe haben und immer schlafen. Oder ob sie zuweilen jammernd an der Oberfläche irren, und mein Ohr strengt sich an, einen Ton von ihnen zu hören."

„Träumerin!"

„Träumen Sie nicht etwa auch?"

„Selten. Ich habe keine Zeit dazu. Ich will noch so vieles sehen. Im Spätherbst fahre ich nach Griechenland."

„Sie Glücklicher!"

„Ich bin es."

Wir waren schon so nah am Strand, daß wir Hundegebell und Menschenstimmen vernahmen. Da hielt er noch einmal mit Rudern inne und sagte schnell und eindringlich:

„Morgen abend gebe ich ein Fest auf der ‚Allegria'. Werden Sie kommen und die Polonaise mit mir tanzen?"

„Das kann ich nicht versprechen."

„Doch. Sie müssen. Mir darf man nichts abschlagen."

„Warum nicht?"

„Weil man in meiner Familie nicht alt wird. Ich bin der letzte von drei Brüdern, das wird man Ihnen gesagt haben. Keinem hat man je einen Wunsch versagt. Laßt sie ihre Freude haben, hieß es. Meine Brüder haben sie gehabt. Sie haben tanzend und segelnd gelebt. Soll ich nicht auch die meine haben?"

Die blauen Augen hatten einen Ausdruck von Bitte und Zuversicht, dem nicht zu widerstehen war.

Natürlich versprach ich zu kommen.

Wie seltsam, ihn so vom Tode sprechen zu hören mitten im lachenden Leben.

„Es ist nichts Trauriges dabei", sagte er. „Ein

Hecht lebt hundert Jahre, heißt es, und drüber. Ein Pferd kaum dreißig, ein Hund noch viel weniger. Wer kann sagen, daß der eine glücklicher sei als die anderen? Auf die Länge des Lebens kommt es nicht an, sondern auf die Schönheit."

Das war ganz meine Meinung. Es betrübte mich nicht, daß er so früh sterben müsse. Ich fand, daß es ihm wunderbar stehe, wie ein fremdartiger, unbegreiflich schöner Schmuck.

Das Gespräch verebbte. Er ruderte ganz langsam, und es schien, als söge er alle Süße des Lebens mit tiefen Atemzügen in die Brust. Über uns standen schon groß und zitternd der Arkturus und die Vega.

„Sie haben ein Kleid, das blau ist wie die Gewänder der Thetis", fing er wieder an. „Ich sah Sie einmal darin. Werden Sie es anziehen zu meinem Feste?"

„Kennen Sie die Thetis persönlich?" fragte ich zurück.

„Sie hatte einen Sohn, dem ein kurzes Leben bestimmt war", antwortete er. „Wenn dem ein Leid geschah, so stieg sie aus den Fluten und setzte sich zu ihm. Sie trug solch ein verschwimmend blaues Kleid wie das Ihre. Ich habe meine Mutter kaum gekannt. Aber zuweilen steigt die Thetis herauf und redet mit mir. – Wollen Sie mir zuliebe das blaue Kleid anziehen?"

Ich versprach, das blaue Kleid anzuziehen.

„Giacomino", sagte ich an jenem Abend, als mein Hauswirt am Feuer für mich schaffte. „Ich will morgen abend auf der ‚Allegria' tanzen. Was sagt Ihr dazu? Schickt es sich, weil ich allein bin?"

„Ich werde mitgehen und Sie nicht aus den Augen lassen. Wenn Sie auf dem Deck tanzen, so werde ich mich auf die Kajütentreppe legen wie ein Wächterhund. Dann schickt es sich. Und wenn jemand über Sie reden will, werde ich sagen: Ich bin dabei gewesen."

Das war die Antwort, auf die ich gezählt hatte.

In jener Nacht erlebte ich noch etwas Unaussprechliches. Ich lag in meinem hohen Turmzimmer zwischen Traum und Wachen, rings um mich her das eintönige Anrauschen des Meeres, das von Zeit zu Zeit eine stärkere Welle mit lautem Gusse unterbrach. Da kam ein Tönen wie von Äolsharfen über das Wasser, eine Musik von so unsagbarem Wohllaut, als ob ein Sternenschwarm in Töne aufgelöst daherzöge. Waren es die versunkenen Lieder Shelleys, die nicht schlafen konnten? Nein, ich wußte es mit innerer Gewißheit, es war mein junger Fahrtgenosse, der mir noch einen Gutenachtgruß sandte.

Die Musik kam näher, ich vernahm leises Eintauchen von Rudern unter meinem Fenster. Aufstehen und ans Fenster treten – so weit konnte ich nicht einmal mehr denken. Die ermatteten Glieder lagen zu fest in Schlummerbanden, das Hirn war zu tief vom Schlafdorn gestochen. Die Musik schwoll höher, ich weiß nicht, kam sie von Instrumenten, von Menschen- oder Engelsstimmen; ich weiß auch nicht, ob es das Wasser oder der Halbtraum war, was sie so ins Überirdische verschönte. Ich habe niemals wieder eine solche Musik gehört.

Das schwellende Riesenbett, in dem ich schlief, wurde zum Wolkenpfühl und erhob sich mit mir aufwärts, von Tönen getragen. Ich schwebte draußen im Sternenschimmer über die schlafenden In-

seln hin, höher, immer höher, bis hinauf zum Bootes und zur Vega, während die Musik leise verhallte. Es war vielleicht die reinste Seligkeit, die ich je genossen habe.

Am Morgen fuhr ich zeitig nach Spezia, wo ich mit Freunden von auswärts zusammentraf. Sie führten mich im Wagen nach dem verzauberten Portovenere, erstiegen mit mir das überpflasterte Felsgestein, und von der allerhöchsten Warte überschauten wir den blauen hinter uns liegenden Golf und die vor uns ausgebreitete unendliche Bläue. Dann nahmen wir einen kleinen Kahn, umschifften die Palmaria, die wie das Wrack eines versteinerten Riesenschiffes aus dem Wasser ragt, fuhren in all ihre Grotten und Höhlen hinein, die wirklich ganz so türkisblau und von so abenteuerlichen Tropfgebilden überhangen waren, wie der Signorino mir gesagt hatte. Und ich dachte daran, daß ich das alles mit ihm noch einmal sehen und es dann noch viel schöner finden würde. So herrlich der Tag war, ich dachte mit Ungeduld an den Abend, an dem ich im thetisblauen Kleide mit dem Herrn der „Allegria" tanzen wollte. Und ich blickte oft nach der Bucht zwischen den zwei Kastellen hinüber, konnte aber natürlich unter den dort liegenden Schiffen die Jacht des Signorino nicht unterscheiden.

Als wir uns an Schönheit gesättigt hatten, machten wir in Portovenere Mittag und fuhren, sobald die Hitze nachließ, nach Spezia zurück.

Die Freunde dachten, ich würde das letzte Dampfboot abwarten, aber ich ließ mich nicht halten. Ich leistete mir den Luxus eines kleinen Segelbootes, um zeitiger in San Terenzo zu sein. Unterwegs flaute der Wind ab, es mußte gerudert werden. Ich bekam das Ballfieber. Immer neue Versprechungen machte ich dem Fährmann, damit er schneller rudere. Als San Terenzo in Sicht kam, brannten schon die ersten Lichter, aber es war noch völlig hell, wir hatten eben den längsten Tag des Jahres. Gottlob, das war gut gegangen. Ich hatte Zeit, noch ein Bad zu nehmen, die Haare zu ord-

nen, das thetisblaue Kleid, das dem Signorino lieb war, anzuziehen.

Die „Allegria“ lag wie immer im tiefen Wasser. Aber irgend etwas war nicht wie sonst. Richtig, die bunten Wimpelchen fehlten. Die sollten ja durch frische Blumengewinde ersetzt werden, wie er mir gesagt hatte, und alle Gärten am Golf wollte er dazu plündern. Da waren schon viele Hände geschäftig, schwere grüne Girlanden zu schleppen, die sie am Klüverbaum und an den Schiffsflanken befestigten. Man sah es, an Bord herrschte aufgeregte Tätigkeit vor dem Feste.

Und die am Mastbaum, was machen denn die? Meine Augen sind von dem heißen Tag und der scharfen Seeluft angegriffen, ich glaube ihnen nicht.

„Bootsmann, was machen denn die Leute dort am Mast?"

„Sie ziehen eine schwarze Fahne auf, Signorina."

„Unmöglich! Es wird ja heute getanzt. Was sollte da die schwarze Fahne?"

„Ich weiß es nicht, Signorina."

Als ich an Land trat, wußte ich es. Da standen Frauen, die weinten und klagten: „Der schöne Signorino! Der gute Signorino!" Er war in der Frühe an einem Blutsturz gestorben.

„Der schöne Signorino! Der gute Signorino", murmelte auch ich und wußte nicht, was ich sagte. Sinnlos starrte ich die „Allegria" an, die nicht für Tanz und Freude, sondern für die letzte Fahrt ihres Gebieters geschmückt wurde. Er sollte noch am späten Abend nach Spezia geführt und von dort nach Mailand in die Familiengruft gebracht werden.

Ich begriff nichts von allem, was sie sagten. Meine Füße zuckten noch vor Tanzlust, mein ganzes Wesen schwang in dem Anstoß, den es erhalten hatte, heute abend auf der schönen Jacht mit ihrem Herrn die Polonaise zu führen. Wie dieser Anstoß sich endlich legte, und ob mir dann schlimm zumute war, weiß ich nicht mehr.

In der blauenden Dämmerung stand ich am Fenster und sah der „Allegria" zu, wie sie mit aufgespannten Segeln und im Wasser schleppenden Girlanden hinausfuhr. Von all ihren festlichen Ausfahrten war dies die festlichste.

Weinen wie die andern konnte ich nicht. Warum? Ich weiß es nicht. Vielleicht weil ich die Jugend und den Tod gar nicht zusammen denken konnte. Da fuhr der Schöne fort, ohne mit mir getanzt zu haben, und ich hatte mich doch so sehr gefreut! Das war vielleicht das überwiegende Gefühl.

Erst als die „Allegria“ ohne ihren Herrn zurück-

kehrte und schwarz und abgetakelt draußen im tiefen Wasser lag, flossen auch mir die Tränen. Die Bucht schien ausgestorben; es gab keine Musik und keinen Tanz mehr in den Nächten. Der Frühling war tot. In der Frühe der Sommersonnenwende war er gestorben.

Später wurde die „Allegria“ an einen Villenbesitzer in Lerici verkauft und ging mit ihrem neuen Eigentümer bei einem Sturme unter. Ihre Trümmer wurden bei Livorno ans Land gespien.

Ein ganzes Menschenleben ist seitdem vergangen. Wo ist das thetisblaue Kleid geblieben? Wo sind die tanzlustigen Füße? Wo alle die alten Freunde aus jener Zeit? Wo modern die letzten Planken der „Allegria“?

Rätselhafter Abgrund meiner eigenen Seele, was weiß ich von dir? Höchste Freuden sind spurlos verweht, Schmerzen, die sich ewig glaubten, sind vergangen, tiefste Lebensgeschicke sind von mir abgefallen wie ein vertragenes Kleid. Und da steigt nun mit einem Male aus der Tiefe der Zeiten das Bild des Signorino, dessen Namen ich nicht einmal wußte, mit dem Angesicht voll Sonne, mit den Augen, die blauer sind als der Himmel über dem Golf von Spezia; er winkt mir mit der Asphodelosblüte und lächelt.

Carl Weitbrecht

Eine musikalische Frau

1

Der Gymnasialprofessor Dr. Bernhard Köhler galt als ein geistreicher, liebenswürdiger und charakterfester Mann, der wohl imstande wäre, eine Frau glücklich zu machen. Es gab auch mehr als ein weibliches Herz, das bereit gewesen wäre, sich solchem Glücke zu unterziehen. Trotzdem hatte er das sechsunddreißigste Jahr zurückgelegt, ohne daß er Anstalt gemacht hätte, solchermaßen zu beglükken und sich hinwiederum beglücken zu lassen.

Nicht als ob etwa sein Herz an einer unheilbaren Wunde aus Jugendtagen gelitten hätte. In der Studentenzeit hatte er freilich eine „unglückliche Liebe" hinter sich gebracht; es war auch damals bei ihm tiefer gegangen als bei manchem andern, und auf einige Jahre hinaus war dadurch allerdings sein Herz gepanzert gewesen. Doch war er damals zu jung gewesen, um allzulange dem Verlorenen nachzuhängen, und nicht eigensinnig und eitel genug, um sich gewaltsam zu verhärten.

Noch weniger war er ein geborener Weiberverächter oder Ehefeind. Im Gegenteil hatte er einen fast unbegrenzten Glauben an die Vortrefflichkeit des weiblichen Geschlechtes, und seinen Freunden war es halb rührend, halb komisch, wie der ernsthafte Mann sich seinen Jünglingsglauben in diesem

Stücke bewahrt hatte und den Adel weiblicher Natur huldigend verehrte, auch wo er nicht vorhanden war. Und geheiratet hätte er gar gern; auch stellten ihm seine verheirateten Freunde, in deren Familien er verkehrte, das einstimmige Zeugnis aus, daß er zum Ehemann und Hausvater alle nur wünschenswerten Eigenschaften in sich vereinige.

Aber der Jammer war eben das: in nüchterner Überlegung und Wahl sich eine Lebensgefährtin zu erwählen, das schien ihm seiner selbst unwürdig; galt er doch als ein Poet und hatte vor zehn Jahren ein Bändchen lyrischer Gedichte herausgegeben, das auch in mehreren Blättern recht günstig besprochen, freilich dann rasch vergessen und jedenfalls nicht gekauft worden war; übrigens sah er selbst jetzt auf diese Jugendlyrik mit ziemlicher Verachtung herunter, trug sich aber dafür um so ernstlicher mit dramatischen Plänen. Nüchterne Wahl also war für ihn unmöglich. Aber um sich im reifen Mannesalter recht und gründlich und bis zum Entschluß der Verehelichung zu verlieben, dazu gehört die Fähigkeit, sich zu verblenden gegen alle weiblichen Vorzüge, sofern sie nicht an einer haften, und ebenso gegen die Mängel, welche dieser einen etwa anhängen mögen; doch Bernhard Köhler war zu sehr von der Vortrefflichkeit des weiblichen Geschlechts im allgemeinen überzeugt, als daß er so parteiisch für eine hätte sein können. So oft er auch schon geglaubt hatte, jetzt komme wieder jenes Unnennbare über ihn, was die Leute Liebe nennen – immer hatte ihn irgendein Stein des Anstoßes unsanft aus den beginnenden Liebesträumen geweckt, und so war er vor eitel allgemeiner Begeisterung zu keiner besonderen Liebe mehr gekommen.

Dazu noch ein zweites. Es hatte von jeher bei ihm festgestanden, daß er, wenn er einmal heiraten sollte, jedenfalls eine musikalische Frau haben müsse. Seine Studentenliebe – oh, wie wunderbar hatte dieses Mädchen in der Liedertafel und im Oratorienverein gesungen! Damals war es freilich nichts geworden, wie meist, wenn ein Student liebt. Aber eine musikalische Frau mußte Bernhard Köhler dennoch haben – nicht obgleich, sondern gerade weil er selbst nicht eigentlich musikalisch war.

Es kommt freilich darauf an, wie man das Wort verstehen will. Wenn jemand von ihm verlangt hätte, daß er den Unterschied von Moll und Dur angeben oder bei irgendwelchem Musikstück überhaupt sagen solle, aus welcher Tonart es gehe, so wäre er in die tödlichste Verlegenheit nur deswegen nicht geraten, weil er unumwunden seine Unwissenheit in diesem Stück bekannt hätte; und doch empfand er beim Hören den genannten Unterschied sofort. Er besaß ein Klavier und saß oft an demselben; aber der einfachste Lauf schien ihm selbst nach oftmaligen Versuchen das reine Seiltänzer-Kunststück, während es ihm ein helles Vergnügen bereitete, die schwierigsten Akkorde, wenn auch erst nach mehrmaligem Fehlgreifen, rein und richtig anzuschlagen. Übrigens spielte er meist nur Begleitungen zu den Liedern, die er selber sang; und er sang ganz ohne das, was man Schule nennt, aber seine Stimme hatte einen kräftigen Wohlklang.

Den Text sprach er so deutlich aus, als es ohne Schulung irgend möglich ist; Ausdruck und Empfindung war in allem, was er sang. In Konzerte ging er selten; er haßte das Umhergeworfenwerden von einer Stimmung in die andere, dem bei der Zusammensetzung der meisten Programme nicht auszuweichen ist. Ebenso selten besuchte er die Oper. Ärmliche Worte konnten ihm den Genuß der höchsten Schönheiten der Musik verderben; selbst mit der Zauberflöte stand er auf etwas gespanntem Fuße, und mit der deutschen Götter- und Heldensage war er zu vertraut, als daß er sich für die Behandlung hätte begeistern können, welche dieselbe von Richard Wagner sich gefallen lassen mußte – obwohl er diesen noch am ehesten gelten ließ, wo sich's um die moderne Oper handelte. Sein liebstes war Hausmusik, sein Apostel war Riehl und er gab ein Dutzend Opern und Konzerte daran, wenn er einmal in engem Kreise ein gutgespieltes Quartett oder eine Beethovensche Sonate hören konnte. Nicht, daß er entfernt imstande gewesen wäre, sich einen klaren Begriff von dem Bau eines Quartetts, einer Sonate oder gar einer Symphonie zu machen; aber was er davon bei gutem Spiel und zur rechten Stunde hörte, das erfaßte ihn im tiefsten Innern, und wochenlang zitterte es in seinem Gemüte nach, obwohl er nicht fähig gewesen wäre, eine einzige Melodie aus dem Gehörten richtig nachzusingen.

War er also musikalisch oder nicht? Seine meisten Bekannten hielten ihn dafür, weil er oft die geistreichsten Bemerkungen über Musik machte,

wo andere, angeblich musikalische Leute nur die hergebrachten oder in den Zeitungen aufgelesenen Redensarten nachleierten. Ein Freund aber, ein Fachmann in der Musik, hatte ihm einmal gesagt: „Bernhard, die Musik ist dir Lebensbedürfnis; aber du verstehst von ihr so viel, als mein Harro!“ Harro war eine große Ulmer Dogge.

Bernhard Köhler selber hatte nie viel über seine musikalische Begabung nachgedacht. Lebensbedürfnis war ihm die Musik allerdings; von sich selbst hatte er in diesem Stück nie viel gehalten; er hatte sich das Seine gesucht, wie und wo er's finden konnte, und damit fertig! Aber das stand fest: seine künftige Frau mußte musikalisch sein in ganz anderer Art als er selbst; denn sie mußte ihn auch in diesem Punkt ergänzen und einem seiner Lebensbedürfnisse zur Befriedigung verhelfen, soweit dies menschlicher Schwachheit überhaupt möglich ist. Mindestens Beethovens Appassionata mußte sie überwältigend spielen können.

Natürlich wurde es durch solche Anforderungen dem Armen nicht leichter gemacht, eine Frau zu finden. Denn wie es in diesem tückischen Erdenleben geht: war einmal ein Mädchen musikalisch genug für die Ansprüche des Professors, so besaß sie sonst nichts, was ihn zu ihr gezogen hätte, mindestens fehlte so manches, um sie völlig begehrenswert zu machen; oder aber, war alles andere soweit recht, so konnte das unglückselige Mädchen kaum Trommel und Geige unterscheiden. Ein einzigesmal war Bernhard Köhler nahe daran gewesen, in eine völlig Unmusikalische sich gefährlich zu verlieben; aber zur rechten Zeit noch hatte ihn sein musikalisches Gewissen gerettet.

2

Das geht nun aber alles nur, solange es geht; und gegen die von unzähligen Dichtern und Dichterlingen, auch von Bernhard Köhler seinerzeit besungenen, von neueren Philosophen mehr oder minder geistreich erklärten Mächte der Liebe hilft kein Grundsatz, keine hochgespannte Wolkentreterei. Irgend einmal geht das ganze Gespann, mit dem man so lange gefahren ist, durch, und dies um so gewisser, wenn der edle Roßlenker einmal glaubt, alles gehe auch mit schlaffem Zügel auf schönster, ebenster Straße seinen vorgeschriebenen Weg.

Es war, als sollte der Unverheiratete noch beizeiten an die Gebrechen des Alters erinnert werden, zu denen unter anderem das Zipperlein, die Gicht, oder wie's die Herren von der Medizin sonst nennen, zählt. Eine Erkältung, wie er selber glaubte, hatte ihm ein böses Rheuma in den Gelenken zugezogen; sein Freund und Arzt, der Dr. Wälde, verordnete ihm eine Badekur. Bernhard wehrte sich mit Händen und Füßen dagegen, denn er wäre lieber, wie in anderen Jahren, einige Wochen im Hochgebirge herumgeklettert. Aber das ging einmal nicht mehr, und der Doktor sagte ihm: „Sei gescheit und trinke den Kelch, ehe das Zipperlein sich fester setzt! Übrigens kann ich dir natürlich nicht dafür bürgen, daß du nach dieser Kur in alle Zukunft davon befreit bleibest, und für alle Fälle wär's jedenfalls das gescheiteste, du begäbest dich endlich in dauernde weibliche Pflege."

Bernhard geleitete den Freund mit sauersüßem Lächeln aus der Tür, nahm seinen Urlaub und packte seufzend seinen Koffer. Unter den ihm vorgeschlagenen Bädern, welche für solche Leiden Heilung versprechen, hatte er ein nicht übermäßig besuchtes Schwarzwaldbad gewählt, und in seinen

Koffer packte er ein hübsches Bündel Handschriften, enthaltend eine Reihe von Studien, Vorarbeiten, Entwürfen zu der Tragödie, die endlich seinem Namen dauernde Geltung in der Dichterrepublik verschaffen sollte. Er wollte seine unfreiwillige Bademuße wenigstens anständig nützen.

An schwerem Knotenstocke hinkend, pilgerte er in den ersten acht bis vierzehn Tagen alle Morgen pflichtgemäß zur warmen Quelle; dann legte er sich zu Hause aufs Bett und versuchte, Stimmung für dichterisches Schaffen zu gewinnen, schlief aber regelmäßig darüber ein, und wenn er erwachte, war's gerade Zeit, zu Tische zu gehen. Am Nachmittag setzte er sich in eine entfernte Ecke der Anlagen, wohin selten ein anderer Kurgast sich verirrte – aber Held und Handlung seiner Tragödie wurden ihm nur immer unklarer. Er sah den Finken zu, die zutraulich zu seinen Füßen hüpften, wärmte sich an den Sonnenstrahlen, die durch die Tannen und Hagebuchen hereinfielen, und horchte auf das Rauschen des Flusses, der tief unter ihm über Granitblöcke schäumte. Kam er abends nach Hause und hatte er sein Abendbrot auf seinem Zimmer verzehrt, so verspürte er zu nichts mehr Neigung, als etwa unterm Fenster noch eine Zigarre zu rauchen und dem hinter den Tannenhöhen aufsteigenden Mond zuzusehen, sodann aber sein Bett aufzusuchen. Und am nächsten Tag ging's mit geringen Abweichungen ebenso.

Natürlich war diese Lebensweise seiner Gesundheit förderlicher als seiner Tragödie, und als er nach vierzehn Tagen zum erstenmal versuchte, ein wenig in die Berge zu gehen, da marschierte er kräftig vorwärts, kam erst nach mehreren Stunden in guter Laune und ohne viel Ermüdung nach Haus, mischte sich auf dem Kurplatz, den er bisher immer gemieden hatte, noch unter die Menge, welche dort

zur Abendmusik versammelt war, und schlief nachher so vortrefflich wie schon lange nicht mehr.

Am andern Morgen erklärte er selbst sich für gesund und hätte nun aus dem verhaßten Badeort abreisen können, obwohl ihm sein Freund eine mindestens drei- bis vierwöchige Kur verordnet hatte. Aber merkwürdigerweise fühlte sich Bernhard an diesem Morgen so jung und unternehmungslustig wie seit Jahren nicht mehr; er schalt sich selbst, daß er bisher so leutscheu jede Bekanntschaft vermieden und auch bei Tische seine Nachbarn kaum mit einem Wort bedacht hatte. Er verspürte auf einmal Lust, nun auch zum hellen, zwecklosen Spaß sich noch eine Weile in dem Badeort umherzutreiben, sich ins Getümmel der Kurgäste zu mischen und ohne jeden Gedanken an seine Tragödie oder sonst etwas Ernstes mit dem Strome zu schwimmen.

Gleich mittags entwickelte er eine bezaubernde Liebenswürdigkeit und sprühende Lustigkeit, so daß seine Tischgenossen sich zuerst erstaunt ansahen, dann aber sich beeilten, die plötzlich sich entfaltenden gesellschaftlichen Talente des bisher vergeblich beobachteten Schweigers mit Beschlag zu belegen und nutzbar zu machen. Namentlich war

es ein behäbiges Ehepaar, ein pensionierter Kameralverwalter und seine Frau, welche mit zwei nicht unangenehmen, doch sehr reifen Töchtern die nächste Nachbarschaft Bernhards bildeten und sich eiligst seiner bemächtigten. Er wurde eingeladen, am Nachmittag sich an einem Ausflug zu beteiligen, und sagte mit Vergnügen zu.

Als man sich später auf dem Sammelplatze traf, brachten die Verwalterstöchter noch eine jüngere Dame mit, deren Bekanntschaft sie erst kürzlich gemacht und die sie unter ihren besonderen Schutz genommen hatten. Sie wurde dem Professor als Fräulein Volland vorgestellt; die Kameralverwalterstöchter nannten sie schon aufs zärtlichste „unser Gabrielchen".

Man stieg auf bequemem Pfade aufwärts in den Wald, und nun war Bernhard auf einmal wieder so schweigsam wie vorher. Er war es seit dem Augenblick, da er dieser Gabriele Volland vorgestellt worden war und ihr in die dunklen Augen geblickt hatte.

Es ist eine dumme Geschichte! Jedes Jahr bemühen sich in Deutschland einige Dutzend Roman- und Novellenschreiber, Schillers „heiligen Götterstrahl, der in die Seele schlägt und trifft und zündet", in Verruf zu bringen, indem sie ihn entweder mit allzu täppischen Händen auf ihre Helden und Heldinnen versenden oder aber mit tausend Verrenkungen sich quälen, ihn überflüssig zu machen und durch ein mühsam angeblasenes Holzfeuerlein zu ersetzen. Und doch schlägt er im wirklichen Leben immer von Zeit zu Zeit wieder mit seiner ganz einfachen grundlosen Plötzlichkeit ein und richtet Heil oder Unheil an, je nachdem!

Nicht genau dieser Gedanke, aber etwas dem Ähnliches zog durch Bernhards Kopf, als er so schweigsam neben der einen Kameralverwalterstochter ging und ihr geduldig das umfangreiche Skizzenbuch trug, aus dem zum Glück niemals ein Blatt an die Öffentlichkeit gelangt ist. Zehn Schritte weiter vorn, am Arm der anderen Verwalterstochter, wandelte Gabriele Volland, und Bernhard hatte Gelegenheit, sich zu überzeugen, daß sie zwar nicht zu den großen, beherrschenden Gestalten gehörte, die ihm von jeher gefallen hatten, aber doch von schlankem, kräftigem Wuchs war, und daß das in reichen Flechten über den Nacken fallende Haar in seiner dunklen Farbe zu den Augen stimmte, daß sie also nicht zu jenen Blonden gehörte, welche er in unhöflichen Stunden als fade zu bezeichnen beliebte. Ihr etwas müder Schritt ließ darauf schließen, daß sie nicht zum bloßen Vergnügen in dem Bade verweilte.

Auch Gabriele Volland erschien ihrer Begleiterin schweigsamer als sonst, und so wäre nun die schönste Möglichkeit gegeben gewesen, daß ein Vergnügen, von dem sich die Unternehmer etwas Rechtes versprochen hatten, durch ein Versagen der Hauptkräfte, auf deren Mitwirkung man gerechnet, erlahmt und versauert wäre. Doch Schwarzwaldluft und Tannenduft haben eine ganz merkwürdige Macht, schweigsamen Leuten den Mund zu öffnen, und je höher man im Walde stieg, desto mehr waren beide Verwalterstöchter, die eine mit Bernhards, die andere mit Gabrielens Redseligkeit zufrieden. Auf der Höhe rückten die im Aufsteigen zersplitterten Teile der Gesellschaft wieder näher zusammen, und Bernhard begann ein Volkslied, in

das die anderen sofort fröhlich einstimmten. Zugleich war er an Gabrielens Seite geraten und vernahm mit Freuden die kräftige und geschulte Altstimme, welche sie den etwas spitzen Sopranen der beiden anderen Mädchen entgegensetzte.

Als das Lied zu Ende war, blieb er an Gabrielens Seite, und nicht lange währte es, so waren beide in einem Gespräch über Musik. Da gefiel ihm die unverhaltene Begeisterung, mit welcher das Mädchen sprach; zugleich aber merkte er aus einigen Äußerungen, daß die junge Dame vom Fach sei und allerlei verstehe, wovon er keine blasse Ahnung hatte. Er bekannte in mehreren Stücken lachend seine Unwissenheit, und sie zögerte nicht, ihn ganz ernsthaft zu belehren. Obwohl er nicht viel klüger dadurch wurde, hörte er doch mit Andacht zu; sie aber entschuldigte sich bald mit einer angenehmen Wendung wegen ihrer Schulmeisterei und bekannte, daß sie Musiklehrerin sei, in ihrem Berufe ihre Nerven überanstrengt habe und deshalb vom Arzte in den Schwarzwald geschickt worden sei. Er erkundigte sich teilnehmend nach dem Erfolg ihrer Kur und erfuhr, daß derselbe nichts zu wünschen übrig lasse. Zugleich aber war es unvermeidlich, daß zwischen einem Professor und einer Lehrerin sich nunmehr das Gespräch auf den Lehrberuf, namentlich den des weiblichen Geschlechtes, lenkte.

Gabriele Volland erzählte mit natürlicher Offenheit, daß ihre Eltern früh gestorben seien und sie nebst einigen Geschwistern nicht in der Lage hinterlassen haben, ohne eigene Berufstätigkeit zu bleiben; zugleich aber habe sie von Kindheit an die Musik außerordentlich geliebt, auch einiges Talent für dieselbe gezeigt, und so sei es das Natürlichste gewesen, daß sie sich zur Musiklehrerin ausgebildet habe. Bernhard Köhler fand das in der Ordnung, war übrigens der Meinung, daß nicht nur der Zwang der Umstände, angeborene Liebe zur Musik und Talent für dieselbe dazu gehören, um in diesem Beruf glücklich zu sein, sondern auch eine reine Begeisterung für den Lehrberuf als solchen, welche allein die tausend kleinen, aber zerreibenden Widerwärtigkeiten desselben aufwiegen könne. Darauf sprach sich Gabriele Volland aufs nachdrücklichste über ihre Begeisterung sowohl für die Musik im allgemeinen, als auch für den Beruf einer Musiklehrerin im besonderen aus und versicherte höchst glaubwürdig, daß sie kein höheres Glück kenne als diesen ihren Beruf, und keinen anderen Wunsch habe, als völlig gekräftigt sich ihm wieder hingeben zu können. Bernhard war von der Aufrichtigkeit ihrer Worte überzeugt; doch wenn er das immer leichter neben ihm einherschreitende Mädchen, das doch kaum zweiundzwanzig Jahre alt sein mochte, ansah, so konnte er sich des Gedankens nicht erwehren, daß es für sie doch noch ein anderes und angemesseneres Glück geben könnte.

Durch diese Unterhaltung war zwischen den beiden rasch eine gewisse Vertraulichkeit hergestellt, wie sie ja ohnedies im Badeleben sich leichter ergibt, als in den strengeren und schwerfälligeren Formen des gewöhnlichen geselligen Verkehrs; und es war nun höchste Zeit, daß Bernhard sich auch den anderen Damen gegenüber wieder liebenswürdig zeigte. Der Weg stieg abwärts ins Tal und wurde weniger bequem, so daß für einen jungen Mann zu Ritterdiensten mancherlei Gelegenheit war; die Kameralverwalterstöchter nahmen auch solche Dienste jederzeit mit dankbarem Lächeln an, während Gabriele Volland selbst in schwierigen Fällen eigensinnig darauf beharrte, sich selbst zu helfen. Das gefiel dem Professor. Zuletzt aber verstauchte sie sich bei einem Sprung den Fuß und mußte nun doch Bernhards Arm annehmen.

Bald war man vollends am Ziel des Ausfluges angelangt. Das Wirtshaus war gut und bot mancherlei Bequemlichkeit, auch ein gutes Klavier und eine erträgliche Auswahl von Noten. Gabriele behauptete, keine Schmerzen mehr zu spüren; sie war munter und lustig, maßte sich an, bei Austeilung der Erfrischungen die Hausfrauenrolle der Frau Kameralverwalterin abzunehmen, und Bernhard sah mit Vergnügen, wie sie diese Rolle zwar ohne sonderliche Übung, aber mit Lust und Laune spielte.

Die Gesellschaft war unter sich, und bald begann man zu singen und das Klavier zu versuchen. Freilich wurde das letztere nicht zu sehr angestrengt. Die Verwalterstöchter sangen zwar ebenso leidenschaftlich als geschmacklos; aber mit dem Klavierspiel standen sie auf gespanntem Fuße. Andere Glieder der Gesellschaft waren meist ältere oder jüngere Männer, die zu jeder Aufforderung, dem Klavier seine Ehre zu erweisen, den Kopf schüttelten; ein Backfischchen weigerte sich mit hartnäckiger Schüchternheit, ihr Licht leuchten zu lassen. Gabriele Volland aber berief sich auf ihren Arzt, der ihr bis zu völliger Genesung jede Berührung eines Klaviers untersagt habe. Das war, wie jedermann merken konnte, keine Ausrede, sondern Wahrheit; man sah dem Mädchen sogar an, welche Überwindung es sie kostete, ihrem Arzt nicht ungehorsam zu werden. So war Bernhard Köhler der einzige, den nichts hinderte, der Frau Musika ihren

Tribut unverkümmert zu geben, und er sang einige Lieder, sich selbst begleitend. Er spielte aber seine Begleitungen schlechter als je, denn er glaubte zu fühlen, daß Gabriele Volland ihm auf die Finger sehe, und bald sprang er wieder auf. Die Kameralverwalterstochter, welche nicht zeichnete, gab zu verstehen, daß sie wohl Beethovens „Adelaide“ singen würde, wenn nur jemand sie begleiten möchte. Bernhard versuchte sich an der Begleitung, aber nach wenigen Takten erklärte er sich bankrott. Da meinte Gabriele, mit einer Hand zu spielen, könne sie wohl vor ihrem Arzt verantworten; sie setzte sich neben Bernhard, er spielte mit der linken und sie mit der rechten Hand – und während die Verwalterstochter die Matthisonschen Sentimentalitäten des Textes zum Unerträglichen steigerte, von der Beethovenschen Musik aber kaum einen unverdorbenen Takt übrig ließ, erfreuten sich Bernhard und Gabriele daran, ihre Hände ins richtige Zusammenspiel zu bringen, und er ließ sich willig die leisen Schulmeistereien gefallen, welche sie ihm zuflüsterte.

Darüber wurde es Zeit, daß die Gesellschaft sich wieder auf den Heimweg machte; aber obwohl dieser im Tal auf ebener Landstraße vor sich ging, spürte Gabriele doch bald wieder einigen Schmerz in ihrem Fuße und nahm den Arm eines munteren älteren Herrn, der sie mit allerlei Schnurren über die Mühseligkeiten des Weges hinwegbrachte. Bernhard, der allmählich die Verwalterstöchter zu allen Teufeln wünschte, ging mit einem der jüngeren Herren hinterdrein, schwatzte, witzelte und lachte wie ein Student. Mit diesem Herrn setzte er sich dann, als die Gesellschaft sich vor dem Kurhause getrennt hatte, noch zu einer Flasche Wein, und als seinem Genossen die Augen schwer geworden waren, geleitete er ihn freundlich nach Hause; er selbst aber wandelte noch eine Stunde den rauschenden Fluß entlang, unter den uralten Hagebuchen auf und ab, und als er endlich seine Wohnung und sein Bett aufgesucht hatte, schlief er keineswegs so gut wie in der letzten Nacht.

Andern Morgens aber war er früh auf und lief den Berg hinauf in den Wald; vor Tische war er wieder zurück, suchte Gabriele Volland in ihrer Wohnung auf – und am Abend stellte er sie der Gesellschaft von gestern als seine Braut vor.

Ein halbes Jahr später war sie seine Frau.

3

Die Überwindung, welche es Fräulein Volland gekostet hatte, ihrem Lehrberuf zu entsagen und Frau Gabriele Köhler zu werden, war keine allzu große gewesen. Es soll schon mancher ihrer Schwestern und Berufsgenossinnen ähnlich ergangen sein, wie es denn auch keinem Menschenkind zu verübeln ist, wenn es seinen natürlichsten Beruf jedem anderen vorzieht. Daß sie auf Bernhards rasche Werbung mit einem raschen Ja geantwortet hatte, ließ darauf schließen, daß jener vielgenannte Götterstrahl diesmal richtig und nicht bloß einseitig eingeschlagen, und daß diese Gabriele über dem heiligen Ernst ihres Berufes die jugendliche Raschheit des Entschlusses keineswegs eingebüßt hatte. Bernhard Köhler aber segnete sich nunmehr, daß er, wie er sich Dante zitierend ausdrückte, „des Lebensweges Mitte" abgewartet hatte, bevor er den Pfad – nicht durch Hölle und Fegefeuer, sondern direkt ins Paradies der Ehe – betrat. Sein Freund Dr. Wälde meinte zwar, das Fegefeuer wenigstens sei noch keinem erspart worden, der dieses Paradieses ganz und voll habe teilhaftig werden wollen; doch sagte man diesem Lästerer nach, daß er mehr als nur das Fegefeuer noch jetzt in seinem Hause habe. Und Bernhard Köhler glaubte sich nach seiner Verheiratung in einem irdischen Paradiese.

Es war auch in der Tat herzig anzusehen, wie Gabriele sich in die Stellung einer jungen Hausfrau einlebte; die Art, wie sie hie und da etwas verkehrt angriff und sodann ihren Fehler entweder zierlich zu verbergen und zu entschuldigen oder fröhlich einzugestehen und gewandt zu verbessern wußte, erhöhte nur den Reiz dieser Umwandlung der Musiklehrerin in die Hausfrau. Und wie wohlig empfand es Bernhard, der bisher von seinen dienstbaren Geistern nicht im geringsten verwöhnt worden war, daß nun in all den tausend Kleinigkeiten, von denen das tägliche Behagen abhängt, eine unsichtbar sorgende weibliche Hand zu verspüren war, daß alles das und noch einiges dazu sich ganz von selbst machte, ohne daß er erst, wie früher, zu befehlen, zu schelten und am Ende gar dennoch selbst Hand anzulegen genötigt gewesen wäre. Nicht minder freute es ihn, daß Gabriele auch in der Gesellschaft überall Huldigung und Verehrung fand, daß Männer sie „gehaltvoll", Frauen und Mädchen „reizend" fanden, alle aber von ihrer musikalischen Begabung entzückt waren.

Ja, das war noch die Krone des Ganzen! Seine liebe, gute, schöne, herzige Frau war auch eine musikalische Frau! Auch in diesem Stück hatte er durch sein langes Warten und endlich rasches Zugreifen nichts versäumt, sondern gerade das gewonnen, was er haben wollte. Daß Gabriele durch Klavierspiel in der Gesellschaft glänzte, nahm er mit dem behäbigen Lächeln des reichen Mannes hin, der denkt: Das, was ihr guten Leute da bewundert und beneidet, ist nur die notwendige äußere Repräsentation – wenn ihr erst in meine Bücher und in meine Kasse schauen könntet!

Gewiß – wer ihn in den ersten Monaten seiner Ehe hätte sehen können, wie er nach vollbrachtem Tagewerk am Fenster saß: vom Gärtchen herein kam Frühlingsluft; der Mond blieb auch nicht aus mit seinem stimmunggebenden Licht; fern, ganz verloren, rauschte ein Wehr; am Klavier aber saß Gabriele und spielte nicht nur die Appassionata, sondern alles, was Bernhard haben wollte; er wollte aber meist Beethoven und abermals Beethoven, denn er wollte keineswegs die Geheimnisse des Kontrapunktes oder des Prinzips der Figuration oder Modulation ergründen, sondern den wechselnden Wogenschlag der Musik über sein Gemüt rauschen lassen und dabei träumen, dichten, denken, zwischenhinein einen Blick auf sein holdes Weib oder in die Frühlingsnacht hinaus werfen und unter allem dem den Genius im Innern arbeiten, seine Tragödie reifen lassen – und was hätte hierzu besser gepaßt, als die Tonwelt Beethovens, dieses Michelangelo der Musik, wie Bernhard ihn nannte — ja, wer ihn so hätte sehen, wer in sein Inneres hätte blicken können, der hätte sagen müssen: hier sitzt der glücklichste Mann, der je mit vollen sechsunddreißig Jahren ein junges Weib genommen hat!

Freilich, mit der Tragödie stand es noch so übel wie damals im Schwarzwaldbade. Doch das war natürlich: ein glücklicher Ehemann ist mehr lyrisch gestimmt als für dramatische Arbeit geeignet; das sagte er selbst sich immer wieder, wenn die Tragödie nicht vom Fleck rücken wollte. Und daß aus den lyrischen Stimmungen höchstens einmal einige Verslein hervorgingen, die man kaum seinem Weibe zeigt, jedenfalls nicht zur Vermehrung oder Auffrischung seines Dichterruhms drucken läßt – das wußte sich Bernhard gleichfalls ganz natürlich zurechtzulegen: Kein Vogel singt ja mehr viel, wenn einmal sein Weibchen im Neste sitzt.

Und doch beschlich ihn nach und nach ein zeitweiliges Unbehagen. Je natürlicher er es fand, daß gerade jetzt das dichterische Schaffen bei ihm stagniere, desto mehr achtete er zuweilen auf die Einzelheiten des Spieles seiner Frau. Und da wollte es ihm doch zuweilen scheinen, daß Gabriele zwar mit vollendeter Technik spiele – wovon er freilich im Grunde nichts verstand – daß sie aber manches allzu schulmäßig richtig spiele oder auch zuweilen über einige Takte hinhusche, die er nach der

Klangfarbe der Akkorde und ähnlichen Anzeichen viel nachdrücklicher hervorgehoben gewünscht hätte – obwohl sie das eigentlich besser verstehen mußte als er. Auch konnte sie manchmal unter irgendeinem Vorwand an einer Stelle abbrechen, wo es ihm fast frevelhaft scheinen wollte, daß man hier an irgend etwas anderes nur denken könne. Sodann kam es zwar, seit er eine musikalische Frau hatte, sehr selten vor, daß er selbst am Klavier oder im Gesang herumstümperte; aber wenn er einmal wieder sang und Gabriele ihn begleitete, so wollte es nicht mehr recht klappen. Sie begleitete völlig fehlerlos, auch wenn sie die schwierigste Begleitung vom Blatt zu spielen hatte, und doch sang sich's so schwer zu ihrer Begleitung. Bernhard meinte, das komme eben daher, daß sie völlig regelgerecht spiele, während er zuweilen etwas willkürlich singe; Gabriele aber sagte zuweilen: „Dieses Lied hast du früher ausdrucksvoller gesungen!"

So geschah es, daß Bernhard allmählich nicht mehr sang und spielte. Aber auch Frau Gabriele spielte weniger. Immer seltener merkte Bernhard, wenn er nach Hause kam, am offenen Klavier, daß sie in seiner Abwesenheit musiziert hatte, und wenn er sie abends bat, ihm vorzuspielen, hatte sie immer häufiger irgendeinen liebenswürdig und zierlich vorgebrachten Grund, der Erfüllung seiner Bitte auszuweichen und etwas anderes an die Stelle zu setzen. In Gesellschaft war sie freilich immer noch die bewunderte Spielerin; aber Bernhard hatte nicht mehr dieselbe Freude daran wie früher.

Doch er ließ sich sein Eheglück nicht dadurch

verderben; es konnte ja nicht immer so weiter gehen wie in den ersten Monaten. Gabriele ward eine immer vortrefflichere Hausfrau; eine liebevolle, hingebende Gattin zu sein, hatte sie noch keinen Augenblick aufgehört – an der „musikalischen" Frau lag ja am Ende nicht alles!

Bernhard selber war teils von seinen Berufsgeschäften stärker in Anspruch genommen, teils hielt er es jetzt für Zeit, nach der ersten süßen Faulenzerei der Ehe seine Mußestunden wieder ernstlicher auf Förderung seiner Tragödie zu verwenden. Einmal mußte es ja doch Ernst mit derselben werden, wenn er nicht an seinem Dichterberuf irre werden sollte. Mit dem Brüten und Reifenlassen sollte es nachgerade zu Ende gehen, es mußte geschrieben werden.

Einige Dutzend Jamben des ersten Aktes waren glücklich auf sauberes Papier gebracht, auch nachträglich gefeilt und geglättet worden, aber weiter wollte es durchaus nicht gehen. Die Phantasie war lahm, die Verse flossen schwer, viel wurde geschrieben, gestrichen, neu geschrieben und wieder gestrichen; Zweifel an der ganzen Anlage der Tragödie stiegen auf, es wurde am Plan geändert – nichts half.

Wo fehlte es? Bernhard sprach mit Gabriele darüber; sie sollte ja in allem, auch im Höchsten und Heiligsten, seine Vertraute, seine Gehilfin sein. Aber es war sonderbar: so voll von warmer Liebe und begeisterter demütiger Verehrung sie für den Menschen, sogar für den Professor Dr. Bernhard Köhler war, so verzweifelt kühl verhielt sie sich gegen den Dichter Bernhard Köhler. Seine verachtete Jugendlyrik fand sie „recht hübsch“; die bescheidenen Gelegenheitsverslein, die er ihr zuweilen widmete, verehrte sie schwärmerisch und bewahrte sie unter ihren Heiligtümern auf; aber wenn er von seinem Dichterberuf im allgemeinen redete, hörte sie schweigend und fast zerstreut zu, und wenn er ihr seine Not mit seiner Tragödie klagte, schwieg sie entweder gleichfalls, oder sie sagte: „Ja, lieber Mann, wenn ich dir nur helfen könnte!“ oder: „Wenn nur wir Frauen nicht so dumm in solchen Sachen wären!“ oder auch: „Ja, muß denn die Tragödie geschrieben sein, auch wenn's so schwer geht?“ Oder sie machte gar, während sie sehr eifrig in ihrem Nähkorb kramte, gewisse Vorschläge, wie etwa zu helfen wäre, über deren holde Einfalt Bernhard zuerst aus der Haut fahren wollte, dann aber herzlich lachte und sein liebes Weib mit vermehrter Herzlichkeit lobte. Dann war auch Gabriele auf einmal wieder eine völlig andere, die Liebe selber, und für eine Weile vergaß Bernhard ganz, daß er ihr eigentlich hatte zürnen wollen über ihre geringe Achtung seines Dichterberufes.

Aber im stillen wurmte ihn die Sache doch. Er konnte doch auf das, überdies unausgesprochene Urteil seiner Frau nicht mehr geben als auf das Urteil seiner Freunde, welche ihn fort und fort als Poeten nicht nur gelten ließen, sondern auch aufmunterten? Was sie in seiner Abwesenheit gutmütig lächelnd sich zuflüsterten, davon hörte er freilich nichts.

Wie er nun weiter darüber grübelte, warum sein

dichterisches Schaffen nicht gedeihen wollte, da kam ihm eines Tages die Erleuchtung: sein Lebensbedürfnis, seine Muse war von jeher die Musik gewesen; wie konnte sein Dichten gedeihen, wenn weder er selbst mehr musizierte, noch seine Frau ihm ganz das mehr war, was er von einer musikalischen Frau erhofft hatte?

Ja, das war's! Es konnte kein Zweifel sein! Aber sollte er nun darüber seiner Frau eine Rede halten?

Sollte er betteln um das, was sich hätte von selbst verstehen sollen? Wenn Gabriele so wenig eigenen und nachhaltigen Trieb zur Musik, so wenig Verständnis für eines seiner tiefsten Bedürfnisse hatte, so mußte er's eben tragen; viel Reden konnte die Sache doch nicht bessern – aber in seinem Paradies war einer der schönsten Äpfel wurmstichig!

Er sprach kein Wort darüber. Er warf seine dramatischen Arbeiten in den Winkel und stürzte sich Hals über Kopf nur in die Arbeiten seines Berufes und in seine wissenschaftlichen Studien. Er wollte vergessen, vergessen wenigstens für jetzt; sein Glück wollte er nicht so rasch sich zerstören lassen – wer konnte wissen, was die Zeit noch bringen mochte? Gabriele war noch jung und bildungsfähig – und es gab noch andere Gründe, die ihn nachsichtig stimmten.

So gingen wieder Monate dahin, und eines Tages erscholl im Hause Köhler die lieblichste Musik, die in einem Hause erschallen kann: das lungenkräftige Schreien eines ersten Sohnes. Über dieser Musik vergaß Bernhard jede andere und seine Tragödie dazu; Gabriele hatte ohnedies keinen anderen Gedanken als den an ihr Mutterglück.

4

Der kleine Manfred gedieh aufs herrlichste, und man wußte nicht, wer in größerem Glück über das Kind war, sein Vater oder seine Mutter. Der jungen Frau aber stand Mutterglück und Muttersorge so ausnehmend gut, daß Bernhard aufs neue wieder das Lächeln des reichen Mannes auf seinem Gesichte trug, wenn Bekannte und Freunde sich bei ihm nach Weib und Kind erkundigten. Daß nun viele Wochen lang kein Klavier geöffnet werden durfte, verstand sich von selbst und ebenso, daß jetzt keine Zeit war, eine zurückgestellte Tragödie wieder aufzunehmen.

Doch die Wochen und Monate flogen, und das Kind wäre nach seines Vaters Meinung bald kein Hindernis mehr gewesen, daß eine Klaviervirtuosin sämtliche Stunden ihres Normalarbeitstages am Klavier der Frau Gabriele hätte zubringen können. Frau Gabriele aber war in diesem Punkte anderer Meinung. Sie fühlte sich selbst zuweilen etwas angegriffen und war für die jungen Nerven ihres Kindes äußerst besorgt. Dr. Wälde unterstützte sie hierin, und mit Berufung auf den Arzt duldete sie auch im Munde der Wärterin kein Wiegenlied am Bette des Kleinen, geschweige, daß sie selbst sich eines solchen Vergehens schuldig gemacht hätte. Das Kind sollte seine völlige Ruhe haben; das sei das Gesündeste.

Der Vater murrte, schalt über Zerstörung aller Poesie im Kindesleben, mußte sich aber fügen und sich von Dr. Wälde überzeugen lassen, daß vernünftige Pflege die beste Poesie für das zarte Kindesalter sei.

Doch das zarte Kind wurde allmählich ein recht kräftiger Junge, der von Nervosität keine Spur zeigte und seiner Mutter und Wärterin oft gehörig zu schaffen machte. Trotzdem harrte Bernhard vergeblich darauf, daß Gabriele wieder einmal ein Notenheft aus dem Schranke hole. Mit dem kleinen Manfred trällerte sie wohl oft und viel; aber ernsthaft musizieren – nein! „Das geht doch nicht mehr!“ sagte sie, als Bernhard sich einmal eine Bemerkung in dieser Hinsicht gestattete. „Du siehst doch, liebster Mann, wie wenig freie Zeit mir der Kleine läßt. Ich kann ihn doch nicht der Wärterin allein über-

lassen; er soll und muß seine Mutter haben; es ist auch schon Zeit, daß einige Erziehung beginnt – du sagst ja selbst, damit müsse schon im zartesten Alter, und zwar von seiten der Mutter, angefangen werden. Dann ist auch noch die ganze Haushaltung da, die geleitet sein will, und abends, wenn Manfred schläft – ja, siehst du: ich will nicht davon reden, daß ich selbst etwas müde und angegriffen bin, aber der Kleine muß durchaus seinen ruhigen Schlaf haben. Das ist die Hauptsache, sagt Dr. Wälde, und im dritten Zimmer noch kann man unser Klavier hören! Also, du siehst doch selbst ein, daß das nicht anders sein kann.“

Bernhard sah es nicht ein; aber seine Frau hatte in so liebenswürdigem Tone geredet und ihn so herzig dabei angelacht, und wie sie so dasaß, das Kind auf dem Schoß, da war das ein so liebliches Bild, daß Bernhard auf jede Erwiderung verzichtete. Er suchte jetzt überhaupt darauf zu verzichten, eine musikalische Frau zu haben, und eines schönen Tages öffnete er selbst wieder das Klavier und begann, wie in früheren Tagen, zu spielen und zu singen. Und zu gleicher Zeit begann er auch wieder an seiner Tragödie zu schreiben, und siehe da, die Verse flossen ihm jetzt leichter; er strich weniger aus als früher. Doch das dauerte nur kurze Zeit, dann stockte die Arbeit abermals; aber nur um so öfter setzte sich Bernhard ans Klavier, um Stimmung zu gewinnen, wie er sich sagte.

Das fand nun Frau Gabriele anfangs allerliebst. Sie erklärte es für äußerst spaßhaft, seinem drolligen Fingersatz zuzusehen, und neckte ihn fröhlich darüber, daß er sich sogar an Beethovensche Sonaten machte, aber immer nur die Sätze sich heraussuchte, für die ein Adagio, Largo, Lento oder sonst ein langsames Tempo vorgeschrieben war, daß er dagegen jedes Allegretto, Allegro oder gar Presto aufs peinlichste mied, auch alle Läufe, und was dergleichen war, irgendwie umging. Wenn er sang, so lobte sie seine Stimme, seinen Ausdruck und lächelte wieder, wenn er in der Begleitung stolperte oder gar steckenblieb.

Bernhard ließ sich das, weil es so lustig und anmutig herauskam, mit guter Miene gefallen; er lachte mit, lachte über sich selbst, aber im stillen wurde es ihm doch bald zuviel. Er wußte ja längst, daß er in der Ausübung der Musik ein Stümper war; es brauchte ihm das nicht immer wieder, wenn auch in der harmlosesten Weise, nahegelegt zu werden. Und er musizierte nicht, um seine Frau zu belustigen, sondern um sich selbst Stimmung zu verschaffen; und seine Stümperei wäre überflüssig gewesen, wenn seine Frau sich herbeigelassen hätte, ihm vorzuspielen oder zu singen. Und es wurmte ihn aufs neue, daß er keine musikalische Frau mehr hatte.

Trotzdem legte er sich nun mehrmals aufs Bitten, und Gabriele gab auch seinen Bitten einige Male nach. Aber plötzlich schrie dann der Kleine; sie sprang auf, ließ Klavier Klavier sein, und Bernhard hatte dann keine Lust mehr, sich an ihre Stelle zu setzen. Oder er begann ein andermal zu singen, und Gabriele konnte ihm, wie sie sich entschuldigte, mit dem besten Willen gerade jetzt nicht die nötige Ruhe schaffen; oder sie bat ihn auch geradezu, lieber eine andere Stunde zu wählen. Aber konnte er denn der Stunde befehlen, wo der Genius in ihm erwachte und er seine Stimmung zum Schreiben steigern und fördern wollte? Es war oft zum Verzweifeln!

Und auch Gabriele wurde gegen das Belustigende, das sie anfangs in Bernhards unbeholfenem Eifer erblickt hatte, nach und nach stumpfer. Sie konnte sogar auf die Dauer seine offenbaren Fehler nicht anhören, ohne einige Bemerkungen zu machen. Sie zeigte ihm das einemal im Vorbeigehen geschwind den richtigen Fingersatz; sie machte ihn das anderemal darauf aufmerksam, daß man diesen oder jenen Ton beim Singen anders bilden müsse – aber diese Störungen waren ihm gar nicht angenehm. Er verfolgte ja durchaus nicht den Zweck, als Hans noch zu lernen, was er als Hänschen nicht gelernt hatte, und einmal begegnete es ihm, daß er Gabriele in ziemlich gereiztem Tone bat, ihn doch in Zukunft mit Schulmeistereien zu verschonen: hierfür sei er zu alt.

Gabriele war gekränkt; solche Sprache war sie nicht gewohnt. Bernhard bereute seine Gereiztheit und versuchte sie gutzumachen. Es gelang auch für den Augenblick, aber Gabriele verhielt sich von nun an völlig schweigend und teilnahmslos gegen seine musikalischen Bestrebungen und musizierte selbst noch viel weniger als zuvor. Sie suchte ihm zwar jetzt, sooft er das Klavier öffnete, peinlichst jede Störung fernzuhalten; aber entweder entfernte sie zu diesem Zweck sich selbst mit dem Kinde so weit als möglich oder sie saß in tiefstem Schweigen, anscheinend in ein Buch oder eine weibliche Arbeit vertieft, im Zimmer. Im Innern aber peinigte sie Bernhards Treiben; sie horchte doch immer wieder auf sein Spielen und Singen; sie hörte genauer als je alle seine Fehler; sie wurde nach und nach durch dieses schweigende Zuhören selbst gereizt, ärgerlich, nervös — es begann schwül zu werden!

Eines Tages kam Bernhard verstimmt aus seinem Studierzimmer. Er hatte Ärger in seinem Amte gehabt und sich davor zu retten gesucht, indem er an seiner Tragödie schrieb; aber nur mit Mühe waren einige Jamben erzwungen, und seine ganze Dichterarbeit hatte ihn angewidert. Hastig öffnete er nun das Klavier, sang ein Lied, flüchtig, gedankenlos, ausdruckslos, und dazu war seine Stimme rauh. Er warf das Notenheft zur Seite, holte Beethovens Sonaten und bearbeitete ein Largo appassionato, an dem er sich in letzter Zeit öfters versündigt hatte. Es ging schlechter als je; er griff mehrmals jammervoll fehl; einen schweren Akkord, den er dreimal hintereinander falsch angeschlagen hatte, schlug er zum viertenmal in ärgerlichem Fortissimo und abermals falsch an. Gabriele hatte das alles mitangehört und überdies kurz vorher einen Ärger mit ihrer Magd gehabt – wie denn alle Teufel sich verschwören, wenn einmal zwischen Mann und Frau ein Unheil treten soll – nun sprang sie von ihrem Sitz auf und rief, sich die Ohren zuhaltend: „Um Gottes willen, Bernhard, hör auf!"

Es war kein freundliches Gesicht, mit dem Bernhard sich nach ihr umwandte. Er erwiderte zunächst nichts, sondern schloß nicht ganz sanft das Klavier. Gabriele versuchte zu lachen, aber es war ein höchst erzwungenes Lachen, mit dem sie sagte: „Es geht aber auch über den Spaß, wie du's treibst!"

Nun aber hielt sich Bernhard nicht mehr. „Ja", sagte er, „es geht über den Spaß – aber nicht wie ich's treibe, sondern wie's meine musikalische Frau treibt! Ich treibe es, wie ich's kann, und habe niemals den Anspruch erhoben, in der Musik viel zu verstehen. Du aber hast Talent, kannst und verstehst etwas, bist Musiklehrerin gewesen; die Gesellschaft bewundert dich deines Spieles wegen, aber deines Mannes Bedürfnis nach Hausmusik vernachlässigst du rücksichtslos – und nun willst du auch noch mir selbst das Musizieren verleiden? Ist das deine heilige Begeisterung für die edle Kunst, von der du seinerzeit so schön zu reden wußtest?"

Das waren keine guten Worte. Frau Gabriele fühlte das Körnchen Wahrheit, das darin lag, und hätte Bernhard in anderem Tone gesprochen, so würde sie wohl ein Zugeständnis nicht gescheut haben. Aber so hatte er noch nie mit ihr geredet – sie schwieg als beleidigte Unschuld. Er in seiner Stimmung nahm ihr Schweigen als Halsstarrigkeit und wurde nur noch gereizter.

„Ja", fuhr er fort, „das seid ihr musikalischen Damen! Gut eingelernte Technik, anempfundene Begeisterung, Lust zu glänzen – daran fehlt's nicht! Aber die stille Andacht fehlt, die nachhaltige warme Liebe zur Sache, die bescheidene Hingabe –"

Er hielt inne, denn Gabriele brach nun in helle Tränen aus. Nichts Törichteres kann ein Mann tun, als den Fehler seiner Frau als Fehler des Geschlechtes oder eines Teiles dieses Geschlechtes zu kennzeichnen. Das verletzt um so mehr, je mehr Wahrheit darin ist. Gabriele fühlte abermals die Wahrheit, die in Bernhards übertriebenen Worten lag, aber noch mehr fühlte sie sich und unzählige Leidensschwestern mißhandelt. Und zugleich empfand auch Bernhard, daß er zu weit gegangen sei; aber er war seinerseits überzeugt, daß er eine, wenn auch schroffe Wahrheit ausgesprochen habe, die er jetzt am wenigsten zurücknehmen oder nur auch mildern könne, ohne sich eine schlimme Blöße zu geben. Die Wahrheit sollte wirken!

Er ging auf sein Zimmer, und Gabriele blieb in Tränen zurück.

5

Das erste Paradies der Köhlerschen Ehe war verloren; Dr. Wälde hatte recht behalten mit seiner Lästerrede vom Fegefeuer.

Wenn Mann und Frau ihren ersten Zank im ersten halben Jahre der Ehe haben oder sogar in dieser Zeit ihre beiderseitigen Ecken recht gründlich aneinander abschleifen müssen, so mag das bedauerlich sein, und es mag ein Teil des ehelichen Frühlingsduftes allzu rasch verfliegen; aber es schadet nicht allzuviel – vorausgesetzt, daß beide einander herzlich lieb haben und im übrigen zueinander passen. Wenn sie aber längere Zeit wie die lieben Englein im Himmel gelebt haben, während doch in der Stille ein Teufelchen in ihrem Hause rumorte, und das Teufelchen bringt's nun im Bunde mit seinesgleichen zustande, daß es sich über den spät ausgebrochenen ersten Zank ins Fäustchen lachen kann – so mag damit auch noch nicht alles verloren sein, aber vorläufig steht es schlimm. So war's bei Bernhard und Gabriele.

Bernhard erwartete, daß die von ihm ausgesprochene Wahrheit ihre Wirkung tue und von Gabriele freiwillig anerkannt werde; dann wollte er gern zugeben, daß er rauh gewesen sei, sich etwas zu stark ausgedrückt und im einzelnen vielleicht etwas zu viel verlangt habe. Gabriele erwartete, daß Bernhard das Verletzende seines Auftretens einsehe und freiwillig zugestehe; dann wollte sie gern zugeben, daß er bis auf einen gewissen Grad recht habe und daß sie in einzelnen Fällen vielleicht seinen Wünschen hätte mehr Rechnung tragen können. Und über solchem Erwarten ging Tag auf Tag, ging Woche um Woche hin; ein einziger Versuch, sich auszusprechen, den beide einmal machten, mißlang und mußte rasch abgebrochen werden, weil jedes mit seinen gerechten Forderungen und Bedingungen begann, aber sich nicht bis zu den Zugeständnissen durcharbeiten konnte. Sie einigten sich nur dahin, die Sache ruhen zu lassen und zu schweigen – aber das war das allerschlimmste. Immer mehr redete sich nun jedes in der Stille ein, daß der Fehler nur am andern liege, und beide endeten mit der Überzeugung, daß sie im Grunde unglücklich verheiratet seien. So wurde ihre Ehe mehr und mehr eine von denen, die äußerlich friedlich verlaufen, vor der Welt als glücklich gelten, aber durch wachsende gegenseitige Entfremdung im Innersten krank sind. Mehr und mehr gewöhnte sich Bernhard, Zerstreuung und Erholung außer dem Hause in Männerkreisen zu suchen; mehr und mehr suchte Gabriele Befriedigung darin, in der Gesellschaft zu glänzen. Im Hause aber verstaubte nicht nur das Klavier, sondern auch die noch übrige Liebe. Gewinn davon hatte nur der kleine Manfred; denn beide Eltern wetteiferten darin, alles, was sie sich gegenseitig an Liebe entzogen, auf das Kind zu häufen.

Keinen Gewinn aber hatte Bernhards Tragödie; auch sie verstaubte in einem Fache seines Schreibtisches, und was noch schlimmer war, er glaubte immer klarer zu erkennen, daß der Dichter in ihm lediglich seiner Ehe zum Opfer gefallen sei.

Nun begab sich's aber, daß sich in der Stadt einige Zeit ein Jugendfreund Bernhards aufhielt, den letzterer lange nicht mehr gesehen, ja dem er einigermaßen entfremdet worden war durch ein sehr hartes Urteil, das derselbe einst über Bernhards Jugendlyrik gefällt hatte. Doch das war nun vergessen, und Bernhard war längst geneigt, jenes Urteil weniger ungerecht zu finden. Der Freund leitete eine Bühne, hatte selbst einige gute Dramen geschrieben, hatte übrigens auch schon andere Leute durch die rücksichtslose Art verletzt, mit der er jedem die Wahrheit um so ungeschminkter sagte, je freundschaftlicher er ihm gesinnt war.

In öfteren Gesprächen mit diesem Freunde erwachte in Bernhard aufs neue die Lust, seine Tragödie wieder vorzunehmen; eines Tages entwickelte er ihm ausführlich den Plan derselben, las ihm das schon Geschriebene vor, klagte über gewisse Schwierigkeiten der Arbeit und verschwieg auch nicht, wie günstig und aufmunternd sich andere Freunde, denen er Einblick in sein Schaffen gewährt, geäußert hatten.

Der erfahrene Freund hörte schweigend und geduldig zu, nickte zuweilen und drehte sich eine Zigarette um die andere. Endlich sagte er gemütlich: „Und da willst du nun meine Meinung hören?"

„Ja, und womöglich deinen Rat."

„Gut! Nun sieh, lieber Freund, der Stoff deiner Tragödie ist recht brauchbar; er hat zwar seine Schwierigkeiten, sogar solche, die du noch nicht bemerkt zu haben scheinst; doch sind sie nicht unüberwindlich. Dein szenischer Aufbau ist regelgerecht und deine Jamben sind glatt. Da fehlt also für diese Tragödie nichts mehr als –"

„Als?" fragte Bernhard gespannt.

„Als der Dichter", erwiderte der andere trocken.

Bernhard machte ein Gesicht, als habe er nicht richtig verstanden.

„Du meinst also –", begann er langsam und unsicher.

„Offen und rund heraus gesagt", fiel der Freund ein, „ich meine und halte es für Menschen- und

Freundespflicht, dir zu sagen, daß du gar kein Dichter bist! Und du hättest dir wohl manche qualvolle Stunde, verlorene Zeit und manche Enttäuschung erspart, wenn du mir das schon früher geglaubt hättest! Sieh, damit ist's gerade wie mit dem musiktreibenden Weibervolk – verzeih, du hast ja, wenn ich nicht irre, auch eine musikalische Frau, selbstverständlich ist sie unter allen Umständen ausgenommen! Aber du kennst ja die Sache! Da hat solch ein unglückseliges Mädchen ein recht hübsches Musiktalent für den Hausgebrauch; sie dürfte nur ordentlich spielen und mit einigem Geschmack singen lernen, um sich und den Ihrigen, später einmal ihrem Manne, manche angenehme und erhebende Stunde zu bereiten. Aber nun führt der Gottseibeiuns die lieben Freunde und wohlmeinenden Bekannten her: Ah, heißt es, welches Talent bei dieser Jugend! Es wäre jammerschade, wenn es nicht gründlich ausgebildet würde! Und die Eitelkeit der lieben Eltern, die oft noch toller ist als Mädcheneitelkeit, glaubt bereitwilligst den lieben Freunden und Bekannten, und nun muß das arme Ding spielen und singen und singen und spielen, muß Generalbaß und Kompositionslehre, ästhetische Theorie der Musik und Italienisch lernen, daß ihr Hören und Sehen, namentlich aber ihr bißchen gesunde Nervenkraft vergeht, muß noch zu allen Konzerten und Soiréen hin, obwohl sie oft davonlaufen möchte, soweit der Wald grün ist – muß sich selber anlügen, daß sie das alles mit Begeisterung tue, muß ihre eigenen und anderer Leute Lügen von Jahr zu Jahr fester glauben, um nicht rein des Teufels zu werden! Vielleicht will's gar noch das Unglück, daß die Eltern frühzeitig sterben oder schon gestorben sind zur Zeit, da das Talent entdeckt wird, und daß die Vermögensverhältnisse etwas dürftig sind; dann versteht sich's ja ohnedies von selbst, daß das Mädchen sich, wenn nicht als Virtuosin, so doch als Musiklehrerin durch die Welt schlagen muß; das ist ja viel nobler als andere Arten, sein Brot zu verdienen! Und nun kommt auch noch der Stachel der Not und Sorge dazu, um das arme Ding zu hetzen und zu jagen – was hat sie in diesem Jammer für einen Trost als den, daß sie sich selber immer gründlicher von ihrem ‚Talent', ihrem ‚Beruf', ihrer ‚Begeisterung' überzeugt, für Dinge schwärmt, die ihretwegen im Grunde ins Pfefferland wandern könnten, daß sie Verständnis für alles mögliche affektiert, was sie nie begreift, nach Anerkennung, Ruhm und Einnahmen hascht und planmäßig ihre Nerven ruiniert. Im günstigsten Falle wird sie aus dieser Musiksklaverei durch eine rechtzeitige Heirat erlöst, wird, wenn sie sonst das Zeug dazu hat, eine tüchtige Hausfrau, liebenswerte Gattin, treue Mutter, wirft aber ihre Sklavenketten so weit von sich als möglich, rasselt höchstens in Gesellschaft noch anmutig mit denselben – daheim aber liegt über kurz oder lang selbst das schöne bescheidene Talent tot, das sie von Haus aus hatte. Im schlimmern Fall gibt's unsere bekannten Dutzendvirtuosinnen oder hinsiechenden Musiklehrerinnen ... Du wirst ungeduldig, Freund? Du hast recht, ich habe mein Bild etwas zu breit ausgemalt, verzeih! Gerade in diesem Kapitel habe ich in letzter Zeit besonders traurige Beispiele erlebt! Aber, um nun kurz die Anwendung zu machen: ganz ähnlich geht's mit manchem recht achtungswerten Haustalent für Vers und Reim, für Polterabendschwänke und Liebhabertheaterstücke, von der Seuche des Romane- und Novellenschreibens, an der du ja, gottlob! nicht erkrankt bist, gar nicht zu reden – und die Unholde, welche den größten Teil des Unheils auf dem Gewissen haben, das sind die sogenannten Freunde mit ihrer Anerkennung und Aufmunterung. Wer aber aus Freundschaft die bittere Wahrheit sagt, der heißt ein Grobian oder mißgünstiger Neidhammel. Und nun bin ich selbst wieder einmal solch ein Grobian gewesen" – er erhob sich und griff nach seinem Hute – „verzeih, wenn ich meine lange Rede jetzt rasch zum Schlusse bringe! Ich muß gehen. Überlege dir die Sache noch einmal, und wenn ich unrecht habe, so strafe mich in Gottes Namen mit deinem Grimm. Auf Wiedersehen, lieber Freund! Empfiehl mich deiner verehrten Gattin, die Dir gewiß das Leben durch brave Hausmusik versüßt."

Fort war er, und Bernhard saß da wie betäubt. Eine Viertelstunde saß er auf demselben Fleck: dann sprang er auf, und in hellem Grimm warf er das ganze Manuskript seiner Tragödie in den Ofen, machte ein lustiges Feuer daraus und sah mit ärgerlichem Lachen zu, wie Blatt um Blatt aufloderte und verkohlte. Als das letzte Fünkchen über das schwärzliche Aschenhäufchen gehuscht war, nahm er Hut und Stock, pfiff seinem getreuen Pudel und ging ins Freie. Der Pudel stammte noch aus der

Zeit vor seiner Verheiratung und hatte sich neuerdings bei seinem Herrn wieder einer Gunst zu erfreuen, die er lange schmerzlich vermißt hatte.

Nach zwei Stunden kam Bernhard mit heiterem, ruhigem Gesicht nach Hause und eilte rasch ins Familienzimmer. Gabriele, die er suchte, war ausgegangen. Am offenen Klavier aber saß das Kindermädchen mit dem kleinen Manfred, der jetzt schon gehen und ordentlich sprechen konnte. Der kleine Bursche trommelte mit den Fäusten auf den Tasten.

Das Mädchen kam infolge dieser Überraschung in Verlegenheit, Manfred aber rief lustig: „Papa, spielen, singen!" Und Bernhard schickte das Mäd-

chen fort, setzte sich nach langer Zeit wieder ans Klavier, nahm den Kleinen auf den Schoß und spielte und sang ihm das Wenige, was er von Kinderliedern konnte. Es wurde ihm dabei sonderbar weich ums Herz; er wischte sogar einmal an den

Augen. Dann rief er das Mädchen wieder und schickte sie mit einem Zettel in die nächste Buchhandlung; bald lag ein Notenheft mit Kinderliedern vor Bernhard auf dem Klavierpulte, und Manfred konnte nicht genug bekommen an den Liedern vom Storch, vom Kuckuck, vom Dudelsack; er war von Bernhards Schoß heruntergeglitten, hüpfte im Takt in der Stube umher und begann dazu auf seine Art zu singen, daß Bernhard lachend innehielt.

Da trat Gabriele ein. Sie sah zuerst verwundert auf die Gruppe, dann begann auch sie fröhlich zu lachen. Manfred aber rief: „Mama, auch singen!" Ein Schatten ging wieder über ihr Gesicht; sie sah flüchtig zu Bernhard hinüber; dieser aber schaute ihr so voll und frei und zugleich so bittend ins Auge, daß sie zuerst schweigend seinen Blick eine Weile aushielt, dann selbst einen Blick in das Notenheft warf und, nachdem Bernhard rasch aufgestanden war, sich an seine Stelle setzte und dieselben Lieder sang, die er gesungen hatte. Sie sang zuerst befangen, mit halblauter Stimme und wie in innerer Überwindung, dann aber voller, lauter, frischer und zuletzt wie in kindlichem Jubel. Manfred hatte sich indes an ihr Knie geschmiegt, und als sie eine Pause machte, sagte er: „Mama schöner singt als Papa!" Da umarmte und küßte Gabriele das Kind stürmisch, stand auf, trat zu Bernhard, der im Hintergrunde saß, und hielt ihm mit bittendem Blick die Hand hin.

Bernhard aber zog sie an seine Seite nieder und sagte: „Gabriele, ich weiß eine Neuigkeit für dich!"

Und als sie fragend zu ihm aufblickte, fuhr er fort: „Meine Tragödie ist in Flammen aufgegangen!" Sie sah ihn groß an und schwieg. „Und noch eine Neuigkeit", sagte er wieder: „Ich bin überhaupt kein Dichter!" Sie lächelte: „Wer hat dir das gesagt?" Er fragte dagegen: „Wer hat dir's gesagt, daß du keine musikalische Frau bist?"

Sie stutzte; das hatte ihr noch niemand gesagt, und es war ihr auch noch nie der Gedanke gekommen, daß sie's nicht sei. Sie besann sich einen Au-

genblick, was denn das alles überhaupt bedeuten solle; aber indessen hatte Manfred den Stuhl am Klavier erklettert und entlockte mit drolligem Ernst die greulichsten Mißtöne den klappernden

Tasten. Bernhard und Gabriele begannen zu gleicher Zeit zu lachen; es war hier kein ernstes Wort mehr zu reden.

Später aber, zur Dämmerzeit, redeten die beiden noch manches ernste Wort miteinander – und zur selben Zeit schlich sich das Hausteufelchen mit seinen sieben Hilfsteufelchen in aller Stille aus dem Hause und berichtete der Hölle drunten klagend, daß es im Hause des Professors Dr. Bernhard Köhler um seine schönsten Erfolge betrogen sei. –

Das alles ist nun schon einige Zeit her. Wer aber jetzt das Glück hat, im Köhlerschen Hause näher bekannt zu sein, der weiß, daß Frau Gabriele zwar keineswegs für eine musikalische Frau gelten will, so wenig als ihr Gemahl für einen Dichter, daß aber die Hausmusik von ihnen nach Kräften in anspruchsloser Weise gepflegt wird, daß Frau Gabriele gern und ungeziert und mit herzlicher Freude spielt und singt, daß Bernhard Köhler bei gewissen Gelegenheiten gar zierliche und lustige Verse zum besten gibt, die jedoch nie und nirgends gedruckt werden.

Der junge Manfred aber ist ein hoffnungsvoller Bursche, der schon recht hübsch die Geige spielt, und jener rücksichtslose Freund Bernhards nimmt jederzeit, wenn ihn sein Weg in die Gegend führt, sein Absteigequartier im Köhlerschen Hause und ist ein ganz besonderer Verehrer von Frau Gabriele.

Hermann Kurz

Wie der Großvater die Großmutter nahm

Ich war schon dreißig – erzählte mir einmal der Großvater, ohne damit auf das Mantellied anzuspielen, denn das gab es damals noch nicht – ich war stark dreißig, und wiewohl ich unter meinen bereits verheirateten Geschwistern der Stammhalter war, so hatte ich doch immer noch keine Frau. Dies kam von meiner großen Schüchternheit her: Ich hatte nicht das Herz, einem Mädchen keck in die Augen zu sehen, und fand auch wenig Gelegenheit dazu, weil ich nicht tanzen konnte und deshalb niemals auf den Tanzplatz kam.

Mein Vater war sehr ungehalten hierüber und sagte oft zu meiner Mutter: „Es ist eine Schande, alle seine Brüder und Schwestern sind untergebracht, und er, der Älteste, läuft mir noch ledig in der Welt herum! Man muß ja bei Gott glauben, die Mädchen halten ihn für einen Dummkopf, oder wir können ihm nichts mehr mitgeben!" Aber die Mutter pflegte ihn zu beschwichtigen und sagte: „Laß ihm doch seine Art, Vater; es kommt nichts Gutes dabei heraus, wenn man einen Menschen zu etwas zwingt, und der liebe Gott wird gewiß auch noch für ihn sorgen."

Das tat er auch. Eines Sonntags ging ich am Zwinger spazieren, allein, nach meiner Gewohnheit, denn mit meinen ehemaligen Genossen konnte ich wenig Umgang mehr haben, weil sie sich zu ihren Weibern hielten, und die jüngern paßten auch nicht für mich. Da ging ich so still meines Wegs und freute mich am Sonnenschein, als mir auf einmal ein Papagei in die Augen fiel, der in einem der Zwingergärten im Salate saß. Ich kannte ihn wohl, er gehörte der Tochter des Stadtphysikus, des Herrn Doktor Rieber.

Dieser Herr Doktor Rieber war ein sehr geschickter Arzt, übrigens aber ein sonderbarer Mann, was man schon daran sehen konnte, daß er preußisch sprach. Er war nämlich im Siebenjähri-

gen Kriege gewesen und ahmte in seinen Manieren, besonders aber in seinem Hauskommando, den Großen Fritz nach, auf den er jedoch sonst übel zu sprechen war. In der Schlacht bei Zorndorf hatte ihn nämlich eine Kanonenkugel, die von der Seite hergeflogen kam, gestreift und auf eine Weise verwundet, daß ihm das Sitzen und Gehen für geraume Zeit, das Reiten auf immer unmöglich wurde. Der Feldscher ersetzte den Verlust durch ein Stück Kalbfleisch, aber von Kriegsdiensten konnte natürlich keine Rede mehr sein, und der gute Rieber wurde mit einer geringen Gratifikation entlassen. „Ich habe mein Geld nicht für Ausländer", sagte der König, der damals nicht in der besten Laune war, „warum ist Er der Kugel nicht aus dem Wege gegangen?" Daher behielt der Herr Doktor Rieber sein Leben lang einen Grimm gegen den großen König, und wenn die Rede auf ihn kam, so rief er unwillig aus: „Ein großer Tyrann war er und hat mir ungerecht meinen wohlverdienten Lohn entzogen, weil mir nicht gleich ein so guter Witz einfiel, wie jenem Soldaten, der ihm auf die Frage: ‚In welcher Kneipe bist du so zerkratzt worden?' zur Antwort gab: ‚Bei Kollin, wo Euer Majestät die Zeche bezahlt haben'."

Freilich konnte der König diese Frage nicht an ihn richten, denn die Wunde war ja nicht im Gesicht. Aber dessenungeachtet galt er weit und breit für einen Arzt, der wenig Patienten sterben lasse. Wer ihn kannte, der hatte ein unbedingtes Vertrauen zu ihm, aber die Apotheker waren ihm nicht grün, denn er wendete wo möglich bloße Naturmittel an und pflegte zu sagen, wenn die Leute durch eine unvernünftige Lebensweise ihren innern Menschen verschmiert und versudelt haben, so glauben sie ihn mit Mixturen abzuwaschen, aber dadurch werde er meist nur noch schmutziger. Unter andern Eigenschaften hatte er die, daß er es nicht leiden konnte, wenn jemand ein Licht ausblies. Er pflegte darüber so wild zu werden, daß er alle Fassung verlor und den Leuten unerhörte Grobheiten sagte. In dem Geruch eines ausgeblasenen Lichtes, sagte er, sei alle Infamie und Niederträchtigkeit der Welt versammelt, und wer diesen Geruch einatmen könne, ohne des Teufels darüber zu werden, der müsse eine verstunkene Seele haben; man sollte solche Stinkseelen als Giftmischer beim Kopf nehmen, denn der Höllendunst, in den sie verliebt seien, sitze ihren Nebenmenschen heimtückisch auf die Brust und bringe Krankheiten hervor, von welchen niemand ahne, wo sie herkommen, ja ganze Seuchen brüte dieser Unfug aus, weil er leider so sehr verbreitet sei. So konnte er stundenlang fortwettern, und weil er in unserem Hause als Orakel galt, so ist diese seine Eigenheit an uns hängen geblieben, daher sich schon mancher über uns aufgehalten hat, daß wir so zarte Nasen haben. Es hilft aber alles nichts, ich rieche eben lieber an einer Rose als an einem ausgeblasenen Licht. Sie sagen, weißt du, wir haben ein „bordiertes Hütlein" auf; aber das rührt eigentlich von meinem Herrn Ehni her, vom alten Pugio, dem sie nachsagen, daß er als Senator einen solchen Hut getragen habe.

Nun, also der Herr Doktor Rieber hatte eine Tochter, namens Salome, die an Gestalt keinem Mädchen in der Stadt nachstand. Freilich hielt man sie für stolz, denn sie kam wenig unter die Leute, und ob sie gleich nicht preußisch sprach wie ihr Vater, so lauteten ihre Reden doch etwas vornehmer als bei andern Leuten. Am meisten Aufsehen aber machte ihr Papagei, der allerdings in unserer guten Stadt eine große Seltenheit war. Sie hatte ihn von einem Vetter, der eine Reise nach Holland und Ostindien gemacht und große Reichtümer mitzubringen versprochen hatte, zum Geschenk erhalten; das Glück war ihm nicht günstig gewesen, und

um nur nicht mit leeren Händen zu kommen, brachte er seinem Bäschen den ausländischen Vogel mit. Eine Kiste voll Goldwaren hätte ihr keine größere Freude machen können. Sie gab sich tagelang mit dem Vogel ab, dessen Käfig unter dem Fenster hing und der allerlei wunderliches Zeug von ihr krächzen lernte. Bald rief er sie bei ihrem Namen und wünschte ihr guten Morgen, bald schalt er die Vorübergehenden oder kauderwelschte einige lateinische Brocken, die er dem Doktor abgelernt hatte. Sooft ich unter ihrem Fenster vorüberging, blieb ich stehen wie andere Leute auch und schaute nach dem Papagei. Niemand konnte daran ein Ärgernis nehmen, aber Salome, die fast immer neben dem Käfig stand, mochte glauben, ich gucke nach ihr, denn sie verzog den Mund schelmenmäßig, wenn ich so vorüberging und hinaufsah; wenn ich sie aber so lächeln sah, da kamen mir doch auch diese und jene Gedanken.

Als ich nun des Vogels ansichtig wurde, sagte ich zu mir: „Wie wird sie betrübt sein, daß ihr der Vogel entflohen ist! Du mußt ihn aus dem Salate holen, und wenn auch ein paar Länder darüber Schaden leiden sollten."

„Salome!" rief er. „Bomben und Granaten, wo steckst du denn?"

Ich ging auf ihn zu, er tat sehr bös und krächzte: „Manum de tabula!" Aber es half ihm nichts, daß er den Lieblingsausdruck seines Herrn so passend anwandte. Ich ergriff ihn, in der Schnelligkeit jedoch mußte ich ihm den Schnabel freilassen, und er hieb mich tüchtig in den Finger. Ich verbiß den Schmerz, hielt den Papagei an Kopf und Flügeln fest und trug ihn nach seinem Gefängnis zurück, wobei er aus Leibeskräften schrie und schimpfte.

Salome war in großen Freuden, als sie den Ausreißer in meinen Händen sah. Auf ihren Ruf kam auch ihr Vater herzu und sagte: „Er ist ein braver Bursche, hört Er? Und couragiert! Denn die kleine Bestie hätte Ihn übel zurichten können; doch das hat Er vielleicht nicht gewußt."

„Nein, sehen Sie, Papa", rief Salome, „der Vogel hat ihn gewiß gebissen, er hat ja sein Taschentuch um die Hand gewickelt. Warum hat Er denn die Hand verbunden?“ fragte sie mich. „Laß Er sehen!“

„Oh inkommodier Sie sich nicht“, sagte ich, „Sie kann nichts daran sehen.“

„Freilich! Was ist es denn?“

„Nun, der Vogel hat ein wenig nach mir gehackt.“

„Laß Er sehen! Laß Er sehen! Ach Gott! Das sieht ja schrecklich aus, wie der Finger zugerichtet ist! Ich will ihn verbinden.“

„Manum de tabula!“ rief Herr Doktor Rieber und hinkte mit seiner Krücke herzu: „Was verstehst du von einer Wunde, Naseweis? Wie, laß mal sehen, ja, ja, Er hat eins abgekriegt, der Papagei führt keine schlechte Waffengattung; aber sei Er nur ruhig, es hat nichts zu bedeuten, das wollen wir bald wieder im reinen haben. Salome, geh und hol mir meinen Wundbalsam, du kennst ja das Glas. Salome! Bomben und Granaten, wo steckst du denn?“ rief er, als sie nicht sogleich wieder zurückkam. Endlich brachte sie den Balsam. „I der Satan, Mädchen, ich glaube, du hast geweint? Warum hast du geweint?“

Sie zögerte mit der Antwort.

„Du hast rote Augen; was ist dir geschehen? Warum hast du geflennt?“

„Weil der Papagei dem –“, sie stockte.

„Dem? Was dem?“

„Dem –“, sie sah auf mich.

„Dem da was zu Leide getan hat?“

„Ja“, schluchzte sie und brach wieder in Tränen aus.

„Dummes Mädel“, brummte der Vater, „es hat ja gar nichts zu sagen! Gib her, mein Balsam wird mehr helfen als deine Tränen. So, jetzt halt Er die Hand her, ’s tut nicht weh, brennt nur ein wenig.“

Ich hielt still, um das mitleidige Mädchen nicht noch mehr zu betrüben.

„Nun ist’s fertig, jetzt, Salome, kannst du ihm die Hand verbinden.“

Ich kam ganz in Verlegenheit, wie sie mit ihren kleinen Fingern meine Hand anrührte. Als es geschehen war, sagte Herr Doktor Rieber: „Komm Er morgen wieder her, hört Er? Daß ich nach der

Wunde schauen kann. Adieu! Nun, Salome, bedankst du dich nicht?“

Sie dankte mit einem zierlichen Knicks und sagte: „Adieu, komm Er morgen wieder her.“

Als ich abends nach Hause kam, fiel meine verbundene Hand allen auf. Sonntags aßen nämlich alle Söhne und Söhnerinnen bei den Eltern zu Nacht. Sie fragten, was mir geschehen sei, und ich mußte die ganze Geschichte erzählen, wobei ich tüchtig rot wurde. Die Mutter lächelte und gab dem Vater die Hand. Ich wußte nicht, was dies bedeuten sollte; aber die andern lachten ebenfalls, und meine Brüder hießen mich von Stund an den Vogelsteller.

Am andern Tag kam ich wieder zum Herrn Physikus, am dritten und vierten ebenfalls und so fort, bis mein Finger geheilt war. In dieser Zeit war ich so bekannt im Hause geworden, daß er mich einlud, ich solle immerhin wieder kommen, wenn ich ihn jetzt auch nicht mehr nötig habe. Ich war froh, daß er dies sagte, denn ich hätte mich an der andern Hand auch verwundet, wenn mir die Gelegenheit, ins Haus zu kommen, ausgegangen wäre.

Von da an ging ich häufig hin, und Herr Doktor Rieber schien das nicht ungern zu sehen. Wenn der Vater nicht zu Hause war, traf ich die Tochter. Natürlich war der Papagei fast immer der Gegenstand unserer Unterhaltung. Sie erzählte mir, wenn ich kam, wie er sich in der Zwischenzeit befunden und was er für Schelmenstreiche ausgeübt habe. Ich steckte ihm den Finger in den Käfig, dann rief er: „Manum de tabula!“ und hackte nach mir. Wenn ich nun nicht schnell genug zurückfuhr und noch ein wenig von seinem Schnabel getroffen wurde, so neckte sie mich, und ich ließ mich oft absichtlich von ihm zwicken, nur um von ihr geneckt zu werden.

Einmal hatte sie in meiner Abwesenheit einen Scherz ausgedacht und den Vogel die Worte „ungeschickter Hans!" gelehrt. Sowie ich nun ins Zimmer trat, fuhr der Vogel wie besessen im Käfig umher und schrie in einem fort: „Ungeschickter Hans! Ungeschickter Hans!" Ich wußte wohl, daß sie sich irgendwo verborgen hatte, um den Spaß mit anzuhören, und drohte dem Vogel, ich schlage ihn auf den Schnabel, wenn er nicht still sei. Als ich ihm hierauf wirklich eins versetzte, rief er um Hilfe: „Salome! Bomben und Granaten, wo steckst du denn?" – „Ungeschickter Hans!" erscholl es aus einem großen Kasten, der im Zimmer stand. Dadurch ermuntert, fing der Vogel sein Spottlied wieder an. „Wenn du nicht still bist", rief ich, „so will ich den rechten Vogel auf den Schnabel treffen!" und machte den Kasten auf. Salome warf mir eine von ihres Vaters Perücken ins Gesicht, daß ich in einer Staubwolke stand, und sprang aus dem Kasten hervor. Ich lief ihr nach und jagte sie im Zimmer herum, sie schrie, der Papagei tobte, und ich lachte, so daß es einen schönen Lärm gab. Endlich erwischte ich sie und war eben im besten Zuge, meine Drohung ins Werk zu setzen, da rief es hinter uns: „Manum de tabula!"

Aber es war nicht der Papagei, der sich drein legte, sondern es war der Papa. Der war soeben nach Hause gekommen und von dem Lärmen ins Zimmer gezogen worden. „Fixsternelement!" rief er, „was soll das heißen von einem ehrbaren Junggesellen in einem fremden Haus?"

Ich stand da wie Butter an der Sonne. „Ungeschickter Hans!" rief der Papagei, wie wenn der kleine Spitzbube wirklich Menschenverstand gehabt hätte.

„Wer hat den Vogel das gelehrt?" fragte Herr Rieber.

Salome senkte die Augen.

„Aha, ich habe mir's gedacht. Und Er hat Satisfaktion nehmen wollen? Nicht wahr?"

„Ja", stotterte ich, „ich wollte –"

„Was Er gewollt hat, braucht Er mir nicht zu sagen, ich hab's wohl gesehen. Hat Er sie denn lieb?"

„Freilich!"

„Will Er sie heiraten?"

„Wenn Salome nichts dagegen hat."

„Nun, Mädchen, was sagst du dazu? Willst du ihn?"

Sie schwieg verschämt.

„Höre, wenn du nicht antwortest, so kriegst du ihn auch nicht. Oder willst du ihn nicht? Sag nein!"

Salome lachte und rief: „Bewahre, nein sagen tu ich um alles in der Welt nicht!"

„Duplex negatio affirmat!" sagte Herr Doktor Rieber. „Nun, da hat Er sie, halt Er sie wohl und warm, es ist mein einzig Kind! Und laß Er ihre eigensinnigen Launen nicht aufkommen! Sie bedarf einer guten Zucht, aber in Sanftmut und Liebe! Hört Er?"

Ich versprach alles Liebe und Gute. „Aber", sagte ich, „jetzt muß ich nach Hause und die Einwilligung meiner Eltern holen."

„Die hat Er schon", sagte mein Schwiegervater. „Meint Er denn, Er hätte sonst so ungeniert zu mir kommen dürfen? Ich und Sein Vater haben schon längst miteinander gesprochen. Ich werde daher Seine Eltern sogleich holen lassen, um die Verlobung zu feiern."

Meine Eltern kamen und gaben mit Freuden ihr Wort. Da nichts im Wege stand, so wurde festgesetzt, die Hochzeit solle in vier Wochen sein.

Aber diese vier Wochen wurden mir sauer. Kaum war Salome meine Braut geworden, als sie sich völlig gegen mich veränderte. Wo sie mich vorher geneckt hatte, da quälte sie mich jetzt. Immer wußte sie etwas an mir auszusetzen, meine Kleidung, mein Betragen, mein Gehen und Kommen, alles zog ihren Tadel auf sich. Dazu hatte sie ewig zu befehlen, bald mußte ich etwas tun, bald etwas lassen, bald etwas bringen, bald etwas forttragen, und nichts konnte ich ihr zu Danke machen. Am meisten aber peinigte sie mich mit einer unbegreiflichen Eifersucht, sie wußte doch gewiß, daß ich für keinen Menschen in der Welt Augen hatte als für sie, und doch, sooft wir von einem Spaziergang nach Hause kamen, warf sie mir vor, ich hätte nach dieser oder nach jener gesehen. Dann schalt sie mich und weinte. „Ich bin doch recht unglücklich", sagte sie, „einen so ungetreuen Mann zu bekommen! Noch ehe wir verheiratet sind, sieht er schon nach andern."

Ich geriet oft in Verzweiflung, denn ich sah nur zu sehr, daß es ihr mit ihrer Eifersucht der bitterste Ernst war, aber ihr Vater tröstete mich.

„Laß Er sie ganz machen", sagte er, „sie weiß sich in ihren neuen Zustand noch nicht zu finden; das wird schon alles anders werden. Bleib Er für jetzt nur, wie Er bisher gewesen ist, aber nach der Hochzeit muß Er ihr die Zügel etwas straffer anziehen. Ich habe sie verzogen, denn sie ist mein einziges Kind, und wenn ich auch fluchte und wetterte, so wußte das unartige Ding doch wohl, daß es nicht mein Ernst war."

Ganz kurz vor der Hochzeit, als ich bei meiner Braut saß, gerieten wir halb im Scherz in einen Streit über ihr Brautkleid. Es war damals die Zeit, wo die Reifröcke nach und nach aus der Mode kamen, und ich war über diese Veränderung sehr erfreut, weil ich das häßliche bauschige Wesen nie hatte leiden können. Wunderlicherweise aber bildete sich Salome ein, diese Tracht stehe ihr besser als ein anliegendes Kleid, das doch ihre zierliche Gestalt viel mehr gezeigt hätte. Wir stritten hin und her, bis ich endlich den Haupttrumpf auszuspielen vermeinte und zu ihr sagte: „Du hältst doch mehr auf die Mode als ich, wie magst du nur so hinter der Mode zurückbleiben?" – „Seht doch!" erwiderte sie, „was schwatzt Er da von der Mode! Was weißt denn du von der Mode, du ungeschickter Hans?" – Kaum hatte sie das gesagt, so fiel auch der Papagei ein und rief unaufhörlich: „Ungeschickter Hans! Ungeschickter Hans!" – Wie wir nun einmal im Scherze waren, drohte ich wieder, den Vogel auf den Schnabel zu schlagen; sie wollte mir abwehren, und indem wir miteinander um den Käfig kämpften, stieß eines von uns beiden – ich weiß heute noch nicht, wer es war – das Türchen auf, der Vogel schoß wie ein Pfeil heraus. „Das Fenster zu!" rief Salome, aber es war schon zu spät, der Vogel hatte das offene Fenster bemerkt, und ehe ich mich umsehen konnte, welches Fenster offen sei, war er draußen.

Nun ging der Jammer an, und nachdem der Jammer zu Ende war, brach der Zorn aus, natürlich über mich, ich war an allem schuldig, ich hatte den dummen Einfall gehabt, nach dem Vogel zu schlagen, und ich war es natürlich gewesen, der die Türe absichtlich aufstieß, der schon vorher das Fenster geöffnet hatte, um ihr diesen Possen zu spielen. Ich mochte sagen, was ich wollte, sie nahm keine Vernunft an; ich beteuerte, ich bat, ich schalt – alles vergebens! Ich versprach, nicht eher zu ruhen, als bis ich den Vogel wieder habe; er werde doch noch zu fangen sein. „Das rat' ich dir", sagte sie, „denn ich versichere dir, eh' du mir den Vogel wieder zur Stelle schaffst, darfst du nicht daran denken, mich zur Frau zu bekommen."

Ich ging trübselig fort. Sie war seit vielen Tagen zum ersten Mal wieder guter Laune gewesen, und nun mußte die Freude solch ein Ende nehmen!

Überall erkundigte ich mich vergebens nach dem Papagei. Erst den andern Tag erfuhr ich, ein Bürger habe ihn im Weinberg gesehen und ergriffen, da ihn aber der Vogel ingrimmig gebissen habe, sei er nicht imstande gewesen, ihn länger zu halten; darauf sei der Vogel fortgeflogen, man wisse nicht, wohin. Salome tat nicht mehr böse, als ich ihr dies hinterbrachte, behandelte mich aber mit einer so kränkenden Gleichgültigkeit, daß ich mir fest vornahm, alles anzuwenden, um den Papagei wiederzubekommen. Nach einigen Tagen wurde ich wieder auf eine Spur geleitet; von einem benachbarten Dorfe kamen Leute in die Stadt und erzählten gelegentlich, es sei daselbst ein wundersamer Vogel mit ganz buntem Gefieder aufgefangen worden. Ich sagte dies meiner Braut sogleich und machte mich am selben Tage noch auf den Weg. „Wenn du ihn mitbringst", sagte sie beim Abschiede, „so soll dir etwas Gutes widerfahren und eher, als du denkst." Ich wußte nicht, was dies zu bedeuten habe, wollte sie mir vielleicht entgegengehen?

Ich war noch nicht weit im Walde gegangen, auf dem Wege nach der Ortschaft, wo der Flüchtling gefangensitzen sollte, da begegnete mir ein Bauernmädchen, das mir auf meine Frage berichtete, sie sei von eben diesem Dorfe.

„Dann kannst du mir vielleicht einen Gang ersparen", sagte ich, „denn ich suche dort etwas."

„Und was?"

Ich beschrieb ihr den Vogel und sagte ihr, er sei aus fernen Landen und gehöre meiner Braut. „Ich will dir ein gutes Trinkgeld geben", setzte ich hinzu, „wenn du mir wieder zu ihm verhilfst."

„Ja, das wird schwer halten", erwiderte sie.

„Warum denn? Wie steht's denn mit ihm?"

„Ha, 's steht gar nicht mehr mit ihm, 's liegt!"

„Wie?"

„Ja, unter dem Boden! Es werden ungefähr drei, vier Tage sein, da hat ein Bube aus unserem Dorf selbigen Vogel gefangen, mit großer Mühe, denn er hat ihm die Finger tüchtig zerhackt. Darauf hat er ihn zu meinem Vetter, dem Schulmeister, gebracht und hat ihn gefragt, was denn das für ein Tier sei. Der Schulmeister hat's nicht gewußt, und niemand im Dorf hat's gewußt, aber alles ist zusammengesprungen, um den scheckigen Vogel zu sehen. Endlich hat der Schulmeister gesagt, der Vogel werde nicht von Natur so aussehen, er werde gefärbt sein. Nun hätten wir aber gar zu gern gewußt, wie er denn eigentlich aussehe; also haben wir ihn in eine Schüssel mit kaltem Wasser gesetzt und haben ihm die Federn eifrig abgerieben, aber es ist nichts runtergegangen. ‚Das ist noch nicht genug', hat der Schulmeister gesagt, ‚versuchet's einmal mit warmem Wasser.' Wir haben recht warmes Wasser in die Schüssel getan und haben den Vogel eingeseift und gerieben, wie 'n Strumpf, aber 's ist alles nichts gewesen. Dann haben wir's noch einmal im kalten probiert, aber der Vogel hat die Farb' nicht hergeben wollen. Nun ist er so pfludrig 'worden und hat den Kopf hängen lassen und hat kein Futter genommen, und wir haben ihm doch ein groß Stück Schwarzbrot vor den Schnabel gehalten. Kurzum, ich glaub', das Bad ist ihm nicht gut bekommen, und er ist noch am nämlichen Tag krepiert. Da hat er uns doch erbarmt, weil er so ein schöner Vogel gewesen ist und wir haben ihm ein Gräblein gemacht und haben ihn in Schulmeisters Garten vergraben."

Das hörte ich sehr ungern, und doch mußte ich lachen. „Ihr seid recht dumme Leute", sagte ich zu dem Mädchen, „und besonders euer Schulmeister ist mir ein sauberer Gelehrter. Der Vogel hat von Natur so ausgesehen, und ihr habt nun meine Braut darum gebracht. Hättet ihr euch vorstellen können, wie viel der Vogel wert war, so hättet ihr ihn nicht so behandelt. Einen Papagei waschen und anbrühen! Das ist doch gar zu toll!" – Ich mußte immer wieder lachen, aber das Mädchen nahm mir's sehr übel und ging mit vielen Scheltworten davon. Ich wunderte mich, daß diese Leute so einfältig sein konnten, denn sie ziehen mit einem Blumenhandel in ganz Europa und halb Asien herum und hätten eben deswegen mehr Erfahrung haben sollen als andere Bauern in der Gegend.

Unter diesen Gedanken kam es mir auf einmal vor, als sehe ich einen gelben Strohhut mit einem grünen Bande durch die Bäume schimmern. Salome trug einen solchen; ich ging auf den Ort zu, sah aber nichts. Ich suchte in den Gebüschen und rief, aber sie kam nicht zum Vorschein, und ich ging nachdenklich in die Stadt zurück.

Wie ich zu ihr kam, um ihr das Unglück zu erzählen, machte sie ein paar Augen gegen mich, so wunderlich, daß ich nicht wußte, wie mir geschah. Sie ließ mich ruhig reden und machte nicht viel aus der Sache, auch sprach sie nur ein paar Worte, nicht freundlich und nicht unfreundlich, auch nicht gleichgültig, wie sonst; ich wußte gar nicht, wie ich sie nehmen sollte. Aber ich hielt mich nach ihres Vaters Worten, ich dachte, es werde schon alles anders kommen, und beschloß, indessen ruhig zuzusehen.

Der Hochzeitstag kam heran. Nach der damaligen Sitte konnten Braut und Bräutigam an diesem Tage wenig beieinander sein, die Braut mußte, bis man in die Kirche ging, bei den Weibern bleiben und ihre Glückwünsche annehmen; der Bräutigam trank ein Glas Wein mit den Männern; erst bei Tische wurden sie zusammengesetzt, hatten aber auch hier wenig Zeit, miteinander zu reden, weil sie beständig herumgehen und den werten Gästen zusprechen mußten. Ich konnte also an diesem Morgen meine Braut wenig beobachten, war aber sehr beruhigt, da ich sie so gelassen sah. Doch hatte sie es durchgesetzt, ihren Reifrock anzuziehen. Ihr Vater sagte deshalb zu mir: „Laß Er ihr in Gottes Namen ihren Willen, den Reifrock kann Er ihr ja heut abend in den Kasten hängen und dann dafür sorgen, daß sie ihn nicht wieder ankriegt."

Die Glocken läuteten zur Kirche, wir gingen stillschweigend nebeneinander her. Es war eine große Gemeinde versammelt, denn man nahm es für eine Merkwürdigkeit, daß ich vieljähriger Junggeselle mich doch noch ins Joch der Ehe spannen lassen wolle. Der Herr Hauptprediger trat in den Altar, und die Trauung begann. Als er mich fragte, ob ich gegenwärtige Salome zum Weibe haben wolle, sagte ich mit lauter, freudiger Stimme „Ja" und war in meinem Herzen nur begierig, ob sie es auch laut sagen werde, denn gewöhnlich sprechen die Bräute dieses entscheidende Wort nur mit halber zitternder Stimme aus. Aber als der Geistliche seine Frage an sie richtete, vernahm ich ein lautes und herzhaftes „Nein!"

„Pugio!" rief ich in meinem Schreck und Grimm. „Was hat das zu bedeuten?"

Der Herr Hauptprediger verwies mir diesen unkirchlichen Ausruf mit strengen Worten und fragte dann die Braut, was sie zu ihrem ungewöhnlichen und unziemlichen Beginnen getrieben habe?

„Ich werde mich nachher erklären“, sagte Salome; sie sah jetzt bleich und erschrocken aus. Die Handlung war gestört, die Versammlung ging verwirrt auseinander, und ich kam halb unsinnig vor Zorn und Scham nach Hause.

Meine Eltern waren nicht weniger bestürzt über diesen unerhörten Vorfall; sie fragten mich, was ich denn dabei verschuldet habe, aber ich konnte ihnen nichts sagen, denn der Tod des Papageis schien mir doch eine gar zu geringfügige Ursache zu sein. Während wir so in aller Not uns unterredeten, hinkte der Doktor Rieber mit feierlichem Anstand zur Türe herein und sprach: „Ich würde nach dem heutigen Vorgang nicht das Herz haben, vor dieser ehrbaren Familie zu erscheinen, wenn ich nicht dächte, hier müssen Sonde und Messer her. Meine ungeratene Tochter hat mir nämlich gestanden, sie habe den heutigen Spektakel deswegen angefangen, um ihren Bräutigam für eine haarsträubende Untreue zu bestrafen. Nun bin ich zwar selber weit entfernt, ihrem Vorgeben so geradezu Glauben beizumessen, und würde auch im schlimmsten Falle ihren heutigen Streich nicht um ein Haarbreit verzeihlicher finden, aber die Ehre des jungen Mannes sowohl als meine eigene erfordert eine nähere Untersuchung der Sache.“

Ich hatte ein gutes Gewissen und sagte: „Reden Sie, Herr Doktor! Was hat sie gegen mich vorgebracht?“

„Sie behauptet“, versetzte er, „Ihr habet eine Liebschaft mit einem Bauernmädchen, und will sogar wissen, Ihr seiet vor wenigen Tagen im Walde mit besagter Person zusammengekommen, wobei, wie sie von Anfang an geargwöhnt, Euer Ausflug wegen des Papageis zum Vorwand habe dienen müssen.“

„Also ist sie mir nachgegangen im Walde!“ rief ich und erzählte, was daselbst geschehen war. Ehe ich aber noch geendet hatte, klopfte es an der Türe,

und siehe da, vor uns stand jenes Bauernmädchen und bot Eier und Butter feil. Kaum hatte sie mich erblickt, so rief sie ärgerlich:

„Wenn ich gewußt hätt’, daß Er da wär’, so hätt’ ich das Haus links liegen lassen.“

„Was hat er dir getan, mein Kind?“ fragte Herr Doktor Rieber, der alsbald das Wort ergriff und vor sie hintrat.

„Wüst hat er mir getan!“ erwiderte sie. „Zum Dank dafür, daß ich ihm das Maul 'gönnt hab' und hab' ihm Auskunft 'geben über seinen lumpigen Vogel, hat er mich eine dumme Gans geheißen.“

„Also hat er dir nicht schön getan?“

„Was?“

„Die böse Welt behauptet, er habe dir Flattusen gemacht.“

„Das wollt' ich ihm vertrieben haben, beim Strahl! Ja, Flattusen! Grobheiten hat er mir gemacht. Und von Euch laß' ich mir auch keine gefallen. Wenn Ihr meine Eier nicht wollt, so brauch' ich auch Euer Geschwätzwerk nicht. Unsereins läßt nicht mit sich reden, als wär' man Euer Untertan. Wir sind nicht von Euren Dörfern, wir sind württembergisch.“

Damit trappte sie hinaus und schlug die Türe hinter sich zu.

„Die hat Haar auf der Zunge“, sagte Herr Doktor Rieber. Dann trat er auf mich zu und entschuldigte sich mit wohlgesetzten Worten wegen der Freiheit, die er sich hier genommen habe. „Da es nunmehr am Tage ist“, fuhr er hierauf fort, „daß meine Tochter überdies nicht den mindesten Grund zu ihrem unverzeihlichen Schritte gehabt hat, so will ich nunmehr dem Herrn die Satisfaktion proponieren, die ich für ihn ausgedacht habe. Er soll Gleiches mit Gleichem vergelten, ich komme soeben von dem Geistlichen her, der sich auf dringendes Bitten dazu verstanden hat, meinen Plan ausführen zu helfen. Morgen soll nämlich die Trauung noch einmal stattfinden –“

„Nein!“ rief ich „um alle Welt nicht –“

„Nehme der Herr Vernunft an und laß Er mich ausreden; morgen, sag' ich, soll die Zeremonie wiederholt werden, und wenn ich die ungezogene Dirne mit Gewalt in die Kirche schleppen lassen müßte. Dann werdet Ihr zusammen vor den Altar treten, und damit für sie keine Ausflucht mehr übrigbleibt, so wird der Geistliche die Frage an sie zuerst richten; seid unbesorgt, sie wird nicht nein sagen, dafür steh' ich Euch, sie hat meinen Ernst kennengelernt. Sodann werdet Ihr, mein achtbarer junger Mann, zu ihrer Beschämung und Eurer Satisfaktion hierauf von Eurer Seite mit Nein antworten und dadurch zu verstehen geben, daß Ihr nichts von ihr wollt und sie nicht wert achtet, Eure Frau zu werden.“

„Herr Doktor“, sagte ich, „das bring' ich nicht übers Herz!“

„Junger Mann!“ rief er hitzig und griff an den Degen, „nichts für ungut, aber das versteht Ihr ganz und gar nicht! Es ist ein Schimpf, den Ihr nicht auf Euch sitzenlassen könnt, und wenn Ihr für Euch selbst nicht Manns genug sein solltet, ihn abzuwaschen, so ist es Eure Pflicht gegen Eure Eltern und auch gegen mich als ehrlichen Mann, meine Satisfaktion anzunehmen.“

„Geht zu Eurer Tochter, lieber Herr“, versetzte ich, „und sagt ihr, sie habe nicht wohl an mir getan, aber ich trage keinen Groll gegen sie und sei nicht imstande, sie zu beschimpfen.“

„Bomben und Granaten!“ schrie er, „Ihr müßt, Ihr mögt imstande sein oder nicht, und wenn Ihr nicht wollt, so habt Ihr's mit mir zu tun.“

„Eine Exekution in der Kirche!“ sagte ich. „Das geht ja gar nicht an.“

„Wird schon angehen, wenn's morgen angeht! Wir sind reichsfrei und haben unser eigenes Konsistorium; wer fragt viel nach uns? So viel Macht haben wir schon, um eine widerspenstige Dirne gehörig zu züchtigen!“

Nun trat mein Vater hervor, in dem sich etwas vom alten Pugio regte. „Herr Doktor“, sagte er, „es tut mir leid um Ihre Tochter, aber ich muß Ihren Antrag annehmen, denn der Unglimpf wäre in der Tat gar zu groß, wenn er nicht in etwas vergolten und verteilt würde. Wie gesagt, es tut mir leid, und es sollte mir lieb sein, wenn sich ein anderer Ausweg finden könnte.“

„Das heißt gesprochen wie ein Ehrenmann“, sagte Herr Doktor Rieber, „aber einen andern Ausweg gibt es nicht, und somit bleibt's bei der Verabredung.“

Er ging, nachdem alles besprochen und festgesetzt worden war.

Mich fragte man gar nicht weiter bei der Sache, man betrachtete mich eben als den, der den Schimpf der Familie rächen müsse. Nur meine Mutter war teilnehmend gegen mich und stimmte mir bei, daß hier aus Übel nur Ärger gemacht werde. „Es ist jammerschade um das Mädchen“, sagte sie. „Ich will ihr gewiß nicht das Wort reden, aber die Bräute sind nicht immer ganz zurechnungsfähig. Das ist ein Stand, in dem nicht jede gleich daheim ist, und wenn man vollends in so kurzer Zeit, wie sie, mit einem Sprung in ein völlig neues Leben hinein soll, so verliert man leicht den Kopf, und dann kann die Gescheiteste oft die dümmsten Streiche machen. Ich glaube fest, daß sie den ihrigen bitter bereut und nicht bloß wegen seiner Fol-

gen; denn ihre Eifersucht beweist, daß du ihr doch nicht gleichgültig warst. Doch vielleicht besinnen sich die Väter bis morgen auf etwas Besseres."

Aber dem war nicht so. Die Mutter versuchte umsonst, den Vater anders zu stimmen, er drohte mir mit seinem höchsten Zorn, wenn ich nicht gehorchen würde. Ein Angriff auf Herrn Doktor Rieber war ebenfalls vergeblich, er blieb viel zu sehr auf seine Ehre, wie er's hieß, versessen, als daß er nachgegeben hätte. „Gib dich in Gottes Namen drein, es ist nicht zu ändern", sagte meine Mutter endlich, und ich ging zur festgesetzten Zeit in die Kirche.

Eine große Menschenmenge hatte sich eingefunden, denn Herr Doktor Rieber gedachte, wie er sich ausdrückte, nicht ein bloßes Manöver, sondern eine Hauptaktion zu liefern, öffentlich, wie der Frevel gewesen sei, sagte er, müsse auch die Buße sein. Die Meinigen begleiteten mich in die Kirche. Salome wurde mir erst dort von ihrem Vater zugeführt. Sie sah blaß wie der Tod und verweint aus und wagte nicht, die Augen gegen mich aufzuschlagen, aber doch glaubte ich in ihrem Gesicht etwas anderes als bloße Demütigung zu lesen. Der Geistliche trat wieder in den Altar; alles war neugierig und mäuschenstill. Er hatte kein Buch mitgenommen, um die Trauungsformel zu lesen, sondern sagte nur: „Es sind hier zwei Brautleute erschienen, um vor Gott und dieser christlichen Gemeinde ihren Willen und Meinung gegeneinander auszusprechen." Darauf winkte er uns zu sich und fragte Salome zuerst, ob sie mich zum Manne haben wolle. Ich mußte meine Leidensgefährtin heimlich anblicken; sie sprach das Ja mit demütiger Ergebung aus, weder zu laut noch zu leise. Da überkam mich ein unaussprechliches Erbarmen mit uns beiden, und als der Geistliche mich anredete und fragte, ob ich sie zum Weibe haben wolle, sprach ich mit fester Stimme ein getrostes Ja.

Dieses Ja ging wie ein elektrischer Schlag durch die Kirche, denn ich hörte hinter mir eine Bewegung – wenn man von einem stillen Windstoß reden könnte, so wäre der Ruck bezeichnet, der die Versammlung durchlief. Aber ich hatte für niemand Augen als für meine Braut. Sie war wie vom

Donner gerührt und wäre niedergesunken, wenn ich nicht den Arm um sie gelegt hätte. Nun sah ich sie erst recht an, und auch sie schlug jetzt die Augen gegen mich auf; aber ich könnte nicht sagen, daß ich in ihren Blicken etwas von einem Vorwurf gefunden hätte. Ich bot ihr, als sie sich wieder gefaßt hatte, die Hand, sie schlug willig ein, und nun sagte ich leise: „Halte fest an mir, ich werde dich nimmermehr verlassen."

Der Herr Hauptprediger war über meine unerwartete Antwort einen Augenblick betroffen gewesen, aber jetzt erhob er beide Hände und rief: „Gott segne dich, junger Mann, du hast das beste Teil erwählet." – Darauf segnete er uns ein.

Soll ich noch weitläufig erzählen, wie es weiterging? Unsere Verbindung war nun einmal fest geschlossen und nicht mehr rückgängig zu machen. Mein Vater wollte sich anfangs nicht recht darein finden, wich aber doch endlich dem Zureden meiner Mutter. Diese war von ganzem Herzen vergnügt. Sie küßte meine Braut und sagte lachend: „Gestern glaubte ich noch, ich könne dir nicht verzeihen, heute aber soll dir verziehen sein, weil ich nun doch meine Hochzeitskuchen nicht umsonst gebacken habe."

Wer zuletzt einwilligte, war der Herr Doktor Rieber. Er schalt mich einen Hasenfuß, sagte, ich habe mit seiner Ehre Komödie getrieben und dergleichen mehr, aber zuletzt ließ er sich doch besänftigen und war im stillen froh, daß es mit seinem einzigen Kinde noch so gut abgelaufen war.

Salome hat mir nachher gestanden, sie hätte sich

schier die Zunge abgebissen über ihr Nein, aber sie sei wie im Fieber gewesen; mein Ja hat sie mir durch Liebe und Treue vergolten ihr ganzes Leben lang.

So erzählte mir der Großvater, und wenn ich im Nacherzählen etwas mehr gesagt habe, als ich aus seinem Munde vernahm, so kommt dies nicht auf Rechnung einer am Horn des Überflusses leidenden Gedächtniskraft, sondern daher, daß mir die Geschichte auch später noch manchmal von andern, denen er sie vielleicht anvertraut und ausführlicher, als er selbst sie dem Knaben erzählen mochte, mitgeteilt worden ist.

Manche alte Geschichte erzählte er, wenn er mit

mir im Feld oder Garten beschäftigt war. Wir setzten uns dabei auf eine Bank oder auf einen Rain und ruhten aus; wenn er dann genug erzählt hatte, gingen wir wieder an die Arbeit. Seine Habe bestand nämlich, wie fast der ganze Reichtum der Stadt, in Grundeigentum, und so war ich zu jeder freien Stunde mit ihm im Garten, auf einem Baumgut oder einem Acker, lernte von ihm die Früchte kennen und die Bedingungen ihres Wachstums, durfte auch nach Herzenslust mit Hand anlegen, Äpfel, Birnen, Nüsse schütteln oder sammeln, in den Heuhaufen springen, auf dem Garbenwagen fahren, Kartoffeln heraustun und Trauben nicht bloß schneiden, sondern auch treten. Besonders lustig war die Obstlese in den bucklig gelegenen Baumgütern, an deren Fuße der kleine Fluß vorübereilte; da mußte man sich unten am Ufer aufstellen und die den Abhang herabrollenden Äpfel wie Bälle auffangen, ehe sie ins Wasser hüpften. In seinen letzten Tagen versprach er mir noch, sobald die geeignete Jahreszeit gekommen sein würde, mich das Impfen der Bäume zu lehren. Ich freute mich unbeschreiblich darauf, aber er hielt mir nicht Wort, er starb, ehe die Zeit des Impfens gekommen war.

Sein Lieblingsaufenthalt war sein großer Garten, wo er mich in der Behandlung seines Blumenflors unterrichtete, der jedoch nicht sonderlich vornehm war, sondern aus einfachen Rosen, Nelken, Tulpen, Sternen, Sonnenblumen, Astern und Aurikeln bestand. Sonst sah der Garten schlicht und altfränkisch aus, wie der „Herr Ehni“ selbst; denn so nannten wir Enkel den Großvater. Ein etwas schiefhängender, von der Witterung entfärbter Bretterzaun umgab den Garten auf drei Seiten; die vierte war durch eine graue Mauer geschlossen, an die sich in der Ecke ein alter Holunderbaum lehnte; der Brunnen war aus einem rohen Stamm gemacht; einen verwandten Baustil trug das alte Häuslein mit dem Immenstande, nicht weit von der Eingangstüre. Dort hat mich einmal eine Biene so unversehens und heftig gestochen, daß ich von dem fast stockhohen Gartenstuhle, auf dem ich saß, herunterfiel und beinahe den Hals gebrochen hätte. In diesem Fall wäre die Ermahnung zum Fleiße, wofern die industriöse Brummerin eine solche beabsichtigte, rein überflüssig gewesen.

An Tagen, wo man nicht ins Freie gehen konnte, saß der Großvater gewöhnlich in seinem grün gepolsterten Lehnstuhl am Fenster vor dem kleinen Tische mit den geschweiften Füßen und las durch das große Brennglas, das er über die Zeilen hin und her führte, halblaut in seiner Foliobibel von 1608, wobei ihm die Haare von den Seiten her, denn die Stirne war zunehmend kahler und kahler geworden, wie Schneeflocken in das Buch herabfielen. Seine alten Augen mußten wohl sehr der Nachhilfe benötigt sein, daß er sich des Vergrößerungsglases bediente, denn die Bibel war mit mächtigen Buchstaben gedruckt. Doch war es ihm vielleicht auch um die Randglossen zu tun, die in etwas kleinerer Schrift steil an dem Text herunterliefen und dem Leser manche wissenswürdigen Dinge sagten, mitunter in einer sehr anheimelnden Art, denn ihr Verfasser hatte eine besondere Liebhaberei, hebräische Ortsnamen durch deutsche von bekanntem Klange zu erklären, wie er denn unter andern zum Beispiel zu verstehen gab, „Eben-Ezer" das sei gerade so viel wie „Helfenstein".

Kurze Zeit vor seinem Tod erlebte der Großvater noch einen ungewöhnlichen Triumph. Es war ein Scheibenschießen angekündigt, und er ging mit mir nach dem Schießhaus, um zuzusehen. „Schießen kann ich nicht mehr", sagte er, „mein Auge läßt mich im Stich, und meine Hand zittert; aber ich bin allezeit ein Liebhaber vom Schießen gewesen, und so will ich wenigstens sehen, wie's andere machen." Kaum waren wir auf dem Schießplatz angekommen, so empfingen ihn viele Bekannte. Er wünschte ihnen Glück und sah aufmerksam zu. Als er sich erheben wollte, um nach Hause zu gehen, trat ein ebenfalls bejahrter Mann mit einer geladenen Büchse auf ihn zu und sagte: „Wie, Herr Senator, Sie, der beste Schütze zu Ihrer Zeit, wollen wieder so fortgehen, ohne uns mit einem Schuß beehrt zu haben?" – Der Großvater lachte treuherzig und sagte: „Da käm' ich schön weg, ich glaube, ich würde kaum die Scheibe mehr treffen; ja, ich gehöre eben zum alten Eisen." – „Versuchen Sie's nur", bat ihn jener, „nur einen einzigen Schuß!" – Die andern kamen ebenfalls herbei und drangen in ihn, wenigstens einen Schuß zu tun. Vergebens wandte er ein, er habe schon seit Jahren nicht mehr geschossen, es half alles nichts, die Gesellschaft setzte ihm zu, bis er endlich die Büchse ergriff. Er nahm seinen Stand und zielte lang; obwohl er zitterte, gaben diejenigen, die ihm über die Schulter sahen, den andern durch beifällige Zeichen zu verstehen, daß er scharf auf die Scheibe halte. Endlich fiel der Schuß, und – ein allgemeines Jubelgeschrei entstand! Er hatte den Zweck hinausgeschossen. Er behauptete zwar, es sei Zufall gewesen, aber keiner ließ ihm dies gelten. Sie riefen, er habe den besten Schuß heute getan, und ließen ihn hochleben. Nun trank er auch einen Schluck auf das Wohl der Gesellschaft und ging wieder mit mir hinweg, wobei er sehr vergnügt vor sich hinlächelte. Ich aber ging stolz wie ein König neben ihm her, indem ich, wie Knaben zu tun pflegen, seinen Ruhm frischweg mir zueignete. „Es ist sonderbar", sagte er unterwegs zu mir, „ich sehe in die Ferne besser als in die

Nähe.“ Zu Hause angekommen, blickte er lang mit einem eigentümlichen Lächeln auf das Bild der „Frau Ahne“, die manchen solchen Ehrentag mit ihm erlebt haben mochte. Das Bild hing seinem Lehnstuhl gegenüber, ein mildes, stilles, feines Gesicht, dem man nicht ansah, daß je eine leidenschaftliche Mädchenlaune darin gewohnt haben könnte. Freilich stellte es die Großmutter nicht in ihrer Jugend dar, und sie war dem Maler nicht einmal gesessen, sondern er hatte sie, im Hochzeitskleide zwar, aber auf dem Totenbette gemalt.

Etwa vier Tage nachher begleitete ich ihn nach einem seiner Weinberge; wir wollten nach seiner Lieblingsfrucht, den Pfirsichen, sehen, die er daselbst im oberen Teile zwischen den Reben gepflanzt hatte. „Ich bin zu müd, um den steilen Weg hinaufzukommen“, sagte er, „geh du und sieh nach dem Bäumchen, wie's mit ihm steht; wenn du ein paar reife findest, so brich sie und bring sie herunter, ich will mich unterdessen auf die Ladstatt setzen und dich erwarten.“ Mit diesen Worten ließ er sich auf einen berasten Hügel aufgeworfener Erde nieder, der dazu diente, im Herbste die Kelterfässer auf den Wagen zu laden, und ich stieg die unregelmäßigen, in ihr lichtes Grün gehüllten Terrassen empor und freute mich auf die Freude des Großvaters, wenn ich ihm einen reifen Pfirsich bringen würde. Ich fand deren drei und rannte atemlos wieder hinunter. „Drei!“ rief ich ihm frohlockend schon von weitem zu. Er antwortete nicht. Als ich näher kam, sah ich ihn nicht mehr an dem Orte, wo ich ihn verlassen hatte. Eine bange Ahnung flog mir durch die Seele, ich eilte hinzu und sah ihn, von seinem Sitz herabgesunken, regungslos in Gras und Feldblumen liegen. Angstvoll lief ich hin und her, und als ich endlich einen Arbeiter in einem benachbarten Weinberge erblickte, winkte ich ihm und rief um Hilfe. „Was ist dem Herrn Senator?“ fragte er und kam eilig herbei. „Tröst Er sich, junger Herr“, sagte er, nachdem er ihn vergebens aufzurichten versucht hatte, „er hat sein Leben in Ehren hoch gebracht, und nun ist er sanft gestorben. Wer so stirbt, der stirbt wohl!“

Aber er lebte noch; es war nur ein Schlaganfall gewesen, von dem er sich schon unterwegs im Wagen wieder erholte. Er konnte sogar, in der Stadt angelangt, die Treppe hinaufgehen; droben aber mußte er sich sogleich ins Bett legen, das er nicht mehr verließ. Sein Lebenslicht wurde von Tag zu Tage schwächer, und wenn man ihn fragte: „Wie geht's?", so antwortete er lächelnd: „Wohl! Und bald noch wohler."

Eines Abends, die Dämmerung brach eben herein, war er zur Verwunderung aller Anwesenden kräftig und heiter, er sprach viel und sagte, er fühle sich wieder ganz gesund und gedenke, morgen aufzustehen. Auf einmal jedoch hielt er inne und blickte wie erstaunt vor sich hinaus, dann richtete er sich auf und breitete mit leuchtenden Augen die Arme auseinander, ein freudiger Ausruf entfuhr seinen Lippen, er machte eine Bewegung, als wollte er aus dem Bette springen, zugleich aber sank er in das Kissen zurück, und die Augen fielen ihm zu.

TUBINGEN

Hermann Hesse

Im Presselschen Gartenhaus

Es war in den zwanziger Jahren des vorigen Jahrhunderts, und wenn die Weltläufe damals andere waren als heute, so schien doch die Sonne und lief der Wind nicht anders über das grüne, friedvolle Tal des Neckars als heute und gestern. Ein schöner, freudiger Frühsommertag war über die Alb heraufgestiegen und stand festlich über der Stadt Tübingen, über Schloß und Weinbergen, Neckar und Ammer, über Stift und Stiftskirche, spiegelte sich im frischen, blanken Flusse und schickte spielende, zarte Wolkenschatten über das grellsonnige Pflaster des Marktplatzes.

Im theologischen Stift war die lärmende Jugend soeben vom Mittagstisch aufgestanden. In plaudernden, lachenden, streitenden Gruppen schlenderten die Studenten durch die alten hallenden Gänge und über den gepflasterten Hof, den eine zackige Schattenlinie in der Quere teilte. Freundespaare standen in Fenstern und offenen Stubentüren beieinander; aus frohen, ernsten, heiteren oder träumerischen Jünglingsgesichtern leuchtete der schöne, warme Sonnentag wider, und in ahnungsvoll durchglühter Jugend strahlte da manche noch so knabenhafte Stirn, deren Träume noch heute lebendig sind, und deren Namen heute wieder von dankbaren und schwärmerischen Jünglingen verehrt werden.

An einem Korridorfenster, gegen den Neckar hinausgelehnt, stand der junge Student Eduard Mörike und blickte zufrieden in die grüne, mittägliche Gegend hinüber; ein Schwalbenpaar schwang sich jauchzend in launisch spielerischen Bogen durch die sonnige Luft vorbei, und der junge

Das theologische Seminarium zu Tübingen.

Mensch lächelte gedankenlos mit den eigenwillig hübschen, gekräuselten Lippen.

Dem etwa Zwanzigjährigen, den seine Freunde einer unerschöpflich frohsprudelnden Laune wegen liebten, begegnete es nicht selten, daß in frohen, guten Augenblicken ihm plötzlich die ganze Umgebung zu einem verzauberten Bilde erstarrte, in dem er mit staunenden Augen stand und die rätselhafte Schönheit der Welt wie eine Mahnung und beinahe wie einen feinen, heimlichen Schmerz empfand. Wie eine bereitstehende Salzlösung oder ein kaltes, stilles Wintergewässer nur einer leisen Berührung bedarf, um plötzlich in Kristallen zusammenzuschießen und gebannt zu erstarren, so war mit jenem Schwalbenfluge dem jungen Dichtergemüt plötzlich der Neckar, die grüne Zeile der stillen Baumwipfel und die schwachdunstige Berglandschaft dahinter zu einem verklärten und geläuterten Bild erstarrt, das mit der erhobenen, feierlich-milden Stimme einer höheren, dichterischen Wirklichkeit zu seinen zarten Sinnen sprach. Schöner und herzlicher spielte nun das frohe Licht in den schweren, laubigen Wipfeln, seelischer und bedeutsamer floß die Kette der Berge in die verschleierte Ferne hinüber, geistiger lächelte vom Ufer Gras und Gebüsch herauf, und dunkler, mächtiger redete der strömende Fluß wie aus urwelthaften Götterträumen her, als werbe Baumgrün und Gebirge, Flußrauschen und Wolkenzug dringlich um Erlösung und ewigen Fortbestand in der Seele des Dichters.

Noch verstand der befangene Jüngling die flehenden Stimmen nicht ganz, noch ruhte der innere Beruf, ein verklärender Spiegel für die Schönheit der Welt zu sein, erst halb bewußt in den Ahnungen dieser schönen, heiter-nachdenklichen Stirn, und noch war das Wissen um eine vereinsamende Auszeichnung nicht mit seinen Schmerzen in des Dichters Seele gedrungen. Wohl floh er oft aus solchen geisterhaft gebannten Stunden plötzlich mit ausbrechendem Weh und Trostbedürfnis wie ein erschrecktes Kind zu seinen Freunden, verlangte in nervöser Einsamkeit heftig nach Musik und Gespräch und innigster Geselligkeit, doch war noch die unter hundert Launen verborgene Schwermut und das in allen Freuden weiterdürstende Ungenügen seinem Bewußtsein fremd geblieben. Und noch lächelte Mund und Auge in ungebrochener Lebensfrische, und von jenen geheimen Zügen der Gebundenheit und Lebensscheu, die wir im Bilde des geliebten Dichters kennen, war noch keiner in das reine Gesicht gekommen, es sei denn als ein flüchtig vorübergleitender Schatten.

Indem er stand und schaute und mit zarten, witternden Sinnen den jungen Sommertag einsog, für Augenblicke ganz allein und abgerückt und außerhalb der Zeit, kam ein Student in lärmender Wildheit die Treppe herabgerannt. Er sah den Versunkenen stehen, kam mit stürmischen Sätzen einhergesprungen und schlug dem Träumer heftig beide Hände auf die schmalen Schultern.

Erschrocken und aus tiefen Träumen gerüttelt, wendete Mörike sich um, Abwehr und einen Schatten von Beleidigung im Gesicht, die großen, milden Augen noch vom Glanz der kurzen Entrückung überflogen. Doch alsbald lächelte er wieder, griff eine der um seinen Hals gelegten Hände und hielt sie fest.

„Waiblinger! Ich hätte mir's denken können. Was machst du? Wo rennst du wieder hin?"

Wilhelm Waiblinger blitzte ihn aus hellblauen Augen an, und sein voller, aufgeworfener Mund verzog sich schmollend wie ein verwöhnter und etwas blasierter Weibermund.

„Wohin?“ rief er in seiner heftigen und rastlosen Art. „Wohin soll ich denn fliehen, von euch prädestinierten Pfaffenbäuchen weg, wenn nicht zu meinem chinesischen Refugium draußen im Weinberg, oder vielleicht lieber gleich in irgendeine Kneipe, um meine Seele mit Bier und Wein zu über-

Der junge Mörike

schwemmen, bis nur die höchsten Gebirge noch aus dem Dreck und Schlamm hinausragen? O Meerigel, du wärst ja noch der einzige, mit dem ich gehen könnte, aber weißt du, am Ende bist vielleicht auch du bloß so ein Heimtücker und fauler Philister. Nein, ich habe niemand mehr hier in dieser Hölle, ich habe keinen Freund, es wird nächstens gar keiner mehr mit mir gehen wollen! Bin ich nicht ein Hanswurst, ein räudiger Egoist und wüster Saufbold? Bin ich nicht ein Verräter, der die Seelen seiner Freunde verkauft, jede arme Seele für einen Dukaten an den Verleger Franckh in Stuttgart?"

Mörike lächelte und sah dem Freunde in das erregte, wilde Gesicht, das ihm so vertraut und so merkwürdig war mit seiner Mischung von brutaler Offenheit und pathetischer Schauspielerei. Die langen, wehenden Locken, mit denen Waiblinger in Tübingen aufgetreten war und die ihm so viel Ruhm und Spott eingebracht hatten, waren seit einiger Zeit gefallen. Er hatte sie sich in einer gerührten Stunde von der Frau eines Bekannten mit der Schere abschneiden lassen.

„Ja, Waiblinger", sagte Mörike langsam, „du machst es einem eigentlich nicht leicht. Deine Lokken hast du damals geopfert, aber daß du dir vorgenommen hast, vor Mittag kein Bier mehr zu trinken, das hast du, scheint's, wieder vergessen."

Mit einer übertriebenen Gebärde der Verachtung sah der andere ihn an und warf den Athletenkopf zurück.

„Ach du! Jetzt fängst auch du noch das Predigen an! Das ist gerade, was mir noch gefehlt hat. Es ist ein Elend. Ich aber sage dir, du Gesalbter des Herrn, du wirst eines Tages in einer stinkigen Landpfarre sitzen und wirst sieben Jahre um die saure Tochter deines Brotherrn dienen und einen Bauch dabei bekommen, und wirst das Gedächtnis deiner besseren Tage verkaufen um ein Linsengericht, und wirst deinen Jugendfreund verleugnen um einer Gehaltsaufbesserung willen. Denn siehe, es wird eine Schande und Todsünde sein, für den Freund des Waiblinger zu gelten, und sein Name soll ausgetilgt werden im Gedächtnis der Guten und Frommen. Meerigel, du bist ein Heimlichtuer, und es ist mein Fluch, daß ich dein Freund sein muß, denn auch du hältst mich für einen Verworfenen, und wenn ich in der Verzweiflung meiner Seele zu dir komme und mich an dein Herz werfe, dann wirfst du mir vor, daß ich Bier getrunken habe! Nein, ich habe nur noch einen Freund, einen einzigen, und zu dem will ich gehen. Der ist meinesgleichen, und das Hemd hängt ihm aus den Hosen, und er ist seit zwanzig Jahren so verrückt, wie ich es bald auch sein werde."

Er hielt inne, nestelte heftig an seinem lang herabhängenden Halstuch, das er unter die Weste stopfte, und fuhr plötzlich viel sanfter und beinahe bittend fort: „Du, ich will zum Hölderlin gehen. Gelt, du kommst mit?"

Mörike zeigte mit der Hand durchs offene Fenster, mit einer unbestimmten, weiten Gebärde. „Da guck einmal hinaus! Das ist so schön, wie das alles im Frieden liegt und in der Sonne atmet. So hat es

der Hölderlin auch einmal gesehen, wie er seine Ode vom Neckartal gedichtet hat. Ja, ich komme mit, natürlich."

Er ging voran, Waiblinger aber blieb einen Augenblick stehen und blickte hinaus, als habe wirklich erst Mörike ihm die Schönheit des vertrauten Bildes gezeigt. Dann legte er im Nacheilen dem Freunde die Hand auf den Arm und nickte mehrmals nachdenklich, und sein unstetes Gesicht war still und gespannt geworden.

„Bist du mir bös?" fragte er kurz.

Mörike lachte nur und ging weiter.

„Ja, es ist schön da draußen", fuhr Waiblinger fort, „und da hat der Hölderlin vielleicht seine schönsten Sachen gedichtet, wie er anfing, das Griechenland seiner Seele in der Heimat zu suchen. Du verstehst das auch besser als ich, du kannst so ein Stück Schönheit ganz still aufnehmen und wegtragen und dann einmal wieder ausstrahlen. Das kann ich nicht, noch nicht, ich kann nicht so ruhig und still und so verflucht geduldig sein. Vielleicht einmal später, wenn ich kühl und ausgetobt und alt geworden bin."

Sie traten auf den Stiftshof hinaus und überschritten die Schattengrenze. Waiblinger nahm den Hut vom Kopf und atmete begierig die warme Sonnenluft. An alten, stillen Häusern vorbei, deren grüne Holzläden auf der Mittagsseite gegen die Hitze geschlossen waren, gingen sie die Gasse hinab bis zum Hause des Schreinermeisters Zimmer, wo eine saubergeschichtete Ladung von frischen tannenen Brettern in der blanken Wärme glänzte und duftete. Die Haustür stand offen, und alles war still, der Meister hielt noch Mittagspause.

Als die Jünglinge ins Haus traten und sich zur Treppe wandten, die zu des wahnsinnigen Dichters Erkerzimmer hinaufführte, öffnete sich in dem dunklen Hausflur eine Türe, aus einem durchsonnten Wohnraum her drang weiches Licht in Strahlenbündeln heraus, und darin erschien ein junges Mädchen, die Tochter des Schreiners.

„Grüß Gott, Jungfer Lotte!“ sagte Mörike freundlich.

Sie schaute einen Augenblick lichtblind in den schattigen Raum, dann kam sie näher. „Grüß Gott, ihr Herren! Ach, Sie sind's? Grüß Gott, Herr Waiblinger! Ja, er ist droben.“

„Wir wollen ihn mit spazieren nehmen, wenn wir dürfen?“ sagte Waiblinger mit einer einschmeichelnden Stimme, die er gegen alle jungen und hübschen Mädchen im Gebrauch hatte.

„Das ist recht, bei dem schönen Wetter. Gehen die Herren wieder ins Presselsche Gartenhaus?“

„Jawohl, Jungfer Lotte. Kann ihn vielleicht später jemand dort abholen? Ich frage nur. Wenn's nicht gut geht, bringen wir ihn selber wieder her. Man kommt immer gern zu Ihnen ins Haus, Jungfer.“

„Ei was! Nein, ich komme dann schon und hole ihn. Daß er nur nicht zu lange in der heißen Sonne bleibt, es tut ihm nicht gut.“

„Danke, ich will daran denken. Also auf Wiedersehen!“

Sie verschwand, und mit ihr floh die Lichtflut

hinter die Stubentür zurück. Die beiden Studenten stiegen die Treppe hinauf und fanden die Tür zu Hölderlins Zimmer halb offenstehen. Mit der leichten Scheu und Befangenheit, die er trotz wiederholter Besuche jedesmal vor dieser Schwelle empfand, näherte Mörike sich langsam. Waiblinger ging rascher voraus und pochte an den Türpfosten, und da keine Antwort herauskam, schloß er die leise in den Angeln reibende Türe behutsam weiter auf, und beide traten ein.

Sie sahen in dem sehr einfachen, aber hübschen und lichten Raume, dessen Fenster auf den Neckar gingen, die hohe Gestalt des Unglücklichen in ein Fenster gelehnt, auf den unmittelbar unter dem Erker dahinströmenden Fluß blickend. Hölderlin stand ohne Rock in Hemdärmeln, den schlanken Hals bloß, das Haupt leicht gegen den Fluß hinabgebeugt. Nahe beim Fenster stand sein Schreibtisch; Gänsefedern staken in einem Behältnis, eine lag quer über mehrere beschriebene Papiere hinweggelegt. Ein schwacher Luftzug lief vom Fenster her und raschelte in den Blättern.

Bei dem Geräusch wendete der Dichter sich um, er nahm die Eingetretenen wahr und blickte ihnen aus seinen schönen, reinen Augen entgegen, indem sein Blick zuerst auf Mörike fiel, den er nicht zu erkennen schien.

Verlegen machte dieser einen kleinen Bückling und sagte schüchtern: „Guten Tag, Herr Bibliothekar! Wie geht es Ihnen?“

Der Dichter schlug den Blick zu Boden, ließ die noch auf dem Fenstersims ruhende Hand sinken und verneigte sich sehr tief, indem er unverständliche demütige Worte murmelte. Wieder und wieder verneigte er sich in schauerlich mechanischer Ergebenheit, bückte sein schönes, schwach ergrautes Haupt tief hinab und legte die Hände über der Brust zusammen.

Waiblinger trat vor, legte ihm die Hand auf den Arm und sagte: „Lassen Sie's gut sein, verehrter Herr Bibliothekar!"

Nochmals bückte Hölderlin sich tief und murmelte halblaut: „Ja, Königliche Majestät. Wie Eure Majestät befehlen."

Und indem er Waiblinger in die Augen sah, erkannte er ihn, der sein Freund und häufiger Besucher war; er hörte auf, seine Verbeugungen zu machen, ließ sich die Hand schütteln und wurde ruhig.

„Wir wollen spazierengehen!" rief der Student ihm zu, der diesem Kranken gegenüber etwas von seinem reizbar ungleichen Wesen verlor und im Umgang mit dem verehrten Schatten eine ihm sonst kaum eigene Güte und sanfte Überlegenheit zeigte, wie er denn überhaupt zu keinem Menschen in einem so gleichmäßigen und liebenden Verhältnis lebte wie zu dem geisteskranken Dichter, der mehr als dreißig Jahre älter war und den er bald sanft und schonend wie ein gutes Kind, bald ernst und verehrend wie einen edlen Freund anzufassen wußte.

Mit Verwunderung und verlegener Rührung sah nun der Studiosus Mörike zu, wie sein ungestümer und hochfahrender Freund sich mit seltsam zarter

Teilnahme und mit einer gewissen Übung und Geschicklichkeit des kranken Menschen annahm.

Waiblinger schien sich in Hölderlins Zimmer genau auszukennen. Von einem Nagel hinter der Tür brachte er des Wahnsinnigen Gehrock, aus einer Schublade sein wollenes Halstuch hervor und half dem folgsamen Kranken in seine Kleider wie eine Mutter dem Kinde. Er wischte mit seinem Taschentuch den Staub von Hölderlins Knien, er suchte dessen großen schwarzen Hut hervor und bürstete ihn sorglich rein, und dazwischen redete er ihm zu und ermunterte ihn beständig: „So, so, Herr Bibliothekar, jetzt haben wir's gleich, jawohl. So, so ist's recht, so ist's gut. Dann gehen wir an die Luft hinaus und zu den Bäumen und Blumen, es ist schön Wetter heut. So, jetzt noch den Hut auf, s'il vous plaît." Worauf der alte Dichter nichts erwiderte als etwa einmal in höflich zerstreutem Tone die Worte: „Euer Gnaden befehlen es. Je vous remercie mille fois, Herr von Waiblinger." Er ließ sich betreuen und hielt willig stand, und sein ehrwürdiges Gesicht mit den nur teilweise zerstörten adlig schönen Zügen schien bald voll zerstreuter Gleichgültigkeit, bald in einer heimlich belustigten hohen Überlegenheit zuzuschauen.

Mörike war unterdessen an den Schreibtisch getreten und las, ohne das Blatt jedoch in die Hände zu nehmen, stehend in einem der offenliegenden Manuskripte. In metrisch tadellosen, wohlgebauten Versen stand da ein Stück von des zerstörten Dichtergeistes Schattenleben aufgezeichnet: flüchtige, oft von Unsinn unterbrochene Gedanken und sanfte Klagen, dazwischen Bilder voll reiner Anschaulichkeit, in einer empfindlichen, feingepflegten Sprache voll Musik, aber immer wieder gestört und vernichtet durch plötzlich hineingeflossene Worte und Sätze eines harmlos ledernen Kanzleistils.

„So, jetzt können wir ja gehen", rief Waiblinger, als sie fertig waren, und Hölderlin folgte ihm willig, nicht ohne noch im Gehen zu wiederholen: „Der Herr Baron befehlen. Euer Gnaden untertänig zu Diensten."

Hager und groß schritt Friedrich Hölderlin hinter Waiblinger her die Treppen hinab, über den umzäunten Hof und durch die Gasse, den großen Hut bis dicht über die Augen herabgezogen, leise vor sich hin murmelnd und scheinbar ohne einen Blick für die Welt. Bei der Neckarbrücke aber, wo zwei kleine barfüßige Büblein kauerten und mit einer toten Eidechse spielten, blieb die schlanke, würdevolle Gestalt einen Augenblick stehen, um vor den beiden Kindern tief den Hut zu ziehen. Mörike ging neben ihm, und da und dort blickte man aus Fenstern und Haustüren dem grotesken kleinen Zuge nach, jedoch ohne viel Erregung und Neugierde, denn jedermann kannte den verrückten Dichter und wußte von seinem Schicksal.

Sie stiegen an hübschen buschigen Gartenhängen und Weinbergmäuerchen vorbei den sonnigen Österberg hinan. Voraus ging stattlich die kraftvolle Gestalt Waiblingers, welcher längst aus Erfahrung wußte, daß Hölderlin niemals vorangehe und einer Führung bedürfe. Dieser schritt langsam und ernsthaft, den Blick meist am Boden, und neben ihm ging der zarte Mörike her, gleich seinem Kameraden schwarz gekleidet. In den Ritzen der Rebbergmauern blühte da und dort blauroter Storchschnabel und weiße Schafgarbe, davon riß Hölderlin zuweilen einige Stengel ab und nahm sie mit sich. Die Hitze schien ihn nicht anzufechten, und als sie oben haltmachten, blickte er befriedigt um sich.

Hier stand das chinesische Gartenhäuschen des Oberhelfers Pressel, das im Sommer stets an Studenten abgetreten wurde und jetzt schon seit längerer Zeit, solange es die Witterung erlaubte, tagsüber von Waiblinger bewohnt wurde. Dieser zog einen großen geschmiedeten Schlüssel aus der Tasche, stieg die paar Steinstufen zum Eingang empor, schloß die Türe auf und wandte sich mit einer feierlich einladenden Gebärde an den Gast: „Treten Sie ein, Herr Bibliothekar, und seien Sie willkommen!"

Der Dichter nahm seinen Hut ab, stieg hinan

und trat in das kleine putzige Häuschen, das er längst kannte und liebte. Kaum war auch Waiblinger hereingekommen, so wandte sich Hölderlin an diesen mit einer tiefen, respektvollen Verbeugung und sprach mit mehr Lebhaftigkeit als sonst: „Euer Gnaden haben befohlen. Ich empfehle mich Ihnen, Herr Baron. Eure Herrlichkeit wird mich in Dero Schutz nehmen. Votre très humble serviteur."

Darauf trat er vor den Schreibtisch und starrte mit angelegentlichem Interesse nach der Wand empor, wo Waiblinger in großen griechischen Schriftzeichen den geheimnisvollen Spruch „Ein und All" angebracht hatte. Vor diesen Zeichen verweilte er minutenlang in gespannter Nachdenklichkeit. Mörike, in der leisen Hoffnung, ihn jetzt einem Gespräch zugänglich zu finden, näherte sich ihm und fragte behutsam: „Sie scheinen diesen Spruch zu kennen, Herr Bibliothekar?"

Dieser wich aber alsbald zurück und verschanzte sich in sein undurchdringliches Hofzeremoniell. „Majestät", sagte er mit großer Feierlichkeit, „dieses kann und darf ich nicht beantworten."

Er trug den unordentlich zusammengerafften Blumenstrauß noch in der Hand, den er nun langsam mit den Fingern zerpflückte und in die Taschen seines Rockes stopfte. Währenddessen war er an das breite, niedere Fenster getreten, das über den lichten Weinberg und die tiefer liegenden Gärten hinweg eine weite stille Aussicht auf das Flußtal und auf die hohen Berge der Alb darbot. In den Anblick der hellen, friedvollen Sommerlandschaft versunken, blieb er stehen, tief die reine, von Sonnenschein und Rebenblüte erfüllte Luft atmend, und an seinen entspannten und beglückten Mienen war zu merken, daß diesem schönen Bilde seine Seele noch in der alten Zartheit und heiligen Empfänglichkeit offenstehe und Antwort gebe.

Waiblinger nahm ihm den Hut aus der Hand und sprach ihm zu, sich aufs Gesims des Fensters zu setzen, was er sogleich tat. Darauf erhielt erst Hölderlin, dann Mörike vom Hausherrn eine wohlzubereitete Tabakspfeife überreicht, und nun saß der kranke Dichter vergnügt und zufrieden rauchend, schwieg und blickte ruhig in das sommerliche Tal hinaus. Sein rastloses Murmeln war verstummt, und vielleicht hatte sein ermüdeter Geist zu den hohen Sternbildern seiner Erinnerung zurückgefunden, unter welchen er einst die kurze herrliche Blüte seines Lebens gefeiert und deren Namen seit zwei Jahrzehnten niemand mehr ihn hatte nennen hören.

Schweigend hatten die Freunde eine Weile den Rauch aus ihren Pfeifen gesogen und dem stillen Manne am Fenster zugeschaut. Dann erhob sich Waiblinger, nahm ein Schreibheft zu Händen, das auf dem Tische lag, und begann mit feierlicher Stimme zu reden: „Verehrter Gast, es ist Ihnen wohl bekannt, daß wir drei ein Kollegium von Dichtern vorstellen, wenn auch keiner von uns jungen Anfängern sich mit dem Dichter des unsterblichen Hyperion vergleichen darf. Was könnte nun natürlicher und schöner sein, als daß ein jeder von uns etwas von seinen Gedichten oder Gedanken vortrage? In diesem Hefte hier habe ich allerlei aus

Ihren neueren Schriften gesammelt, Herr Bibliothekar, und ich bitte Sie herzlich, lesen Sie uns etwas daraus vor!“

Er gab Hölderlin das Schreibheft in die Hand, das dieser sogleich wiederzuerkennen schien. Er stand auf, begann in dem kleinen Raum hin und wider zu schreiten, und plötzlich hob er mit lauter Stimme und mit einer gewissen ergreifenden Leidenschaftlichkeit an, folgendes vorzulesen: „Wenn einer in den Spiegel siehet, ein Mann, und siehet darin sein Bild wie abgemalt: es gleicht dem Manne. Augen hat des Menschen Bild, hingegen Licht der Mond. Der König Ödipus hat ein Auge zuviel vielleicht. Die Leiden dieses Mannes, sie scheinen unbeschreiblich, unaussprechlich, unausdrücklich. Wenn das Schauspiel ein solches darstellt, kommt's daher. Wie ist mir's aber, gedenk' ich deiner jetzt? Wie Bäche reißt das Ende von etwas mich dahin, welches sich wie Asien ausdehnet. Natürlich, dieses Leiden, das hat Ödipus. Natürlich ist's darum. Hat auch Herkules gelitten? Wohl. Die Dioskuren in ihrer Freundschaft, haben sie Leiden nicht auch getragen? Nämlich, wie Herkules mit Gott streiten, das ist Leiden. Doch das ist auch ein Leiden, wenn mit Sommerflecken ist bedeckt ein Mensch, mit manchen Flecken ganz überdeckt zu sein! Das tut die schöne Sonne. Die Jünglinge führt sie die Bahn mit Reizen ihrer Strahlen wie mit Rosen. Die Leiden scheinen so, die Ödipus getragen, als wie ein armer Mann klagt, daß ihm etwas fehle. Sohn Laios', armer Fremdling in Griechenland! Leben ist Tod, und Tod ist auch ein Leben . . .“

Während des Lesens hatte sein Pathos sich noch immer gesteigert, und die Studenten waren den seltsamen, zuweilen tief und schrecklich bedeutsam lautenden Worten nicht ohne Bangigkeit und geheimen Schauder gefolgt.

„Wir danken Ihnen!“ sagte Mörike. „Wann haben Sie das geschrieben?“

Allein der Kranke liebte es nicht, gefragt zu werden, er ging nicht darauf ein. Statt dessen hielt er dem Jüngling das Schreibheft vor die Augen. „Sehen Sie, Hoheit, hier steht ein Semikolon. Euer Hoheit Wunsch ist mir Befehl. Non, votre Altesse, die Gedichte bedürfen des Kommas und des Punktes. Euer Gnaden befehlen, daß ich mich zurückziehe.“ Damit setzte er sich wieder ins Fenster, begann an der erloschenen Pfeife zu saugen und richtete seinen Blick auf den fernen Roßberg, über dem eine lange, schmale Wolke mit goldenen Rändern stand.

„Du hast doch auch etwas zum Vorlesen?“ fragte Waiblinger seinen Freund.

Mörike schüttelte den Kopf und fuhr mit den Fingern durch sein blondes, frauenhaft zartes Haar. In seinem kleinen Stehpult verborgen, bewahrte er daheim in seiner Stiftsstube seit kurzem zwei neue Gedichte auf, welche „An Peregrina“ überschrieben waren und von denen keiner seiner Freunde wußte. Wohl wußten einige von ihnen um die sonderbare romantische Liebe, deren schönes Zeugnis jene Lieder waren; vor Waiblinger aber hatte er nie davon gesprochen.

„Du bist doch ein Querkopf!“ rief Waiblinger

enttäuscht. „Warum hältst du dich eigentlich vor mir so verborgen? Von deinen Gedichten höre ich nichts mehr, und hier oben hat man den Herrn auch seit Wochen nimmer gesehen! Der Louis Bauer macht es gerade so. Ihr seid verfluchte Feiglinge, ihr Tugendhelden!"

Mörike wiegte unruhig seinen Kopf hin und wider. „Wir wollen uns lieber vor dem da nicht zanken", sagte er leise mit einer Gebärde gegen das Fenster. „Was indessen den Tugendhelden betrifft, da hast du dich getäuscht. Mein Werter, ich habe letzte Woche wieder einmal acht Stunden im Karzer gesessen. Das sollte mich bei dir rehabilitieren. Und nächstens kann ich dir auch wieder etwas vorlesen."

Waiblinger hatte seinen Hemdkragen weit aufgeknöpft und den Rock ausgezogen, seine mächtige, dunkelbehaarte Brust schaute durch den Hemdspalt. „Du bist ein Diplomat!" rief er feindselig, und alles, woran er seit Wochen litt und womit er nicht fertig wurde, stieg wieder mit neu ausbrechender Heftigkeit in ihm auf. „Man weiß nie, wie man bei dir steht. Aber ich will es jetzt wissen, du. Warum weichet ihr mir alle aus? Warum kommt keiner mehr zu mir in den Weinberg da heraus? Warum läuft mir der Gfrörer davon, wenn ich ihn anreden will? Ach, ich weiß ja alles! Angst habt ihr, elende lumpige Stiftlerangst! Ihr seid genau wie die Ratten, die ein Schiff vor dem Untergang verlassen! Denn daß ich nächstens einmal aus dem Stift hinausgeworfen werde, das wißt ihr ja besser als ich selber. Ich bin gezeichnet wie ein Baum, der gefällt werden soll, und ihr zieht euch zurück und seht zu, die Hände in den Taschen, wie lang ich's wohl noch treibe. Und wenn sie mich dann absägen, dann seid ihr die Schlauen und könnet sagen: Haben wir's nicht schon lang gesagt? Wenn der Bürgersmann einen rechten Spaß haben soll, dann muß einer gehenkt werden, und der bin diesmal ich. Und du, du stehst auch bei denen drüben, und von dir ist es nicht recht, du bist doch bei Gott mehr wert als die ganze Rotte. Du und ich, wir könnten miteinander das ganze Pack in die Luft sprengen. Aber nein, du hast deinen Bauer und deinen Hartlaub, die laufen dir nach und bilden sich ein, sie wären auch so eine Art von Genies, wenn sie sich an deinem Feuer wärmen. Und ich kann allein herumlaufen und an mir selber ersticken, bis ich kaputt gehe! Es ist nur gut, daß ich den Hölderlin habe. Ich glaube, dem haben sie auch seinerzeit im Tübinger Stift das Rückgrat gebrochen."

„Ja, da muß ich beinahe lachen", fing Mörike besänftigend an. „Du schimpfst, ich käme nimmer zu dir ins Gartenhaus. Aber wo sitzen wir denn gerade jetzt? Und ich bin auch ein paarmal schon den Österberg heraufgestiegen, aber der Waiblinger war nicht da, der Waiblinger hatte in der Beckei und beim Lammwirt und in andern Kneipen zu tun. Vielleicht hat er auch hier drinnen gesessen und hat bloß nicht auftun mögen, wie ich geklopft habe, so wie er's einmal dem Ludwig Uhland auch gemacht hat." Er streckte dem Kameraden die Hand hinüber. „Sieh, Wilhelm, du weißt, daß ich nicht immer mit dir einverstanden sein kann – du bist es ja selber nicht. Aber wenn du meinst, ich habe dich nimmer gern, oder wenn du gar behauptest, mir sei mein Plätzlein im Stift zu lieb und ich habe Angst, für deinen Freund zu gelten, dann muß ich einfach lachen. Lieber soll man mich acht Tage in den Karzer stecken, als daß ich an einem Freunde den Judas mache. Weißt du's jetzt?"

Waiblinger drückte die hingebotene Hand so heftig, daß sein Freund schmerzlich den Mund verzog. Stürmisch fiel er ihm um den Hals, der sich seiner kaum erwehren konnte, und plötzlich hatte er die Augen voll Tränen stehen, und seine umschlagende Stimme klang hoch und knabenhaft. „Ich weiß ja", rief er schluchzend, „ach, ich weiß, ich bin deiner gar nicht wert. Das dumme Saufen hat mich heruntergebracht. Du weißt ja nicht, wie elend ich bin, du kennst das alles nicht, was ich durchmache und was mich noch tötet, du kennst das Weib nicht, diese wunderbare, rätselhafte Frau, an der ich mich verblute."

„Ich kenne sie schon!" meinte Eduard trocken, und er dachte, mit einer kleinen Erbitterung gegen den Freund, an seine eigenen Schmerzen um Peregrina.

„Du kennst sie nicht, sag ich, wenn du sie auch schon gesehen hast und ihren Namen weißt. Du, ist sie nicht wahnsinnig schön? Kann sie denn etwas dafür, daß sie eine Jüdin ist, und könnte sie so rasend schön sein, wenn sie's nicht wäre? Ich verbrenne an ihr, ich kann nicht lesen mehr, nicht schlafen, nicht dichten; erst seit ich ihren Busen geküßt und an ihrem Hals geweint habe, weiß ich, was Schicksal ist."

„Schicksal ist immer Liebe“, sagte Mörike leise und dachte mehr an Peregrina als an den Freund, dessen stürmende Selbstentblößung ihm quälend war.

„Ach, du“, rief jener schmerzlich und sank in seinen Sitz zurück, „du bist ein Heiliger! Du stehst überall nur wie ein Wächter dabei und hast überall nur teil am Schönen und Zarten und nicht am Giftigen und Häßlichen. Du bist so ein stiller guter Stern, aber ich, ich bin eine wilde nutzlose Fackel und verbrenne in der Nacht. Und ich will es auch so, ich will verflackern und verbrennen, es ist gut so und ist nicht schade um mich. Wenn ich nur vorher noch einmal etwas Gutes und Großes schaffen könnte, nur ein einziges edles, reifes Werk. Es ist ja alles nichts, was ich gemacht habe, alles schwach und eitel und in mir selbst befangen! Der hat es gekonnt, der dort drüben im Fenster! Der hat seinen Hyperion hingestellt, ein Sternbild und ein Denkmal seiner großen Seele! Und du kannst es auch, du wirst in aller Stille große und gute Werke schaffen, du Unheimlicher, dem ich nie ganz ins Herz sehen kann! Oh, ich kenne sie alle durch und durch, die Freunde, den Pfizer in Stuttgart und den Bauer und alle miteinander, ich habe sie durchschaut und ausgeleert und verbraucht – wie Nüsse, wie Nüsse! Nur du hast immer standgehalten, nur du hast dein Geheimnis in dir bewahrt. Dich kenn ich noch immer nicht, dich kann ich nicht aufknacken und verbrauchen! Mit mir geht es schon abwärts, und du stehst noch im Anfang. Mir wird es gehen wie unserm Hölderlin, und die Kinder werden mich auslachen. Aber ich habe keinen Hyperion gedichtet!"

Mörike war sehr ernst geworden. „Du hast den Phaeton gedichtet", sagte er zart.

„Den Phaeton! Da wollte ich griechisch sein, und wie verlogen, wie widerlich ist das Zeug geworden! Sprich mir nimmer vom Phaeton! Dir kann ich's nicht glauben, wenn du ihn noch lobst, du stehst so hoch über dieser Spottgeburt! Nein, er ist nichts wert, und ich bin ein Stümper, ein jammervoller Stümper! Es geht mir immer so, ich fange eine Dichtung in heller Freude an, und es blüht und sprudelt in mir und läßt mich Tag und Nacht nicht los, bis ich den Strich unters letzte Kapitel gemacht habe. Dann meine ich wunder, was ich geleistet hätte, und nach einer Weile, wenn ich's wieder ansehe, ist alles fad und grau oder alles grell und falsch und übertrieben. Ich weiß, bei dir ist das ganz anders, du machst wenig und brauchst Zeit dazu, aber dann ist es auch gut und kann sich sehen lassen. Bei mir wird aus jedem Einfall immer gleich ein Buch, und ich muß sagen, es gibt nichts Herrlicheres, als so sich hinzustürmen und auszugießen, im Rausch und Feuer des Schaffens. Aber nachher, nachher! Da steht der Satan da und grinst und zeigt den Pferdefuß, und die Begeisterung war Schwindel, und der edle Rausch war Einbildung! Es ist ein Fluch!"

„Du mußt nicht so reden", fing Mörike gütig an, die Stimme voll von Trost. „Wir sind ja noch fast Kinder, du und ich, wir dürfen noch jeden Tag das wegwerfen, was wir gestern gemacht und schön gefunden haben. Wir müssen noch probieren und lernen und warten. Der Goethe hat auch Sachen geschrieben, von denen er nichts mehr wissen will."

„Natürlich, der Goethe!" rief Waiblinger gereizt. „Das ist auch so ein Ritter von der Geduld, vom

Hölderlin im Jahre 1823

Abwarten und Zusammensparen! Ich mag ihn nicht!"

Plötzlich hielt er inne, und beide Jünglinge schauten verwundert auf. Hölderlin hatte seinen Fensterplatz verlassen, durch die laute, heftige Unterhaltung beunruhigt, nun stand er und schaute

Mörike an; sein Gesicht zuckte unruhig, und seine hagere, lange Figur sah bedürftig und leidend aus.

Da beide betroffen schwiegen, neigte sich Hölderlin über Mörikes Stuhl, berührte ihn vorsichtig an der Schulter und sagte mit sonderbar hohler Stimme: „Nein, Euer Gnaden, der Herr von Goethe in Weimar, der Herr von Goethe – ich kann und darf mich darüber nicht äußern."

Das gespenstische Dazwischentreten des Wahnsinnigen und sein scheinbares Eingehen auf ihr Gespräch, was bei ihm äußerst selten war, hatte die Freunde unheimlich berührt und beinahe erschreckt.

Jetzt fing Hölderlin wieder an, durch die kleine Stube zu wandern, traurig und geängstigt hin und her zu wandern wie ein gefangener großer Vogel, und unverständliche Worte vor sich hinzusagen.

„Wir hatten ihn ganz vergessen!" rief Waiblinger voll Reue und war wie verwandelt. Wieder nahm er sich des Dichters wie ein sanfter Pfleger an, führte ihn ans Fenster zurück, lobte die Aussicht und die herrliche Luft, brachte die am Boden liegende Pfeife wieder in Ordnung, tröstete und begütigte mütterlich. Und wieder gewann Mörike den anspruchsvollen und unbequemen Freund, da er ihn so herzlich und gütevoll bemüht sah, von neuem seltsam lieb und machte sich stille Vorwürfe, ihn seit langem wirklich vernachlässigt zu haben. Er kannte Waiblingers phantastische Übertreibungssucht und das unheimlich rasche Auf und Nieder seiner Stimmungen, aber was Mörike von jener gefährlichen Jüdin durch Hörensagen wußte, war freilich bedenklich, und des Freundes voriger Ausbruch hatte ihn ernstlich geängstigt. Der zarte und empfindliche Mörike hatte in Waiblinger stets ein Urbild unverwüstlichen Jugendübermuts und üppig schwellender Kraft gesehen; nun aber machte der von Trunk und seelischer Selbstzerstörung beschä-

Waiblinger als Stiftler

digte und entstellte Mensch auch ihm einen beklemmenden Eindruck, als gehe er verzweifelnd auf einem abschüssigen Pfade tiefer und tiefer einem unholden Schicksal entgegen. Auch die seltsame Vertrautheit, ja Freundschaft des Freundes mit dem Geisteskranken erschien ihm heute in einer unheimlichen Bedeutsamkeit.

Friedlich saß indessen der Freund neben seinem armen Gast im Fenster, der strotzend junge neben dem ergrauten und erloschenen Manne; die tiefer gerückte Sonne strahlte wärmer und farbiger am Gebirge wider, im Tal fuhr ein langes Floß aus Tannenstämmen den Fluß abwärts. Studenten saßen darauf, schwangen blitzende Trinkkelche im Sonnenlicht und sangen ein kräftig frohes Lied, daß es bis in diese stille Höhe heraufschallte.

Mörike trat zu den beiden und blickte mit hinaus. Schön und milde lag die geliebte Gegend zu seinen Füßen, mit blanken Lichtern blitzte der Neckar herauf, und mit der satten lauen Luft wehte Gesang und ungebärdige Jugendlust wie mit warmem Lebensatem herauf. Warum saßen sie hier so arm und beraubt, diese Dichter des Überschwanges, der alte und der junge, und warum stand er selber, von schwankenden Freundschaften und von einer beschämend hoffnungslosen Liebe erschüttert, so unbefriedigt und traurig daneben? War das nur seine Empfindlichkeit und Schwäche, daß er trüben Stimmungen so oft unterlag, oder war es wirklich das Schicksal der Dichter, daß ihnen keine Sonne scheinen konnte, deren Schatten sie nicht in der eigenen Seele sammeln mußten?

Mitleidig dachte er dem Leben Hölderlins nach, der einst nicht nur ein Dichter, sondern auch ein begabter Philologe und hochgesinnter Erzieher gewesen war, mit Schiller in Verkehr gestanden und als Hofmeister im Hause der Frau von Kalb gelebt hatte. Hölderlin war, gerade wie Mörike auch, ein Zögling des theologischen Stifts gewesen und hätte

Pfarrer werden sollen, und dagegen hatte er sich gesträubt, wie auch Mörike sich dagegen zu sträuben gedachte. Seinen Willen nun hatte jener durchgesetzt, aber er hatte die besten Kräfte dabei verbraucht! Und wie hatte die Welt den untreu gewordenen Stiftler, den zartherzigen, schüchternen Dichter empfangen! Nichts war ihm geworden als Armut, Demütigung, Hunger, Heimatlosigkeit, bis er aufgerieben war und der jahrzehntelangen Krankheit verfiel, welche weniger ein Wahnsinn zu sein schien, als eine tiefe Ermüdung und hoffnungslose Resignation des verbrauchten Geistes und Herzens. Da saß er nun mit der göttlichen Stirn und den noch immer ergreifend rein blickenden Augen, das Gespenst seiner selbst, in eine taube, entwicklungslose Kindheit zurückgesunken; und wenn er noch Bogen Papiers vollschrieb, aus denen zuweilen ein wahrhaft schöner Vers wie ein helles Auge aufblickte, so war es doch nichts mehr als das Spiel eines Kindes mit bunten Mosaiksteinen.

Wie Mörike so ergriffen und nachsinnend hinter den beiden stand, wendete Hölderlin sich ihm zu und schaute eine Weile starr und suchend in das feinzügige, überaus zart belebte, etwas weiche Jünglingsgesicht, dessen Stirn und Augen voll von Geist und voll von seelischer Kindheit waren. Vielleicht fühlte der Alte, wie ähnlich dieser Junge ihm selbst sei; vielleicht erinnerte ihn die Reinheit und beseelte Helligkeit dieser Stirn und der tiefe, noch keines zartesten Hauches beraubte Jünglingstraum in diesen herrlichen Augen an seine eigene Jugend; doch ist es zweifelhaft, ob nicht auch diese einfache Gedankenfolge schon zu ermüdend für sein Denken war, vielleicht ruhte sein unergründlicher ernster Blick nur in rein sinnlichem Vergnügen auf dem Gesicht des Studenten.

Während sie alle drei eine Weile schwiegen und jeder den Nachhall der vorigen lebhaften Aussprache in sich fortschwingen fühlte, kam den Weinberg herauf die Jungfer Lotte Zimmer gestiegen.

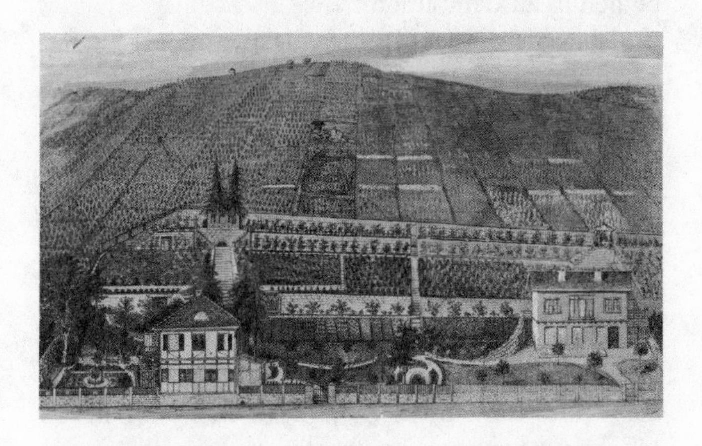

Waiblinger sah sie von weitem und schaute dem Herankommen der kräftigen Mädchengestalt mit stillem Vergnügen zu, und als sie näher kam und ihm, der sie mit lautem Zuruf begrüßte, mit Lächeln zunickte, tat er einen Sprung durchs niedere Fenster und ging ihr die letzten Schritte entgegen.

„Es ist mir eine Ehre", rief er überschwenglich und wies einladend die Steinstufen hinauf, „es ist mir eine Ehre, in dieser Klause auch einmal ein so hübsches Fräulein begrüßen zu dürfen. Kommen

Sie herein, werte Jungfer Lotte, drei Dichter werden zu Ihren Füßen knien."

Das Mädchen lachte, und ihr gesundes Gesicht glühte rot vom raschen Bergansteigen. Sie blieb auf der kleinen Treppe stehen und hörte dem Getöne des Studenten belustigt zu, schüttelte dann aber kurz den blonden Kopf. „Bleiben Sie lieber stehen; Herr Waiblinger, ich bin ans Knien nicht gewöhnt. Und geben Sie mir meinen Dichter heraus, ich habe genug an dem einen."

„Aber Sie werden doch wenigstens einen Augenblick hereinkommen! Es ist ein Tempel, Fräulein, und keine Räuberhöhle. Sind Sie denn gar nicht neugierig?"

„Ich kann's aushalten, Herr Waiblinger. Eigentlich hab ich mir einen Tempel immer anders vorgestellt."

„So? Und wie denn?"

„Ja, das weiß ich nicht. Jedenfalls feierlicher und ohne Tabakrauch, wissen Sie. Nein, geben Sie sich keine Mühe mehr, es ist ja doch nicht Ihr Ernst. Ich komme nicht hinein, ich muß gleich wieder umkehren. Bringen Sie mir nur den Hölderlin heraus, bitte, daß ich ihn heimbringen kann."

Nach einigen weiteren Scherzen und Umständlichkeiten ging er denn hinein und winkte dem Kranken zum Aufbruch, gab ihm seinen Hut in die Hand und führte ihn zur Tür. Hölderlin schien ungern wegzugehen, man sah es seinem Blick und seinen zögernden Bewegungen an, doch sagte er kein Wort der Bitte oder des Bedauerns.

Mit der tadellosen Artigkeit, hinter welcher er

seit so vielen Jahren sich vor aller Welt verschanzte und verborgen hielt, wendete er sich mit Blick und Verneigung erst an Mörike, dann an Waiblinger, schritt folgsam zur Tür und wandte sich dort mit einer letzten Verbeugung um: „Empfehle mich Euer Exzellenz ganz ergebenst. Euer Exzellenz haben befohlen. Ergebenster Diener, Dero Herrschaften."

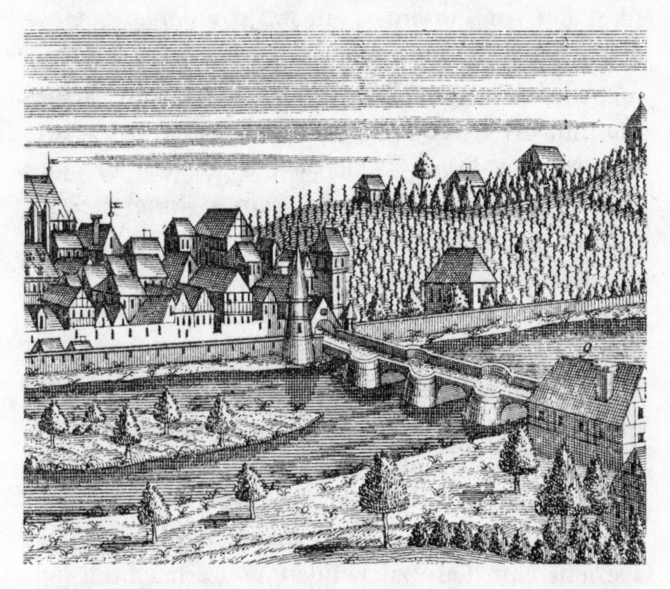

Freundlich nahm ihn draußen Lotte Zimmer bei der Hand und führte ihn hinweg, und die zwei Studenten blieben auf den Stufen stehen und sahen den Hinweggehenden nach, wie sie zwischen den Reben den Berg hinabgingen und rasch kleiner wurden, der lange feierliche Mann an der Hand seiner Pflegerin. Ihr blaues Kleid und sein großer schwarzer Hut waren noch lange zu sehen.

Mörike sah, wie sein Freund mit traurigen Blikken dem entschwindenden Unglücklichen folgte. Ihm lag daran, den empfindlichen und erregten Menschen erheiternd zu zerstreuen; auch wollte er selbst es vermeiden, in der Rührung einer unbewachten Stunde etwa allzuviel von seinem Innern zu enthüllen, denn Waiblinger hatte seit Monaten aufgehört, sein unbedingter Vertrauter zu sein. Mörike, der an einsamen Tagen stundenlang einer grundlosen Wehmut nachhängen konnte, liebte es nicht und hütete sich davor, diese Seite seines komplizierten Wesens andern zu zeigen, am wenigsten diesem Freunde, der selber so gern in einer fast widerlichen Preisgabe seines Innersten zu schwelgen liebte.

Kurz entschlossen, den Bann zu brechen und sich selbst samt dem Kameraden auf die heitere Seite des Lebens hinüberzuretten, schlug er sich klatschend aufs Knie, setzte ein geheimnisvolles Gesicht auf und sagte im Ton schlecht geheuchelter Gleichgültigkeit: „Übrigens, dieser Tage habe ich einen alten Bekannten wiedergetroffen."

Waiblinger sah ihn an und sah sein bewegliches Gesicht vom leise zuckenden Wetterleuchten hervorbrechenden Humors überflogen, die gekräuselten Mundwinkel spielten wie probend in sarkastischen Faltungen, die magern Wangen spannten sich über den starken Backenknochen in spitzbübischer Laune, und die eingekniffenen Augen schienen vor verhaltener Munterkeit zu knistern.

„Ja, wen denn?" fragte Waiblinger in froher Spannung. „Komm, wir wollen hineingehen."

Im Stübchen zog Mörike die Fensterladen halb zu, daß sie in wohlig warmer Dämmerung saßen. Er ging elastisch hin und her, plötzlich blieb er vor Waiblinger stehen, lachte lustig auf und fing an: „Ja, weiß Gott, der Mann nannte sich Vogeldunst, Museumsdirektor Joachim Andreas Vogeldunst aus Samarkand, und er behauptete, auf einer wichtigen, äußerst wichtigen, folgenreichen Geschäftsreise zu sein. Er kam von Stuttgart mit Empfehlungen von Schwab und Matthisson – unmöglich, ihn abzuweisen! – und er wollte noch am selben Abend mit Extrapost nach Zürich weiterreisen, wo er von hochstehenden Gönnern mit Ungeduld erwartet werde. Nur der Ruf dieses entzückenden Musensitzes, sagte er, und der spezielle Ruhm und Glanz des theologischen Stifts, dieser ehrwürdigen Pflanzstätte der exzellentesten Geister, habe ihn veranlassen können, seine eilige Reise für wenige Stunden zu unterbrechen, und er bereue es nicht, nein, wahrlich, er hoffe es nie zu bereuen, obwohl seine Freunde in Zürich, Mailand und Paris ihm keine Stunde des Zuspätkommens verzeihen würden. In der Tat, Tübingen sei ganz charmant, und vornehmlich so gegen Abend in den Alleen am Neckar herrsche ein geradezu ravissantes Helldunkel von einer höchst pittoresken Delikatesse, sozusagen romantisch-poetisch. Der Emir von Belutschistan, von dem er beauftragt sei, die Abbildungen aller schönen Städte Europas in Kupferstich zu sammeln und Seiner Hoheit mitzubringen, er werde entzückt sein, und wo denn ein guter Kupferstecher wohne, un bon graveur sur cuivre, aber versteht sich, ein Meister, ein rechter Künstler voll Esprit und Gemüt. Ja, ob es übrigens hier warme Quellen gebe? Nicht? Er glaube doch davon gehört zu haben – oder nein, das sei in Baden-Baden, das müsse ja von hier ganz nahe sein. Und ob der Dichter Schubart noch lebe – er meine jenen Unglücklichen, der von Friedrich dem Gütigen an die Hottentotten verkauft worden sei und dort die afrikanische Nationalhymne gedichtet habe. Oh, er sei gestorben? Hélas! Der Beklagenswerte! Indessen war mir doch ganz sonderbar zumute, wie der Kerl seine Suada herunterrasselte und dazu mit den langen, dünnen Fingern an seinen silbernen Rockknöpfen drehte. Du hast ihn schon gesehen, dacht' ich immer, diesen Directorem Vogeldunst mit seinen warmen Quellen und seinen langen, dünnen Spinnenfingern! Da holt der Mann eine Dose aus seinem blauen, langen Tuchrock, der ihm hinten bis an die Schuhe hinabhing, eine hölzerne gedrechselte Dose, und wie er sie aufschraubt und in den gespenstischen Händen dreht und eine Prise nimmt und dazu in seiner heillos aufgeregten Vergnügtheit so hell und hoch zu meckern beginnt, und wie er dann so süß und äußerst angenehm zu lächeln weiß und mit den Fingernägeln auf der Dose den Pariser Marsch trommelt, da ist mir's wie im Traum, und ich quäle mich und rätsele herum wie ein Kandidat im Examen, wenn's brenzlig wird, daß ihm der Schweiß ausbricht und die Brillengläser anlaufen. Der Herr Joachim Andreas Vogeldunst aus Samarkand ließ mir aber keinen Augenblick zum Nachdenken, ordentlich als wisse er, wie mir zumute sei, und habe seine tückische Freude daran und wolle mich ja noch recht lange schmoren lassen. Von Stuttgart erzählte er, und von den amönen Gedichten des Herrn Matthisson, die er ihm selber eigenhändig vorgelesen habe und welchem eine gewisse interessant pikante Bleichsüchtigkeit von Kennern nicht abzusprechen sei, und im gleichen Atem fragt er aufs angelegentlichste, ob die direkte Postroute von hier nach Zürich nicht über Blaubeuren führe, er habe nämlich von einem Stück Blei gehört, das dort irgendwo liegen müsse und das vortrefflich in seine erstklassige Sammlung von Sehenswürdigkeiten passen möchte. Den Bodensee gedenke er dann auch aufzusuchen, um dort en passant am Grabe des Herrn Doktor Mesmer seine Andacht zu verrichten. Von dem tierischen Magnetismus nämlich sei er ein alter, treuer Anhänger, wie er denn auch dem Professor Schelling die Bekanntschaft mit dem Geiste des universi verdanke und überhaupt ein aufrichtiger Freund der Bildung dürfe genannt werden. Wenigstens habe er die Phantasiestücke von Hoffmann ins Persische übersetzt und lasse alle seine Kleider in Paris arbeiten, sei auch vom seligen Pascha von Assuan mit einem wertvollen Orden dekoriert worden. Er stelle einen Stern dar, dessen Zacken von Krokodilzähnen gebildet werden, und früher habe er ihn gern auf der Brust getragen, einst aber einer Berliner Hofdame damit beim Tanzen den Hals verwundet, weshalb er auf das Tragen dieser hübschen Dekoration seitdem resigniert habe. Aber indem er das sagt, fährt sich der Herr Museumsdirektor mit der flachen Hand sacht über den Scheitel, und das tat das Männlein so kosend und zephirhaft, daß ich um ein Haar laut hätte hinauslachen müssen. Denn jetzt kannte ich ihn – wer war's?"

„Wispel!" rief Waiblinger entzückt auf.

„Richtig geraten. Es war Wispel. Aber er hatte sich verändert, das muß ich sagen. Ganz leise begann ich also meine Entdeckung anzudeuten und sagte vorerst, mir sei, ich habe ihn schon früher einmal gesehen. Er lächelt. Er sei zum erstenmal in seinem Leben in diesem charmanten Lande und in dieser entzückenden Stadt, deren Bild in Kupferstich mitzunehmen er übrigens ja nicht vergessen dürfe, aber obschon er sehr bedaure, sich nicht erinnern zu können, möchte es ja doch immerhin wohl möglich sein, daß ich ihn schon gesehen hätte. In Berlin vielleicht? Oder am Ende in Petersburg? Nein? Oder in Venedig? Auf Korfu? Nicht? Ja, dann tue es ihm leid, es müsse wohl ein angenehmer Irrtum des Herrn Magisters sein. Nein, sagte ich, jetzt eben fällt mir's ein, es ist in Orplid gewesen. Er stutzt einen Augenblick. Orplid? Ja, richtig, da sei er auch einmal gewesen, als Gesellschafter bei dem alten König Ulmon, der aber leider inzwischen gestorben sein solle. – Da kennen Sie vielleicht auch unsern Freund Wispel? frage ich jetzt und sehe ihm gerade in die Augen. Ich kann schwören, er war's, aber meinst du, er hätte mit einer Wimper gezuckt? Nichts dergleichen! Wi – Wips – Wipf – sagt er nachdenklich und tut, als könne er den wildfremden Namen absolut nicht aussprechen."

„Großartig!“ jubelte Waiblinger. „Das sieht ihm gleich, dem Windbeutel, dem Vogeldunst! Aber was hat er denn eigentlich von dir gewollt?“

„Ach, nichts Besonderes“, lachte Mörike, „ich erzähl dir's dann. Aber jetzt muß ich einen Augenblick hinausgehen.“

Er stieß die Laden wieder auf, golden lag der Abend draußen und die Berge blau im Duft.

Er ging hinaus, kam aber schon nach einer Minute wieder zur Tür herein, vollkommen verwandelt, das Gesicht seltsam schlaff mit süßlich zugespitztem Munde, die Augen leer und rastlos, das Haar ein wenig in die Stirn herabgestrichen, was ihn ungemein veränderte, mit schwebenden, vogelartigen Bewegungen der Arme und Hände, mit auswärts gespreizten Füßen auf den Zehenspitzen hüpfend, ganz Wispel. Dazu hatte er eine hohe, seltsam fade, flatterhafte Stimme angenommen.

„Schönen guten Abend, Herr Magister!“ fing er an und machte ein weltmännisches Kompliment, den Hut mit den Fingerspitzen der Linken am Rande haltend. „Schönen guten Abend, ich habe die Ehre und das Vergnügen, mich Ihnen als den Museumsdirektor Vogeldunst aus Samarkand vorzustellen. Sie erlauben wohl, daß ich mich ein wenig bei Ihnen umsehe? Ein angenehmer Aufenthalt hier oben, en effet, erlauben Sie mir, Ihnen zu diesem deliziösen Tusculum zu gratulieren.“

„Was führt Ihn denn her, Wispel?“ fragte nun Waiblinger.

„Vogeldunst, bitte, Direktor Vogeldunst. Auch muß ich ergebenst bitten, mich nicht mit Er anzureden, nicht meiner unbedeutenden Person wegen, sondern aus Respekt vor den diversen hohen und distinguierten Herrschaften, in deren Dienst zu stehen ich die Ehre habe."

„Also, Herr Direktor, womit kann ich dienen?"

„Sie sind der Herr Magister Waiblinger?"

„Jawohl."

„Sehr gut. Sie sind Dichter. Sie sind ein poetisches Genie. Oh, bitte, keine überflüssige Bescheidenheit! Man ist von Ihren Meriten unterrichtet. Ich kenne Ihre unsterblichen Werke, mein Herr. Drei Tage im Phaeton oder die Griechenlieder in der Unterwelt. Wie? Nein, bemühen Sie sich nicht, ich bin vollkommen unterrichtet."

„Also weiter, zum Teufel, Sie Direktor in der Oberwelt!"

„Der Herr Magister gehören in das Tübinger Stift? Da möchte ich ganz ergebenst recherchieren, ob der Herr denn dort auch zufrieden ist?"

„Zufrieden? Im Stift? Mann, da müßt' ich ja ein Vieh sein. Indessen hat die Sache zwei Seiten: die Herren vom Stift sind nämlich mit mir ebensowenig zufrieden wie ich mit ihnen."

„Sehr gut, très bien, Verehrtester! Ganz wie ich es mir gewünscht habe. Ich bin nämlich in der aimablen Lage, dem Herrn Magister eine recht angenehme Verbesserung seiner Umstände offerieren zu können."

„Oh, sehr verbunden. Darf ich fragen –?"

Mörike-Wispel trat einen kleinen Schritt zurück, setzte vorsichtig seinen Hut auf ein Bücherbrett nieder, führte mit den Armen die sublimsten Flugbewegungen aus und flötete im höchsten Diskant, doch geheimnisvoll gedämpften Tons: „Sie sehen in mir, Verehrter, einen bescheidenen Mann, einen Mann von wenig Verdiensten vielleicht, aber einen Mann, mein Herr, der das Seine ohne Ruhmredigkeit zu tun weiß und der schon die höchsten Herrschaften zu dero Zufriedenheit bedient hat. Erlauben Sie mir, mich ganz kurz zu fassen, wie es einem Manne geziemt, dessen Zeit überaus kostbar ist. Ich trage die schmeichelhaftesten Empfehlungsbriefe von den Herren Matthisson und Schwab in meiner Tasche. Es handelt sich um eine nicht unwichtige Angelegenheit. Hören Sie, und achten Sie wohl auf meine Worte! Ich suche einen Ersatz für Friedrich Schiller."

„Für Schiller! Ja, mein werter Mann –"

„Sie werden mich verstehen, ja, ich schmeichle mir, Sie werden mich billigen. Hören Sie! Zu den hervorragenden Männern, denen ich gelegentlich meine schwachen Dienste widme, gehört der Herr Lord Fox in London, einer der distinguiertesten und reichsten Männer von England, Pair von Großbritannien, Freund und Vertrauter Seiner Majestät des Königs, Schwager des Ministers der Finanzen, Pate des Prinzen Jakob von Cumberland, Besitzer der Grafschaften –"

„Ja, ja, schon recht. Und was ist's mit diesem Herrn Lord?"

„Der Lord weiß meine Talente zu schätzen, ja, ich darf mich seinen Freund nennen, Herr Magister. Es war einmal auf einer Hofjagd in Wales, da stellte er mich dem Baron Castlewood vor mit den wahrhaft jovialen Worten: Dieser Mann ist ein Juwel, lieber Baron! Ein andermal, als die Prinzessin Viktoria gerade zur Welt gekommen war – ich war damals von Spanien zurückgekehrt –“

„Gut, gut, aber fahren Sie fort! Der Lord Fox –“

„Der Lord Fox ist ein ungewöhnlicher Mann, Herr Magister. Ich hatte damals die Ehre, ihn in seinem eigenen Wagen zur Jagd begleiten zu dürfen. Es war eine Fuchsjagd, mein Herr, und der Fuchs wird in England zu Pferde gejagt, es ist das Lieblingsvergnügen des Adels, vous savez. Auch der berühmte Lord Chesterfield soll ein großer Fuchsjäger gewesen sein, ebenso Lord Bolingbroke. Er starb an Blutvergiftung.“

„Kommen Sie doch zur Sache, Herr!“

„Ich bin stets bei der Sache. Eine Fuchsjagd ist sogar eine ganz charmante Sache, wenn schon vielleicht eine russische Büffeljagd noch interessanter sein mag. Ich habe einer solchen Büffeljagd im Ural beigewohnt. Aber, um mich kurz zu fassen, die großen Herren in England haben sonderbare und, je vous assure, kostspielige Passionen. Ich kannte einen Herrn von der Ostindischen Kompagnie, der tat nichts anderes, als daß er wegen eines Schmerzes im linken Knie alle Ärzte von ganz Europa zu sich kommen ließ. Ich empfahl ihm damals den Leibarzt des Kurfürsten von Braunschweig – nun habe ich seinen Namen vergessen –“

„Welchen Namen? Des Kurfürsten?“

„Nein, des Leibarztes. Ich bin untröstlich, ich hätte es niemals für möglich gehalten; es ist in der Tat selten, daß mein Gedächtnis mich im Stiche läßt. Er war ein sehr geschickter Mensch, der sein Handwerk verstand. Übrigens hat er dem Herrn in England doch nicht helfen können, und er behauptete nachher, die Schmerzen jenes Mannes seien überhaupt nicht zu heilen, da sie lediglich in seiner Einbildung bestünden. Immerhin, der Engländer war unzufrieden, es war für mich ein rechter embarras. – Aber Sie haben mich unterbrochen. Also, es handelt sich darum, einen Ersatz für Friedrich Schiller zu finden. Der Lord Fox will nämlich einen deutschen Dichter in seiner Sammlung haben. Ich selbst habe ihn dazu überredet, und warum soll er nicht? Er besitzt einen tibetanischen Priester, einen japanischen Schwerttänzer, einen Zauberer aus dem Mondgebirge und zwei echte Hexen aus Salamanca. Sie wissen, ich bin gewissermaßen selbst ein Stück von einem homme de lettres, und da ich mancherlei Reisen mache und vielerlei Bekanntschaften habe, konnte ich die vielleicht nicht ganz uninteressante Beobachtung machen, daß sehr viele von den deutschen Dichtern Schwaben sind, und daß sehr viele von diesen schwäbischen Dichtern dem theologischen Stift angehören, und daß sehr viele von ihnen wenig mit ihren Glücksumständen zufrieden zu sein scheinen. Eh bien! Da dachte ich mir, ich könnte dem Lord Fox einen schwäbischen Dichter besorgen. Er bezahlt die Reise und gibt zweitausend Taler jährlich. Es ist nicht eben viel, aber man kann davon leben. Meine Erkundigungen im Auslande haben zu dem Resultat geführt, daß Friedrich Schiller der berühmteste schwäbische Dichter ist, und ich bin nach Jena gereist, um ihm meine Reverenz zu machen. Leider erfuhr ich, daß Herr Schiller schon vor längerer Zeit gestorben sei. Lord Fox will aber einen lebendigen Dichter haben, vous comprenez –"

Mitten im Satz hielt Mörike plötzlich inne. Von der Stadt herauf schlug die Stiftskirchenuhr, die Sonne stand schon tief. Es war sieben Uhr.

„O weh, das gibt wieder eine Note!" rief Mörike ein wenig bekümmert. „Wir kommen nimmer rechtzeitig ins Stift heim, und ich habe eben erst im Karzer gesessen."

„Ach was", meinte Waiblinger ärgerlich, „es ist bloß schade um den Wispel. Die dumme Kirchenuhr! Komm, wir fangen noch einmal an!"

Aber Mörike schüttelte den Kopf; er war plötzlich ernüchtert. Bedächtig strich er seine Haare zurecht und schloß einen Augenblick die Augen; sein Gesicht sah müde aus. „Kommst du mit?" fragte er dann. „Wenn ich beim Torwart ein bißchen bettle, läßt er uns vielleicht doch noch hinein."

Waiblinger stand unschlüssig. Jene schöne Jüdin, sein böses Schicksal, erwartete ihn auf den Abend. Er hatte sie seit einer Stunde ganz vergessen, seit langem war ihm nicht so wohl gewesen. Einstweilen begann er die Läden zu schließen. Mörike half mit, dann traten sie beide aus dem dunkel gewordenen Gartenhaus in den warmen Abend, der auf den steinernen Treppenstufen rötlich glühte.

Nun verschloß Waiblinger die Tür von außen. „Nein", sagte er, während er den Schlüssel abzog, „ich bleibe heute abend draußen. Aber ich begleite dich noch in die Stadt. Es ist hübsch gewesen heute nachmittag, ich war schon lange nimmer so vergnügt. Weißt du, es geht mir schlecht, und du mußt mir's nicht nachtragen, wenn ich dich vielleicht ein wenig angeschrien habe. Es gilt alles mir selber, auch was etwa an dich adressiert war, und wenn du schlecht von mir denkst, so kannst du doch gewiß nicht schlechter von mir denken, als ich's selber tue."

Sie gingen im Abendlicht bergabwärts der Stadt entgegen, die mit rauchenden Kaminen und schrägbesonnten Dächern bescheiden und eng um die mächtig ragende Stiftskirche her gedrängt lag.

„Du, komm lieber mit ins Stift!" fing Mörike nach einer langen Pause bittend an. „Es ist nicht wegen des Torwarts. Aber wir könnten dann den Abend etwas miteinander lesen, im Hyperion oder im Shakespeare, es wäre hübsch."

„Ja, es wäre hübsch", seufzte Waiblinger. „Aber

ich habe schon eine Verabredung; es geht nicht. Wir wollen bald wieder einmal zusammen hier draußen sein, dann mußt du auch deine Gedichte mitbringen. Es sind doch gute Zeiten gewesen, wie der Louis Bauer und der Gfrörer noch kamen und wie wir da im Gartenhaus unsere Kindereien getrieben haben! Wer weiß, wie oft wir noch beieinander sein können, gar lang kann's nimmer dauern. Für mich ist in Tübingen keine Luft und kein Boden mehr."

„So mußt du nicht denken. Du hast jetzt eine Zeitlang ein bißchen wüst gelebt und dir Feinde gemacht; das kann alles wieder anders werden."

Seine Stimme klang leicht und tröstlich, aber der Freund schüttelte überzeugt den mächtigen Kopf, und sein eigenwilliges, etwas gedunsenes Gesicht wurde bitter.

„Sag selber: was hätte ich schließlich davon, wenn sie mich wirklich im Stift behielten? Am Ende müßte ich mein Examen machen und Pfarrer werden oder etwa Schulmeister. Vikar Waiblinger! Pfarrverweser Waiblinger! Ich weiß ja nicht, was einmal aus mir werden soll, aber das nicht, das ganz gewiß nicht! Zu lernen ist hier auch nicht gerade viel, unsere Professoren sind ja Leimsieder, der Haug vielleicht ausgenommen. Nein, ich lasse es jetzt vollends darauf ankommen! Ich muß es auf eigenen Füßen probieren, wie der arme Hölderlin seinerzeit auch, und ich bin stärker als er. Ich bin nicht so rein und nobel wie er, leider, aber ich habe mehr Kraft und ein heißeres Blut. Am besten wär's, ich ginge gleich jetzt davon, freiwillig, man kann nicht jung genug anfangen, wenn man sich sein eigenes Leben erobern will. Aber du weißt ja, was mich in Tübingen hält – an dieser Liebe will ich groß werden oder zugrunde gehen!"

Er schwieg plötzlich, als habe er zuviel gesagt, und an der nächsten Ecke bot er dem andern die Hand.

„Also gute Nacht, Mörike, und einen Gruß an den Wispel!"

„Den will ich ausrichten."

Sie hatten sich die Hände geschüttelt, da wandte Mörike sich noch einmal zurück. Er blickte dem Freunde voll in die Augen und sagte mit ungewöhnlich ernsthaftem Ton: „Du darfst nicht vergessen, was für Gaben du hast! Glaub mir, man muß auf viel verzichten können, wenn man groß werden und etwas Rechtes schaffen will."

Damit ging er, und sein Freund blieb stehen und sah ihm nach, wie der schmächtige Jüngling nun mit plötzlicher Hast gegen die Bursagasse und das Stift hin eilte. Waiblinger, der sonst keine Ermahnungen vertrug, war für diese Worte unendlich dankbar, denn er fühlte wohl ihren heimlichsten, köstlichen Sinn: daß Mörike an ihn glaube. Das war für ihn, der so oft an sich selbst irre ward, ein Trost und eine tiefe Mahnung.

Langsam ging er weiter, nach dem Hause seiner schönen Jüdin, der fatalen Schwester des Professors Michaelis.

Zur selben Stunde ging Friedrich Hölderlin in seinem Erkerzimmer rastlos auf und nieder. Er hatte seine Abendsuppe verzehrt und den Teller, wie es seine Gewohnheit war, vor die Tür auf den Boden gestellt. Er mochte nichts in seiner Klause dulden, was nicht sein Eigentum war, und zur Enge seines in sich zurückgezogenen Daseins gehörte nicht Teller noch Glas, nicht Bild noch Buch.

Der Nachmittag klang stark in ihm nach: das geliebte stille Häuschen im Weinberg, die weite, sommersatte Landschaft, Flußblinken und Studentengesang, Anblick und Gespräch der beiden jungen Menschen, namentlich jenes schönen, zarten, dessen Namen er nicht wußte. Unruhe trieb ihn, obschon er müde war, immer wieder auf und ab, hin und her, und manchmal blieb er am Fenster stehen und schaute verloren in den Abend.

Wieder einmal hatte er heute die Stimme des Lebens vernommen, und sie klang fremd und aufreizend in seiner Schattenwelt nach. Jugend und Schönheit, geistiges Gespräch und ferne Gedankenwelten hatten zu ihm gesprochen, zu ihm, der einst Schillers Gast und ein Geladener an der Tafel der Götter gewesen war. Aber er war müde, er vermochte nicht mehr nach den goldenen Fäden zu greifen, nicht mehr dem vielstimmigen Gesange des Lebens zu folgen. Er vermochte nur noch die dünne, vereinzelte Melodie seiner eigenen Vergangenheit zu hören, und die war nichts als unendliche Sehnsucht ohne Erfüllung gewesen. Er war alt, er war alt und müde.

Beim letzten Lichte des hinsterbenden Tages nahm der kranke Mann nochmals die Feder zur Hand, und unter wirre, klanglose Verse, mit denen ein daliegender Bogen groben Papiers bedeckt war, schrieb er mit seiner schönen, eleganten Handschrift diese kurze, traurige Klage:

Das Angenehme dieser Welt hab' ich genossen,
Der Jugend Freuden sind wie lang!
wie lang! verflossen.
April und Mai und Julius sind ferne,
Ich bin nichts mehr, ich lebe nicht mehr gerne.

Nicht lange nach dieser Zeit mußte Wilhelm Waiblinger das Stift und Tübingen verlassen. Ihm war beschieden, das Glück und das Elend der Freiheit in raschen durstigen Zügen zu trinken und früh zu verlodern. Er wanderte nach Italien aus und hat die Heimat und die Freunde nicht wiedergesehen. Arm und verlassen ist er als ein gemiedener Abenteurer in Rom erloschen und verschollen.

Mörike blieb im Stift, konnte sich am Ende seiner Studienzeit aber nicht entschließen, Pfarrer zu werden. Nach mißglückten Versuchen in der Welt und hoffnungslosen Kämpfen mußte er endlich doch zu Kreuze kriechen. Aber wie er niemals ein ganzer Pfarrer wurde, so ist ihm nie ein ganzes Leben und Glück zuteil geworden. Unter Schmerzen beschied er sich und formte in erdarbten guten Stunden seine unverwelklichen Gedichte.

Friedrich Hölderlin blieb in seinem Tübinger Erkerzimmer und hat noch gegen zwanzig Jahre in seiner toten Dämmerung dahingelebt.

Isolde Kurz

Die Humanisten

Ganz Florenz war in Bewegung, als an einem lachenden Apriltag des Jahres 1482 Graf Eberhard von Württemberg, genannt der Bärtige, mit einer stattlichen Zahl von Räten, Edlen und Knechten seinen Einzug hielt.

Zwar war es den Florentinern nicht ungewohnt, fremde Gäste in ihren Mauern zu beherbergen, wurde ja der glänzende Hofhalt des Mediceers fast nie von Besuchern leer, und dieser Reiterzug erregte die Aufmerksamkeit des schaulustigen Völkchens nur deshalb so stark, weil man wußte, daß er weit von jenseits der Alpen aus einem kalten, finstern Barbarenland komme, dessen Lage und Beschaffenheit sich tief im Nebel der geographischen Begriffe verlor. Die Menge stand viele Reihen tief in den geschmückten Straßen, durch welche die Reiter kommen mußten, denn es war denselben ein mächtiger Ruf vorangegangen, daß sie Zyklopen von ungeheuerlichem Ansehen seien, mit langen, feuerroten Haaren und lodernden Augen, deren Blick man nicht ertragen könne. Von dem Führer aber ging die Rede, er habe einen Bart, der zu beiden Seiten über den Bug des Pferdes niederwalle und das Tier wie mit einem Mantel verhülle.

Jetzt erschien der Zug in einer engen, von hohen Palästen gebildeten Gasse, die sich in halber Länge zu einer dreieckigen Piazzetta erweiterte.

FLORENTZ.

Vorüber zogen die wallenden städtischen Gonfalonen, die Bläser mit ihren langen, silbernen Trompeten, woran unter weißem Federbüschel das Wappen der Republik schwankte, und die lustigen Pfeifer mit der roten Lilie auf der Brust – doch als nun

an der Spitze der Reiter die kleine, hagere Gestalt des Grafen Eberhard in Sicht kam, dessen Bartwuchs zwar von stattlicher, doch nicht von unerhörter Länge war, da malte sich Enttäuschung auf den meisten Gesichtern.

„Das ist der Anführer der Barbaren – er ist ja kleiner als der Magnifico! – Und wie einfach er sich trägt!“ hieß es im Volke, denn der erlauchte Lorenzo war mit den Herren vom Magistrat und vielen Edlen, alle reich in damaszierten Samt gekleidet und mit den Insignien ihrer Würde geschmückt, dem fürstlichen Gaste vor das Stadttor entgegengeritten und führte ihn jetzt auf einem großen Umweg nach seiner Wohnung.

Nun drängten sich die weiter hinten Stehenden auch vor. – „Und nach Rom ziehen sie? Zum heiligen Vater? Sind sie denn Christen?“ murmelte es durcheinander. – „Nein, die hätte ich mir viel merkwürdiger vorgestellt.“

Das gleiche mochte das schöne Mädchen auf der rosenumrankten, mit Teppichen behängten Loggia denken, das zwischen zwei älteren Herren stand und den Zug aufmerksam musterte. Sie hatte dazu den allergünstigsten Standpunkt, da die langgestreckte Säulenhalle mit der schmalen Seite nach der Straße ging und mit der Längsseite die Piazzetta, auf welcher sich der Zug zu stauen begann, einfaßte.

„Nun siehst du, Kind“, sagte der betagtere von den beiden Herren, ein bartloser Mann mit regelmäßigen Zügen und dichten, noch schwarzen Augenbrauen, dem die Kapuze, welche zu seinem roten Lucco gehörte, vom Kopf geglitten war, daß das wallende Silberhaar frei floß – „siehst du, daß es Menschen sind wie wir, ohne Hörner und Klauen.“

„Puh, was sie für Bärte haben“, sagte das schöne Kind naserümpfend.

„Unseren Schönheitsbegriffen entspricht das allerdings nicht“, antwortete der Vater mit gelassener Würde. Er sprach langsam und bewegte sich so schön, daß sein Lucco bei jeder Wendung des Körpers malerische Falten warf. – „Aber es sind sehr brave Leute. Betrachte dir den jungen Mann da vorn im schwarzen Habit – das scheint mein

Freund, der gelehrte Kapnion zu sein, mit dem ich schon seit Jahren im Briefwechsel stehe, wenn ihn auch die Augen meines Leibes noch nie zuvor erblickt haben. Eine Leuchte der Wissenschaft und er würde es wahrlich verdienen, die Sonne Virgils seine Amme zu nennen."

„Er wird Euch wohl die Handschrift bringen, nach der Ihr so lange suchen ließt, Vater?"

„Wenn der kostbare Kodex noch vorhanden ist, so möchte er leicht einen andern Liebhaber gefunden haben", mischte sich der dritte, ein hagerer Mann mit schmalem, vergilbtem Gesichte, ein, der den enthaarten Schädel durch ein flachanliegendes, schwarzseidenes Mützchen geschützt hielt.

„Ich dürfte ihn darum nicht einmal schelten, Marcantonio", entgegnete der schöne Greis mit Sanftmut. „Ist es doch ein Wettkampf, in dem alle Waffen gelten."

„Die armen Leute!" rief das Mädchen in jugendlichem Mitgefühl. „Es mag ihnen wohltun, sich an unserer freundlichen Sonne zu wärmen. Darum zogen sie auch immer so gerne von ihren schneebedeckten Alpen zu uns herunter. Es muß kalt sein, sehr kalt in diesem Germanien."

„Ja, es ist ein kaltes, unwirtliches Land", antwortete der Alte. „Und wenn ich denke, wie viele unserer glorreichen Väter noch dort gefangen liegen und in ihren dunklen Burgen und feuchten Klöstern der Befreiung entgegenschmachten!" setzte er mit einem Seufzer hinzu.

Zum Verständnis unserer Leser sei es gesagt, daß der alte Herr mit diesen Vätern die römischen Autoren meinte, welche die Nacht des Mittelalters hindurch in sauberen Abschriften von den deutschen Mönchen erhalten und gehütet worden waren und jetzt, seit dem Wiederaufblühen der klassischen Studien, scharenweise in ihr Geburtsland zurückwanderten.

Aber während der Vater sich nach der Straße hinabbeugte und mit sehnsüchtigen Augen dem gelehrten Kapnion, vulgo Johann Reuchlin, folgte, hing der Blick des Töchterleins an einem jugendlichen Reiter, der hinter dem Zuge zurückgeblieben war, um sein ungestümes Pferd zu bändigen, das sich stellte und auf dem Pflaster der Piazzetta Funken schlug. Er regierte das heftige Tier nur mit der Linken, während er mit der freien rechten Hand einen starken Lorbeerzweig, den er unterwegs gepflückt hatte, über das Gesicht hielt, um sich vor der ungewohnten Sonne zu schützen, die blitzend auf seinem blanken Stahlgehenke und den Metallplatten seines ledernen Kollers spielte.

Als sein Auge das an eine Säule gelehnte, mit Rosenranken spielende Mädchen traf, senkte er langsam wie zum Gruße den Lorbeerzweig und ließ ein gebräuntes, angenehmes Gesicht, von blondem Kraushaar umrahmt, sehen. Da überkam das Mädchen der Mutwille, daß sie ein Rosenzweiglein brach und dem hübschen Barbaren zuwarf. Dieser erhob sich in den Bügeln, ließ den Lorbeer fallen und haschte geschickt das Röslein, worauf er sich dankend verneigte. Noch ein rascher Blick aus den blauen, leuchtenden Augen, und gleich darauf war der Reiter fast unter der Mähne des Rappen verschwunden, der unter seinem Schenkeldruck hoch aufstieg und ihn dann mit wenigen Sätzen dem Zuge nachtrug.

„Gar nicht übel für einen Barbaren", lächelte der alte Herr, der sich eben umgewandt hatte, wohlwollend, „was meinst du, Kind?"

Das Mädchen schwieg, sie hätte um alles in der Welt nicht gestehen mögen, wie sehr ihr der Reiter gefallen hatte, aber während sie alle drei von der Loggia zurücktraten, legte sie sich im stillen die Gewissensfrage vor, ob es wohl möglich sei, einen Barbaren zu lieben.

Das Volk hatte sich schon verlaufen, denn alles drängte jubelnd und lärmend dem Zug zum Palaste des Medici nach, in dessen kühlem Hofraum zwischen antiken Marmorstatuen, plätschernden Brunnen und lebendigem Grün der Imbiß für die fremden Gäste bereitet war.

Doch als nach einer Viertelstunde das schöne Mädchen noch einmal flüchtig auf der Loggia erschien, wie um auf dem Pflaster, das schon wieder seine Alltagsmiene trug, nach den Spuren des jungen Reiters zu suchen, da sah sie an der Straßenekke den ungestümen Rappen des Weges zurückkommen, von einem Reitknecht am Zügel geführt, und gewahrte nicht ohne geheimes Wohlgefallen, daß ein Diener des Medici den fremden Knecht nach der Herberge zu den „Drei Mohren" wies, die auf der Piazzetta ihrer Loggia schräg gegenüber lag.

Der Wirt trat heraus, half das Tier zum Stalle bringen und führte dann den fremden Knecht in seine Schenke zu ebener Erde.

Dort schob der Schwabe die Mütze zurück, trocknete seine schweißbedeckte Stirne und öffnete das Wams ein wenig, dann ließ er einen Blick über die anwesenden Gäste gleiten und setzte sich schwer auf die alte Holzbank vor eines der kleinen Marmortischchen. Der Wirt machte sich gleich an ihn heran.

„Caldo, eh?" begann er zutraulich.

„Was, kalt!" rief der Kriegsknecht entrüstet. „Esel, sieht Er nicht, wie ich schwitze? Bring mir Wein!"

Alsbald stand ein mächtiger, mit Stroh umbundener Fiasco vor ihm. Er schenkte sich das rote Naß von Chianti ein und stürzte ein Glas auf einen Zug hinunter. Dann bestellte er in seiner Muttersprache zu essen, und auch dieser Befehl fand augenblicklich Folge. Er freute sich, daß ihm die Sprache so wenig Schwierigkeit bereite. Als er aber mit dem Essen fertig war und sich, durch den Wein zur Geselligkeit angeregt, mit dem Wirt in ein längeres Gespräch einlassen wollte, da erkannte er zu seinem Verdruß, daß dieser der schwäbischen Laute nicht Meister war.

Doch winkte der gefällige Florentiner ihm verheißungsvoll zu und entfernte sich eilig, um in Bälde mit einem wunderlichen Menschengebilde zurückzukommen, lang und schwank wie ein Haselrohr, aber so gebrechlich, daß man fürchten mußte, es zerknicke bei der ersten Berührung in der Mitte, wo es am schwächsten schien. Dünnes rotes Haar, mit Weiß gemischt, hing schlaff um ein fahles, bartloses Gesicht, eines jener Gesichter, die nie zur

Mannheit ausreifen, sondern in die späteren Jahre eine welke Jugendlichkeit hinübernehmen. Jede seiner Bewegungen war unnatürlich, von den schmachtenden Wendungen des mageren Halses zu dem gezierten Gang, der im Tanzschritt ansetzte und den Boden unter den Füßen zu verschmähen schien. Nur ein paar blaue Augen, die ehrlich und wohlwollend aus fast unbewimperten Lidern hervorsahen, versöhnten ein wenig mit der dürftig-anspruchsvollen Erscheinung.

Dieses seltsame Wesen kam unter Verbeugungen heran und fragte den Schwaben in schlechtem Deutsch, was des Herrn Landsmanns Begehr sei, und es war possierlich anzusehen, wie sich beim Sprechen seine Ellbogen zu einer flügelschlagenden Bewegung erhoben und das Gewand wedelte, als wollte die ganze luftige Gestalt zum Himmel entflattern.

Der Kriegsknecht sah den Roten verdutzt an, denn er wußte nicht, was er aus ihm machen sollte, und fuhr mit der Hand nach der Mütze, besann sich aber auf halbem Wege anders und kratzte sich nur am Kopf.

Er sei kein Herr, stotterte er verlegen, sondern nur der Peter von Lorch, im Dienst des Edlen Veit von Rechberg-Stauffeneck, einer der besten Ritter im Schwabenland. Die Erwähnung seines Herrn stärkte sein Selbstgefühl, denn er gewann nun die Kühnheit, auch den Roten nach Stamm und Namen zu fragen, wobei er jedoch geflissentlich die direkte Anrede vermied, um ihm weder zu viel noch zu wenig Ehre zu geben.

Er heiße Lucius Rufus, antwortete der andere mit seiner hohen und dünnen Stimme, die die ganze Erscheinung wunderbar vollendete, und sei Majordomus in dem schönen Palaste gegenüber. Auch er dürfe sich eines Gebieters rühmen, der hinter keinem Mann der Erde zurückstehe, denn ganz Florenz kenne den edlen Herrn Bernardo Rucellai als Urbild aller Bürgertugend und als den wahren Vater der Weisheit.

„So", entgegnete Peter mit breitem Lachen. „Ich habe wohl zuweilen unseren Pfarrer sagen hören, Vorsicht sei die Mutter der Weisheit, aber daß der Herr Rutschel ihr Vater ist, war mir nicht bekannt."

Der Rote belächelte herablassend diesen Witz und setzte sich neben dem Landsmann nieder, während der Wirt eilig auch ihm ein Glas vollschenkte. Bald kamen noch andere von den schwäbischen Kriegsknechten nach, die ihre Pferde gleichfalls im Stall der „Drei Mohren" unterstellten und vom Wirt dienstbeflissen zu dem Paar am Marmortisch geführt wurden. Doch sie wußten sich schlecht in die Unterhaltung zu finden und sprachen in ihrer Verlegenheit um so mehr dem Weine zu, denn der Rote, dem es ein Vergnügen machte, seine barbarischen Landsleute zu verblüffen, flößte ihnen durch geschraubte, fremdländische Redensarten eine gewisse Scheu ein.

Soeben erzählte er, daß er aus Augsburg gebürtig sei – Augusta Vindelicorum – wie er erläuternd hinzusetzte, und wenn sein Stammbaum nicht verloren wäre, so ließe sich leichtlich nachweisen, daß er von einem gewissen Lucius Rufus abstamme, der

Unterbefehlshaber im Heere des Kaisers Augustus gewesen und der die Stadt habe gründen helfen. Er selbst habe vormals den Beruf eines Haar- und Bartkünstlers in seiner Vaterstadt geübt und sei den Mitbürgern nur als der rote Lutz bekannt gewesen, denn die Nacht der Unwissenheit habe noch schwer auf ihm gelastet. Erst in Florenz habe er den Namen seines Ahnherrn wieder angenommen und sei „antik“ geworden.

„Was ist das?“ fragten alle wie aus einem Mund.

Der Rote leuchtete auf, denn er war jetzt ganz in seinem Fahrwasser, und er bemühte sich, seinen Zuhörern eine faßliche Erklärung des Wortes zu geben.

Das Antike, bedeutete er sie, sei die schöne Manier in Sprache und Gebärden, die von den Alten stamme und in Florenz zur Bildung und guten Sitte unentbehrlich sei. Dazu gehöre vor allem auch eine Hauseinrichtung im Stile der alten Römer, und nun beschrieb er den sprachlos dasitzenden Kriegsknechten die Gastmähler seines Herrn, wobei die Geladenen mit bekränztem Haupt sich nicht zu Tische setzten, sondern legten, während er nach dem Takt der Musik das Essen auftrage und das Fleisch zerschneide; denn so verlange es der römische Brauch. Ehe das Mahl beginne, sprenge sein Herr eine Schale vom besten Wein auf den Boden, als Weiheguß für die alten Götter, die in Marmor herumstünden, und spreche einen lateinischen Vers dazu, und das alles, wenn es mit der schönen Art gemacht sei, nenne man antik.

Die Knechte stießen sich heimlich mit den Ellbogen an, und Peter sagte sich bekreuzend: „Straf mich Gott! Das ist ja heidnisch; seid ihr denn keine Christen?"

Lucius entgegnete mit nachsichtigem Lächeln: „Freilich; aber die heilige Jungfrau und den Bambino in Ehren, diese Gebete an die alten Götter gehören zum Ganzen, zum Stil und zur Einrichtung, mit einem Wort zum Antiken, und selbst der heilige Vater hält es nicht anders."

Nun fuhr er in seiner Lebensgeschichte fort und erzählte, wie in seine Barbierstube häufig ein fahrender Schüler gekommen sei, der unter dem Seifenschaum lateinische Verse zu deklamieren pflegte, und wie er auf diese Weise ein schön Stück

Latein und viele Verse aus einem Gedicht kennengelernt habe, das von den Irrfahrten des Trojerhelden Äneas handle. Da sei die Wanderlust so mächtig in ihm geworden, daß er sein Handwerk an den Nagel hängte und in Diensten eines Kaufmanns nach der Levante zog. Dort geriet er aber durch den Tod seines Herrn in großes Elend, so daß er wieder zu seinem früheren Handwerk greifen und viele Türkenbärte scheren mußte, bis ihm eines Tages ein welscher Bart unter die Hände kam, der einem edlen Florentiner angehörte. Dieser erkannte aus der blumenreichen, von Zitaten wimmelnden Sprache seines Barbiers, daß solch ein Mann zu etwas Höherem geboren sei, und nahm ihn von der Baderstube weg in seine Dienste. Der Florentiner war nach dem Fall von Konstantinopel in die Levante gekommen, um in kleinasiatischen und griechischen Klöstern nach alten Manuskripten zu fahnden, und da sich Lucius ebensowohl auf die türkische wie auf die fränkische Sprache verstand, mußte er bei diesen Unterhandlungen den Dolmetsch machen. Sein Herr richtete ihn mit der Zeit auf alte Klassiker ab, wie einen Falken auf den Reiherfang.

Als sie nun schon einige hundert Bände gesammelt hatten und mit der kostbaren Fracht die Rückreise nach dem Abendland antreten wollten, litten sie im Ägäischen Meere Schiffbruch und mußten es ansehen, daß all die kostbaren Bücher, die ein ganzes Vermögen verschlungen hatten, in den Wellen versanken.

Bettelarm kehrte der Florentiner in seine Heimat

zurück und starb da an gebrochenem Herzen, hatte aber zuvor noch den getreuen Lucius bei Bernardo Rucellai, seinem besten Freunde, untergebracht.

Dies alles berichtete der Rothaarige seinen Zechgenossen mit manchen Ausschmückungen und großem Schwulst, zuweilen seine Rede mit einem lateinischen Spruch durchflechtend. Auch machte er viel Rühmens von dem Ansehen und Reichtum seines Herrn und vor allem von den unermeßlichen Bücherschätzen, um deretwillen aus der ganzen Welt viel vornehme und gelehrte Männer im Hause Rucellai zusammenströmten, und er suchte dem stumpfsinnig dreinblickenden Peter den Wert solcher Sammlungen begreiflich zu machen.

Dem aber war der ungewohnte welsche Wein zu Kopf gestiegen, und die Ruhmredigkeit des Roten begann ihn zu verdrießen. Er schlug auf den Tisch und rief herausfordernd: „Und mein Herr ist doch noch ein viel größerer Herr, das sag' ich. Der schlägt mit der gepanzerten Faust einen Ochsen nieder und den stärksten Ritter hebt er aus dem Sattel, als ob es ein Strohmann wäre. Acht Wölfe hat er einmal an einem Tag erlegt, und die Dienste, die er dem Hause Württemberg bei der Mühlhäuser Fehde geleistet, wird ihm der Graf gewiß zeitlebens nicht vergessen. Und was den Reichtum betrifft, so brauche ich nur die Burg Stauffeneck zu nennen, mit Dörfern, Wäldern und Äckern, und die Herrschaften im Oberland, gar nicht zu reden von den kleineren Höfen und Weilern zwischen Staufen und Rechberg, die ihm zinspflichtig sind. Es lebt kein besserer Ritter im ganzen römischen

Reich, und wer's nicht glaubt, der hat es mit mir zu tun."

Die anderen Kriegsknechte ließen ein beistimmendes Murmeln vernehmen.

„Ich glaube es ja gern, ihr Herren", begütigte Lucius. „Aber seht: Andere Völker, andere Sitten! wie der Lateiner sagt. Bei uns gilt der Mann mehr nach dem Kopf als nach der Faust, und eine schöne Bücherei hat größeren Wert als Schlösser und Burgen. Da ist zum Beispiel Herr Marcantonio, das alte Ego meines Gebieters; nun, wer ihn sieht, der muß bekennen, daß die Göttin der Liebe nicht an seiner Wiege gestanden hat, und dennoch darf er um das schönste Mädchen von Florenz, um unsere Lucrezia, werben, und meine alten Augen werden es noch erleben, daß Hymens Fackel ihnen den Brautgesang tönt. Das kommt daher, daß er vor ein paar Jahren ein Buch geschrieben hat, ein lateinisches Buch" – Lucius dämpfte seine Stimme zum Flüstern, als ob er sich in der Nähe des Allerheiligsten befände – „seit den großen Alten sei nichts Schöneres geschrieben, sagt Seine Magnifizenz, der erlauchte Lorenzo, der nicht nur ein Kenner ist, sondern auch selber den Pelikan besteigt."

Er sah sich im Kreise nach Beifall um, fand aber nur gleichgültige Gesichter.

„Bücher", sagte Peter wegwerfend, „die wachsen bei uns wie Unkraut, aber wir fragen nichts danach, denn das ist für die Klerisei, nicht für Kriegsleute. Mein Herr hat eine großmächtige Truhe voll von dem Zeug in seinem Keller stehen und hat sich in seinem Leben noch nicht nach ihr gebückt."

Der Rothaarige stieß einen Laut der Überraschung oder des Zweifels aus.

„Ich weiß, was ich sage!“ rief Peter, sich erhitzend, „ich habe sie selbst gesehen, denn ich bin einmal, es ist schon lange her, in unseren Burgkeller auf Schloß Stauffeneck heimlich eingestiegen. Ich hatte einen störrischen Hengst im Burghof getummelt, daß er und ich von Schweiß troffen, denn es war ein heißer Sommertag. Da bemerkte ich nicht weit von dem großen runden Turm ein Loch im Boden, durch das man in den Keller hinabsehen konnte, und der Quaderstein an dieser Stelle war losgebröckelt, denn es ist ein gar altes Gemäuer. Ich, nicht faul, hebe den Stein auf und drücke mich durch die Öffnung hinunter. Es war ein übler Weg, wie ihr euch denken könnt, und ich kam halb geschunden auf dem feuchten Boden an, aber ich hoffte einen tüchtigen Schluck zu tun, denn mir schien's, als sei hier der Weg zum großen Faß. Aber ich befand mich in einem engen Bretterverschlag und konnte nur durch die Latten nach den schönen Wein- und Mostfässern hinüberschielen. Durch einen engen Gang aber kam ich in ein anderes ausgemauertes Gelaß und stieß dort auf eine große eiserne Truhe. Da fiel mir ein, was ich einmal gehört hatte, daß in diesem Gewölbe der Klosterschatz von Sankt Blasien vergraben sei, und ich sah mich um, ob nicht auch in einer Ecke der Hund mit den feurigen Augen sitze, der die Truhe hüten soll. Aber da war nichts Lebendiges außer mir. Also, ich gehe hin und hebe den Deckel auf, und was glaubt ihr, daß ich drinnen fand? Vergoldete Altarleuchter und silberne Becher? – Ja, wisch dir den Mund ab! Lauter verschimmeltes Schweinsleder mit Krakelfüßen darauf und mit farbigen Bildchen am Rand. Ich, wieder zugeklappt und nicht gemuckst von dem Fund, denn wer hätte auch etwas davon gehabt? Ja, wären es harte Taler gewesen! Dort muß die Bescherung noch liegen, und es hat kein Hahn danach gekräht bis auf den heutigen Tag. Was das Ungeziefer übrig läßt, das frißt der Schimmel. Unser Junker weiß gar nichts davon, der Unrat stammt noch aus des Herren selig Zeit, der hatte es mit den Mönchen."

Hier aber ward Peter unterbrochen durch eine Stimme, scharf und schneidend wie ein Peitschenhieb, die seinen Namen rief. Er stolperte eilig die Treppe hinauf in das Zimmer seines jungen Herrn, der eben vom Gastmahl des Mediceers zurückkam, denn er wußte, daß es nicht rätlich war, den Gestrengen auch nur eine Minute warten zu lassen. Als er dessen Befehl entgegengenommen hatte und zu dem neuen Freund zurückkehren wollte, war dieser schon davongeeilt, um seinem Gebieter von dem merkwürdigen Bücherfund des neuen Gegenüber zu berichten.

Der junge Ritter stand am Fenster und blickte unruhig nach der säulengetragenen, ganz von kleinen schwefelgelben Schlingröschen umrankten Halle hinüber, wo ihm beim Einritt jene flüchtige reizende Erscheinung aufgetaucht war. Er gedachte eines Auftrags, den ihm seine jugendliche Landesmutter auf die Reise mitgegeben hatte. Wenn ihr Herr Veit eine rechte Freude machen wolle, hatte sie gesagt, so möge er von Italien, wo es der schönen Mädchen viele gebe, die schönste, die er finde, nach Hause bringen als seine eheliche Wirtin, damit Frau Barbara auch in ihrem Residenzschloß zu Stuttgart die Laute der geliebten Muttersprache vernehme.

Veit, der in Gräfin Barbara das Muster der Frauen verehrte, hatte seit dem ersten Schritt auf italienischem Boden keinen anderen Gedanken mehr, als ein Weib zu finden, das der anmutigen Gebieterin gleiche. Aber je länger er suchte, desto schwieriger fand er die Wahl. Von einer stolzen Visconti, die ihm beim Einzug in Verona mit ihrem fürstlichen Brautgeleite wie die Königin von Saba begegnet war, bis herab zu der anmutigen Spinnerin in Holzschuhen, die es ihm auf den Apenninen angetan hatte, wollte sein Herz gar nicht mehr zur Ruhe kommen, und er bekannte seinen Reisegefährten, daß er Muselman werden und einen ganzen Harem nach Hause bringen müßte, um den Auftrag seiner Herrin richtig zu vollziehen.

Doch in Florenz ereilte ihn sein Geschick, denn seit ihm Bernardo Rucellais Tochter jenes Röslein zugeworfen hatte, war ihm alles weitere Schauen leid und widrig geworden, er hätte am liebsten die Augen schließen mögen, um dieses Bild durch keine anderen Bilder mehr verwischen zu lassen. Er fand, daß sie der Gräfin gleiche, nur war ihr Wuchs höher und schlanker, und ein Liebreiz ging von ihr aus, der in des Junkers Augen alles übertraf, was er bis jetzt gesehen hatte. Er brauchte sich nicht zu fragen, ob Lucrezia Rucellai auch wirklich die

Schönste sei, denn sie war gleich bei dem ersten Blick für ihn die Einzige geworden. Ihren Namen hatte er durch einen der Florentiner Herren, die den Zug geleiteten, erfahren, aber mehr wußte er nicht von ihr, und jetzt fühlte er sich zum ersten Male etwas verzagt, wenn er bedachte, daß die Besitzer dieses Kleinods doch wohl schwerlich auf einen wildfremden Landfahrer gewartet hatten, um es loszuschlagen.

Die kleine Entfernung von seinem Fenster zu ihrem Hause bedeutete also wohl eine unüberschreitbare Kluft, und dennoch lächelte der junge Mann leise vor sich hin, während seine Phantasie eine bunte Brücke in den Farben des Regenbogens hinüberbaute.

Da ging drüben am Hause, das mit der Loggia verbunden war, die Türe auf, und heraus trat zu Veits froher Überraschung Johann Reuchlin, Graf Eberhards jugendlicher Geheimschreiber, geleitet von jenem schönen würdevollen Greis im Silberhaar, den Junker Veit neben dem Mädchen erblickt hatte, und er sah, daß die beiden sich auf der Schwelle herzlich wie alte Freunde verabschiedeten.

Veit sprang mit klirrenden Sporen ungestüm die Treppe hinab, um den Geheimschreiber an der Straßenecke zu stellen und über die Bewohner jenes Hauses zu befragen.

Da erfuhr er, daß der würdevolle alte Herr Bernardo Rucellai heiße, ein Stern des Humanismus sei, durch Familienbande dem Herrscherhaus verknüpft und zugleich naher Anverwandter jenes berühmten Marcantonio Rucellai, den die gelehrte Welt als den glänzendsten neulateinischen Autor verehre.

„Leider mußte ich dem alten Herrn eine schmerzliche Enttäuschung bereiten", fuhr der Geheimschreiber fort. „Er hatte gehofft, ich würde ihm ein einzig vorhandenes Manuskript zur Stelle schaffen, einen uralten Cicero, auf den die Rucellai seit dreißig Jahren fahnden. Doch meine Bemühungen waren vergeblich, und nun schmerzt es mich, daß der alte Herr wohl im stillen denken mag, ich habe den kostbaren Kodex auf die Seite gebracht, denn leider, Junker, gibt es unter Gelehrten weder Treu noch Glauben, sobald ein alter Autor auf dem Spiele steht."

Der Junker hörte diesen Erklärungen nur mit halbem Ohre zu, denn ganz anderes lag ihm am Herzen, als der alte Herr mit seinen literarischen Nöten.

„Habt Ihr auch seine Familie kennengelernt, Herr Geheimschreiber?" fragte er zögernd.

„Herrn Marcantonios Bekanntschaft ist mir auf morgen versprochen", entgegnete Reuchlin nicht ohne eine kleine Bosheit, fuhr aber, als er die unbefriedigte Miene seines Reisegenossen sah, gleich gutmütig fort: „Für Euch hat wohl der Autor der ‚Facetien' mindere Anziehungskraft als Herrn Bernardos schwarzäugiges Töchterlein. Nun, diese werdet Ihr morgen bei dem Lanzenrennen sehen, das Seine Magnifizenz zu Ehren unseres Herrn veranstaltet. Ich höre soeben, daß Fräulein Lucrezia den Sieger krönen soll. Wenn also Euer bewährter

Ruhm Euch treu bleibt, so werdet Ihr meine Wenigkeit morgen nicht mehr zu beneiden brauchen. Und nun, verzeiht, ich muß noch zu unserem Herrn, der mich hier schlecht entbehren kann. Gute Nacht, Herr Ritter, und mögen Euch die Sterne günstig sein."

Mit diesen Worten ging der Geheimschreiber eiligst von dannen.

Das glänzende Kampfspiel war zu Ende, und Herr Bernardo hatte sein bewundertes Töchterlein

zu Pferd durch die gaffende Menge nach Hause begleitet. Ihr reiches Festkleid lag schon wieder im Schrein, und Lucrezia war in die einfache Haustracht geschlüpft, die ihr nicht minder lieblich stand. Der Tag war nicht erschöpfend gewesen, denn die Sonne hatte sich wie aus Mitleid mit den eisenbeschwerten Reitern während des Turniers verborgen gehalten, dennoch brannten Lucrezias Wangen, und ihre Augen strahlten einen Glanz aus, vor dem sie im Spiegel selber erschrak. Eine Stimme lag ihr in den Ohren, die sie heute zum ersten Male gehört hatte, aber nie wieder vergessen zu können glaubte, deren Klang sie noch in der Einsamkeit wie mit körperlicher Gegenwart umschwebte.

„Möchte es nicht das letzte Mal sein, daß meine Augen Euch erblicken!“ murmelte sie vor sich hin und suchte den fremdartigen Ton der Stimme nachzuahmen, die diese Worte gesprochen hatte. Sie mußte sich dabei ein bräunliches, wohlgeformtes Gesicht vorstellen, das unter dem hohen Helm mit Rehgeweih zuversichtlich zu ihr aufblickte. Sie hörte wieder das Stampfen und Wiehern der Pferde, sah das funkelnde Waffengewühl und den Staub der Arena und folgte unverwandt jenem Helme mit Rehgeweih, der blitzartig da und dort auftauchte, alle anderen Helmzeichen weit überragend. Es waren schlankere, schönere Gestalten auf dem Kampfplatz als dieser Fremdling und Halbbarbar, dessen herkulischer Kraft auch von den eigenen Landsleuten keiner ganz gewachsen war, aber die Menge schien den blonden Deutschen vor allen anderen zu bevorzugen, denn sie begrüßte sein Erscheinen immer mit hellem Jubel. Lucrezia wußte selber nicht, warum ihre Augen suchend umherliefen, sobald das Rehgeweih verschwand, und wie es kam, daß sie keinem Gang mit rechter

Aufmerksamkeit folgen konnte, an dem der Träger dieses Zeichens nicht beteiligt war. Wenn er als Sieger vor ihr erschien und, seine Augen fest auf die ihrigen heftend, leise sagte: „Nicht zum letzten Male, Madonna!", so wünschte sie ihn beklemmt und unruhig weit hinweg, sobald er sich aber vom Kampfplatz entfernte, hatte das ganze Schauspiel seinen Reiz verloren. Für die Artigkeiten ihrer Landsleute, die wie immer mit übertriebenen Huldigungen nicht kargten, hatte sie heute nur eine Regung der Ungeduld, weil ihr dadurch der Magnet ihrer Augen entzogen ward.

Als nun endlich der letzte Gang, das große und nicht gefahrlose Lanzenrennen begann und sie auch den Rechberger wieder in die Schranken reiten sah, siegesgewiß den Hals seines starken Tieres klopfend, da wartete sie mit solcher Unruhe auf die Entscheidung, als wäre sie selbst als letzter und höchster Kampfpreis gesetzt. Sie hatte keinen Sinn für all den Aufwand von Waffenkunst, der vor ihren Augen entfaltet wurde, sie nahm keinen Teil an der brennenden Frage, ob die Barbaren ihren Landsleuten an Stärke überlegen seien, und ob die Florentiner wiederum jene an Gewandtheit überträfen, es beschäftigte sie nicht einmal, daß der fremde Graf mit der dunklen Kleidung und dem ernsten Gesicht sich diesmal selbst mit einem der Florentiner Herren maß; sie verfolgte immer das Rehgeweih und den Schild mit den züngelnden rechbergischen Löwen. Sie meinte noch in der Erinnerung die Gewalt der Stöße, das Splittern der Schäfte, das grausame Aufeinanderprallen der Pferde zu vernehmen und das ängstliche Klopfen ihres eigenen Herzens, bis der Herold als Sieger den blonden Deutschen mit dem unaussprechlichen Namen verkündete und die Bühne von dem Jauchzen, Stampfen und Tücherschwenken der Menge wankte. Ihre Blicke hatten sich umflort und ihre Hände gezittert, als sie ein Kränzlein lebendiger Rosen mit goldenen Blättern an der Lanzenspitze des Junkers befestigte, und es war ihr, als habe sie mit diesem Kränzlein das eigene Ich hinweggegeben. Er aber lächelte siegesfroh, blickte ihr mit den guten blauen Augen fest ins Gesicht und sagte mit seinem fremden Akzent: „Madonna, ich hoffe, Euch wiederzusehen.“

Ein Florentiner hätte sich schwungvoller und zierlicher ausgedrückt, aber die stete Wiederholung der schlichten Worte, als ob der Sprecher nichts zu denken noch zu sagen vermöge als nur das eine, den Wunsch, sie wiederzusehen, hatte sie erschüttert und erschreckte sie zugleich mit der Ahnung, daß diese unwiderstehlich starken Arme nun auch sie ergreifen und nicht wieder freigeben würden. Doch während sie sich gegen diesen Zwang zu wehren suchte, freute sie sich selbst im stillen, daß heute abend der unaussprechliche Name des Fremdlings in aller Munde war, als ob sie selber an seinem Triumph einen Teil hätte.

Gleichzeitig ereignete sich der seltsame Fall, daß des Vaters Gedanken nicht minder lebhaft mit dem anziehenden Fremdling beschäftigt waren als die der Tochter; freilich aus sehr verschiedenem Grund. Seit er die Nachricht von jenen vergrabenen Bücherschätzen auf Schloß Stauffeneck erhalten hatte, war in Bernardos Seele die fast abenteuerlich kühne Hoffnung aufgekeimt, daß der verschwundene Kodex vielleicht mit in jener Truhe liege. Es war zuerst nur eine Eingebung des roten Lutz gewesen, die der Gebieter selbst belächelte; aber in langer Nacht hatte er die Ortsnamen, die fest in seinem Gedächtnis hafteten, mit den Angaben über den letzten Verbleib des Manuskriptes verglichen, und zu seiner eigenen Überraschung stimmten sie wunderbar. In seinen schlaflosen Grübeleien hatte er noch dem Zweifel Raum gegönnt, aber am Morgen, als die freudigen Lichtfluten durch das Fenster strömten, öffnete er sein Herz der frohen Überzeugung, daß es der Schatten des großen Römers selber sei, der aus dem Munde eines barbarischen Kriegsknechts um Erlösung flehe.

Herr Bernardo war vor allen Dingen Humanist,

und die Leidenschaft für das klassische Altertum erstickte in ihm jede andere menschliche Empfindung. Darum konnte auch Lucrezia kein Herz zu ihrem Vater fassen, obwohl sie nie ein ungütiges Wort von ihm zu hören bekam, aber er schien ihr glatt und kühl wie ein Aal, und wenn er einmal zärtlich wurde, so hatte sie den Eindruck, als sei es ihm nur um die wohltönenden Reden zu tun, die leicht und elegant von seinen Lippen strömten.

In seinem Studierzimmer saßen an den Winterabenden die Mitglieder der Platonischen Akademie unter einer Marmorbüste Ciceros beisammen, der Herr Bernardos stärkster Heiliger war und dem er ein ewiges Lämpchen unterhielt, wie sein Freund Marsilio Ficino dem Plato. Jahraus, jahrein arbeiteten die besten Meister der Goldschmiedekunst an seinem berühmten, den antiken Mustern nachgebildeten Tafelgeschirr; er selbst trug im Hause statt des Florentiner Lucco eine römische Toga und bewegte sich mit dem Anstand, der diesem Gewande entsprach. Er redete niemals mit Heftigkeit, noch ließ er je eine Erregung des Gemütes blicken, so daß er zu jeder Stunde an jene römischen Senatoren gemahnte, die, in ihren kurulischen Stühlen sitzend, das Herannahen des Galliers erwarteten. Sein Sprechen war so gewählt, daß er nie einen Satz unvollendet ließ und daß jede seiner abgerundeten Perioden für eine vollkommene Stilübung gelten konnte. Im Latein, das dazumal die höhere Umgangssprache war, legte er sich lieber den Zwang auf, seinen Gesprächsstoff zu beschränken, als ein Wort zu gebrauchen, welches nicht durch die Autorität Ciceros gedeckt war. Und diesem Manne, der so hoch und sicher im Leben stand, dessen Söhne die ersten Ehrenposten des Staates bekleideten, fehlte nur eines zur Zufriedenheit, dieses eine aber fehlte ihm so sehr, daß es ihm fast die anderen Güter entwertete, nämlich jener uralte, ciceronianische Kodex.

Dieser Kodex hatte im Haus der Rucellai schon eine schicksalsschwere Rolle gespielt. Zuerst war es Donato Rucellai, Bernardos älterer Bruder, gewesen, der vor mehr als dreißig Jahren bei einem Besuch auf der Insel Reichenau den kostbaren Fund getan. Der damalige Abt befand sich häufig in Geldverlegenheiten und wäre gerne bereit gewesen, das Buch zu verkaufen, aber er tat, als er das Entzücken des Entdeckers sah, eine so ungeheure Forderung, daß der Italiener mit leeren Händen abziehen mußte, denn eine Abschrift zu nehmen wurde ihm nicht gestattet.

Doch sein Verzicht ließ Herrn Donato keine Ruhe. Er verkaufte ein Landgut, legte die Summe bei einem deutschen Bankhaus nieder und begab sich wieder auf die Fahrt. Unterdessen hatte aber das Manuskript den Besitzer gewechselt, da es pfandweise in ein württembergisches Kloster übergegangen war. Landfremd, der Sprache nur zur Not kundig und im ärmlichsten Aufzug, um keinem Wegelagerer zur Beute zu fallen, verfolgte der weichliche Humanist unter schweren Mühen und Entbehrungen die Spuren seines Schatzes, die ihn bis tief in den Schwarzwald führten.

Dort stand unter endlosen finsteren Tannenwäldern, die dem lichtgewohnten Sohne des Südens wie die Pfade der Unterwelt erschienen, das ehrwürdige Kloster Hirsau – dessen Name aber in italienischem Munde ein wenig anders klang. In dieser Abtei war Donato zum letzten Male gesehen worden, denn ein anderer italienischer Manuskriptensammler hatte ihn dort getroffen, als der Unermüdliche eben im Begriffe stand, nach einem Klösterlein des heiligen Blasius im Osten des Landes, nicht gar weit von der alten Stauferfeste, aufzubrechen, wohin ein Hirsauer Bruder den kostbaren Kodex verschleppt haben sollte.

Dies war die letzte Kunde, die von Donato Rucellai nach Florenz drang, und der edle Gelehrte war nie in seine Heimat zurückgekehrt. Nachfragen wurden angestellt, aber sie brachten nur zu Tage, daß jenes Klösterlein, welches Donatos letztes Reiseziel gewesen, durch eine Feuersbrunst vom Boden verschwunden sei. Es war damals viel Krieg und Fehde in schwäbischen Landen, wobei man es mit Menschenleben nicht sehr genau nahm, und von dem Tiefbetrauerten wurde niemals wieder eine Spur gefunden.

Jahrelang war nun auch der Kodex verschollen, und die Familie der Rucellai hatte vor Ciceros irrem Geist Ruhe. Da kam vor nunmehr sieben Jahren ein reisender Kaufmann nach Florenz und berichtete, im suevischen Lande habe man eine uralte Handschrift aus dem neunten oder zehnten Jahrhundert entdeckt, welche allem Anschein nach der von den Rucellai gesuchte Cicero sei. Ein Kleriker sei sein jetziger Besitzer; derselbe verlange einen so hohen Preis für das einzig vorhandene Manuskript, daß er es im Lande nicht losschlagen könne und daß er deshalb in Italien einen Käufer suche.

Wie der Keim einer Seuche, der jahrelang verschlossen gelegen, plötzlich wieder an die Luft treten und aufs neue die Ansteckung bewirken kann, so ging es hier. Das Gift der Bibliomanie kroch in

Herrn Bernardos Adern und entzündete jetzt in ihm jenes fieberhafte Verlangen nach Ciceros liber jocularis, dem sein unglücklicher Bruder zum Opfer gefallen war. Sein Anverwandter, Marcantonio Rucellai, der damals noch ein unberühmtes Dasein führte, erbot sich, das Buch durch einen tüchtigen Agenten, den er für den Ankauf und das Kopieren alter Manuskripte in den alemannischen Landen geworben hatte, zur Stelle zu schaffen. Doch nach Jahresfrist kehrte der Agent mit dürftiger Ausbeute nach Florenz zurück, denn die Zeit der großen Bücherfunde war vorüber, und die Nachricht jenes Reisenden hatte sich, wie Marcantonio seinem Blutsfreund berichten mußte, einfach als Fopperei erwiesen.

Aber der ciceronianische Kodex umspann den edlen Bernardo bereits mit einem dämonischen Zauber, und auch die ungesühnten Manen seines Bruders, dessen Gebeine vielleicht unbestattet auf fremder Erde lagen, drängten sich wieder klagend vor seinen Geist.

Auf Reuchlin stützten sich nunmehr seine Hoffnungen; aber ach, seit Donatos Verschwinden waren dreißig Jahre verflossen, und der weise Kapnion gehörte einer anderen Generation an als die deutschen Gelehrten, die einst dem edlen Florentiner auf seiner Reise mit Rat und Tat beigestanden hatten. Wie sollte man nach so langer Zeit noch von einem verschollenen fremden Wanderer und von einem längst niedergebrannten Klösterlein, dessen Lage ungewiß und dessen Name kein seltener war, Nachricht erlangen? Bernardo begriff es wohl, aber dennoch konnte seine Phantasie von dem liebgewordenen Gegenstand nicht mehr lassen, und erregt durch die wieder aufgerührten Erinnerungen knüpfte er an die Prahlereien des alemannischen Knechtes alsbald den neuen Hoffnungsfaden an.

Die folgenschwere Mitteilung war ihm gestern erst nach Weggang seines Besuches gemacht worden, und so lag es ihm sehr am Herzen, den neuen Freund so rasch wie möglich ins Vertrauen zu ziehen und für die Förderung seiner Absichten zu gewinnen. Doch Reuchlin war während des Kampfspiels durch seine Dolmetscherpflichten so sehr in Anspruch genommen, daß er für die sehnsüchtigen Blicke Bernardos kein Verständnis hatte, und erst als die Herrschaften sich zum Aufbruch rüsteten, war es dem alten Herrn noch rasch gelungen, sich mit seinem Anliegen an den Geheimschreiber heranzudrängen.

Zu Hause trat er gleich an sein Fenster und starrte mit den brünftigen Augen eines Liebhabers nach den geschlossenen Läden gegenüber. Die niedergehende Sonne setzte den ganzen Himmel in Flammen, und Bernardo Rucellai erblickte eine selige Vision, schön wie der Ruhm und die Unsterblichkeit; die farbendurchglühten Abendwolken zeigten ihm in purpurnen, dunkelvioletten und goldenen Lettern die Schrift: M. T. Ciceronis liber jocularis nunc primum repertus et in lucem editus.

Aus seiner Verzückung schreckte ihn Hufschlag auf dem Pflaster, und das Herz begann ihm zu klopfen wie einem Mägdlein beim Herannahen des Geliebten. Es war aber nicht Junker Veit von Rechberg, der sein Pferd um die Ecke lenkte, sondern der erlauchte Lorenzo selbst, und in der muntersten Laune, wie es schien, denn er winkte schon von weitem herauf mit einem feinen Lächeln, das ein schalkhaftes Geheimnis barg. Die ganze Dienerschaft steckte die Köpfe zusammen, als gleich darauf der alte Herr mit der Miene würdig verhaltener Neugier seinen erhabenen Besucher, der nicht aufhörte zu lächeln, die Treppe herauf nach seinem Studierzimmer führte. Auch Lucrezia sah den Herrscher eintreten, der ihr Pate war, denn sie stand gleichfalls am Fenster und blickte in den brennenden Abendhimmel, aber für sie hatte das magische Farbenspiel eine andere Bedeutung als für ihren Vater: In den Umrissen der segelnden Goldwölkchen meinte sie ein blondes germanisches Haupt zu erkennen. Ahnung sagte ihr, daß etwas Außergewöhnliches im Anzug war, und etwas, das sie selbst betraf. Sie wollte sich zur Ruhe zwingen und zur gewohnten Beschäftigung, aber keine Arbeit glückte, sie war unfähig selbst zu der geringsten Verrichtung und mußte sich, von Zimmer zu Zimmer irrend, dem qualvollen Zustand dieser rastlosen Muße ergeben.

Endlich brach Lorenzo auf, und der Vater geleitete ihn bis vor die Schwelle des Hauses. In sein Arbeitszimmer zurückgekehrt, schloß sich Bernardo ein und schritt lange gegen seine Gewohnheit aufgeregt hin und her. Nach geraumer Zeit kam er endlich heraus, ging in den Büchersaal, und Lucrezia sah von der halboffenen Türe aus, wie er in der Dämmerung ein in karmesinrotes Leder gebunde-

nes Buch vom Schranke nahm. Er schlug auf gut Glück auf und trat dann an das Fenster, um bei dem schwindenden Tageslicht die Stelle zu entziffern, die sein Finger bezeichnete. Jetzt wußte Lucrezia, daß der Vater eine schwere Entscheidung seinem Virgil anheimgestellt hatte.

Bei Tische jedoch zeigte Bernardo sein gewöhnliches undurchdringliches Gesicht und die olympische Ruhe, die ihm stets ein so großes Übergewicht über die Umgebung verlieh. Er scherzte mit Lucius, der die Bedienung der Tafel überwachte, und sprach so schön und gewählt wie immer, während seine Tochter keinen Bissen genoß. Endlich nach einer qualvoll langen Stunde wurde unter den üblichen Förmlichkeiten die Tafel aufgehoben, und nachdem der Vater noch langsam und wohlbedacht die zu der Gesundheitspflege nötigen tausend Schritte abgeschritten hatte, ließ er die Tochter in sein Studierzimmer rufen, das die schwebende Ampel jetzt freundlich erleuchtete, während die Fenster und Innenläden gegen Nachtluft und Zanzaren verschlossen waren.

Dort empfing sie die Mitteilung, daß der fremde Graf ihr die Ehre angetan habe, durch Seine Magnifizenz um ihre Hand für jenen jungen Ritter zu werben, der bei den Kampfspielen so große Ehren gewonnen habe.

Lucrezia saß auf einem kleinen Schemel zu Füßen des Vaters und rang nach Atem, während er ruhig fortfuhr, ihr die Vorteile dieser Heirat und die ehrenvolle Stellung, der sie am Hofe der Gräfin Barbara entgegenging, zu erklären.

„Ich will dir nicht verhehlen, daß mich die Werbung erschüttert hat", sprach er, langsam die Worte wägend, „denn ich hatte anderes mit dir im Sinne. Aber es gibt höhere Pflichten als die des Blutes. Wenn nicht alle Zeichen trügen, so ist dieser junge Barbar der jetzige Besitzer der Handschrift, nach der wir seit dreißig Jahren suchen. Ich will nicht davon reden, was dieser Fund für mich bedeutet, noch daß dein Oheim sein Leben dafür gelassen hat. Aber denke an die Wissenschaft und die ganze Gesittung unserer Tage. Ein Cicero! Sein liber jocularis! Denke, was es heißen will, diesen Genius, den wir in der Ruhe, im Zorn, in der Begeisterung bewundert haben, jetzt auch in seinem attischen Scherz, in der munteren Weinlaune kennenzulernen! Nicht mehr als feurigen Redner oder als Philosophen, nein, als geselligen Tischnachbarn, mit Cajus und Titus über Alltagsgegenstände plaudernd, doch voll köstlichen Salzes, voll feiner Worte und Wörtchen!" Herr Bernardo schloß die Augen und machte ein Gesicht, als ob er Kaviar auf der Zunge zergehen lasse.

„Ich brauche nichts weiter zu sagen, du bist unterrichtet genug, um zu wissen, was auf dem Spiele steht. Der Schatz ist reif; wenn wir ihn nicht heben, so versinkt er vielleicht auf ewig in den Schoß der Erde. Ein Cicero!"

Längst war sein etwas gekünsteltes Sprechen in den Ton wahrer Empfindung übergegangen. Jetzt riß ihm der Faden entzwei, er schlug die Augen zum Himmel und wiederholte mit inniger Andacht: „Liber jocularis! Liber jocularis!" indes zwei Tränen langsam über das ehrwürdige Gesicht niederrannen.

Lucrezia schwieg noch immer. Die Entscheidung war so jählings über sie gekommen, daß sie völlig überwältigt war. Erst nach einer langen Pause sagte sie stockend: „Habt Ihr Eure Zusage gegeben?"

„Er wird sie sich morgen holen. Sie ist an eine Bedingung geknüpft, die du errätst. Er kläre das dunkle Ende deines Oheims auf und bringe mir den Kodex. Am Tage, wo Ciceros liber jocularis unversehrt vor meinen Augen liegt, wird er dein Gatte, es sei ihm geschworen."

Jetzt erst bemerkte er, daß seine Tochter sich in die Fensternische geflüchtet hatte und heftig schluchzend ihren Kopf an den geschlossenen Laden drückte.

Er trat zu ihr, streichelte ihren schwarzen Scheitel und suchte sie zu trösten, indem er ihr wiederholt erzählte, welch warme Fürsprache der erlauchte Lorenzo für den Junker eingelegt habe, und daß der deutsche Graf ihr ein zweiter Vater sein wolle. Auch legte er kein geringes Gewicht auf die Herkunft des Jünglings, der, wie er der Tochter erzählte, eines Stammes sei mit jenem gewaltigen Schwabengeschlecht, das Italien seine großen Kaiser gegeben habe.

„Soll ich dir noch mehr vertrauen?" fuhr er flüsternd fort. „Du weißt, ich verachte den Aberglauben, aber es gibt ein Orakel, das mich nie getäuscht, das mich immer recht beraten hat. Und siehe, wunderbar! Derselbe Götterspruch, der in Latium an den König Latinus erging, hat heute auch mir geboten, den Fremdling zum Eidam zu nehmen."

So endigte das Gespräch zwischen Bernardo und seiner Tochter. Diese stand noch lange am offenen Fenster ihres Schlafgemachs und blickte in die duftatmende Frühlingsnacht mit der unermeßlichen Sternenfülle, unter der die ersten Leuchtkäferchen schwirrten. Sie dachte ängstlich an jenes kalte, finstere Barbarenland, wo es weder eine rechte Sonne gab, noch rechte Sterne, geschweige denn die goldenen Leuchtkäferchen, die flatternden irdischen Sterne. Träne um Träne rann, ohne daß sie es beachtete, über ihre Samtwangen. Der junge Fremdling schien ihr jetzt bei weitem nicht mehr so hübsch wie zuvor, sie fand sogar, daß er mit seinem starkgliedrigen, schweren Wuchs und den barbarischen Stößen, denen niemand standhielt, neben den eleganten Florentinern einem Wilden geglichen habe. Auch deuchte es ihr grausam und unbarmherzig, daß der eigene Vater ihre blühende Jugend gegen ein altes Pergament verhandelte, und doch war der Entschluß, sich dem harten Gebot kindlich zu unterwerfen, nicht ohne stille innere Befriedigung. Sie trocknete ergeben ihre Tränen ab und suchte den Schlummer, um nicht am anderen Tage ein übernächtiges Gesicht zu zeigen, denn wieviel sie auch an dem barbarischen Werber mäkeln mochte, er sollte seinerseits an ihrer Erscheinung keinen Tadel finden.

Junker Veit gehörte zu den glücklichen Naturen, denen es der Herr im Schlafe gibt. Mit seinem munteren Sinn, seiner anerkannten Tapferkeit, seiner männlichen Gestalt war er überall eines günstigen Eindrucks gewiß. Nie hatte er sich noch über den Ausgang eines Unternehmens Sorge gemacht, und so fand er es nicht mehr als billig, daß ihm auch jetzt die reife Frucht nur so in den Schoß fiel.

Als Reuchlin ihm die Vermutungen und Wünsche klar gemacht, die sich an seine Person knüpften, hatte er es frischweg gewagt, den Grafen, der selbst in einer italienischen Heirat sein Glück gefunden, um Vermittlung anzugehen, und der Graf hatte mit väterlicher Güte durch den erlauchten

Lorenzo den überraschenden Antrag gestellt: die junge Lucrezia um den alten Tullius.

Veit zeigte vor dem Grafen so große Zuversicht, daß darüber die Stimme des Zweifels in seinem eigenen Inneren verstummte. Im stillen aber pflog er mit sich selber Rat und zwang sein Gedächtnis zu ungeheurer Anstrengung, um jeden Punkt hervorzusuchen, der zu Bernardos Begehren stimmte. Nur das unaufgeklärte Ende des älteren Rucellai schuf ihm Bedenken, des Manuskriptes glaubte er sicher zu sein. Doch wenn er erst an Ort und Stelle war, wollte er schon den unsichtbaren Faden finden, der sich von dem einen zum anderen spann. Denn daß es im Grunde doch vermessen war, dem Zufall so unerhörte Güte zuzutrauen, das zu denken fiel ihm gar nicht ein.

Über Sankt Blasien konnte er genaue Auskunft geben, denn es war einst ein Schirmkloster seines Vaters gewesen, und ein Zweig der Familie Rechberg hatte dort ehedem die Grablege gehabt. Nicht gar weit von Stauffeneck, dem Witwensitz seiner Mutter, war die Stelle, wo einst das Kloster stand; jetzt waren längst die Trümmer abgetragen, und der Pflug ging über den Ort. Zur Zeit des Städtekrieges nämlich, während sein Vater mit dem Grafen Ulrich von Württemberg vor Eßlingen zog, hatten die raublustigen Gmünder, die es mit den Städtern hielten, auf rechbergischem Grund und Boden viel Schabernack verübt und auch jenes wehrlose Klösterlein überfallen und niedergebrannt. Der Prior von Sankt Blasien, ein alter gebrechlicher Mann, hatte sich nach dem nahen Stauffeneck geflüchtet, wo er aber infolge des Schrecks und der erhaltenen Verletzungen starb. Die Truhe, welche Peter gesehen hatte, mochte also wohl die von dem Prior gerettete Klosterbibliothek enthalten, denn der Junker entsann sich gut, daß er einst als kleiner Junge von einer Magd gehört hatte, im Burgkeller

sei der Schatz von Sankt Blasien vergraben, den ein schwarzer Hund mit feurigen Augen hüte.

Noch eine andere Erinnerung aber, weit unheimlicher und schauerlicher als diese, tauchte ihm zugleich aus seiner Kinderzeit auf. Im Örtchen Salach am Fuße von Stauffeneck war außerhalb der Kirchhofmauer ein kleiner Hügel, wohl durch Anhäufung von Scherben und allerlei Unrat entstanden, aber seit langer Zeit mit üppigstem Grün bekleidet, und unter dieser Erhöhung, so flüsterte man im Volke, sei der „schwarze Mann" begraben. Dorfkinder mieden den Ort, obwohl hier immer die ersten Primeln blühten und zur Veilchenzeit ein wunderbarer Duft von der Stelle ausging. Auch Veit hatte es in seinen Knabenjahren, wenn er nach Stauffeneck kam, als keine geringe Leistung betrachtet, in der Dunkelheit allein an dieser Kirchhofecke vorüberzugehen, und er tat es nur mit zugedrückten Augen und beschleunigtem Schritt.

Wer der schwarze Mann war, wußte er nicht, denn nach Kinderart war es ihm nie eingefallen, sich um Dinge zu kümmern, die so weit vor seiner Zeit lagen, nur ging im Dorf die halbverschollene Sage, derselbe sei ein schrecklicher Zauberer und Schatzgräber gewesen. Auch spielten zuweilen die älteren Leute auf irgend einen schauerlichen Vorfall an, der mit dem „Schwarzen" zusammenhing.

Diesen Nekromanten hatte nun die Phantasie der Schloßkinder mit dem Schatz im Kellergewölbe in Verbindung gebracht, und sie pflegten sich zu erzählen, daß nächtlicherweile der schwarze Mann aus seinem Hügel steige und nach dem Burgverlies schleiche, um dort den Schatz zu heben, der ihm auch im Grab keine Ruhe lasse, daß er aber jedesmal von dem Hund mit den feurigen Augen zurückgetrieben werde. Oder war es doch nicht die eigene Einbildungskraft gewesen, welche jene beiden Gegenstände so eng in seiner Vorstellung verwob? Hatte er vielleicht einmal erzählen hören, dieser Schatzgräber habe nach dem Klostergut von Sankt Blasien gestrebt und sei darüber ums Leben gekommen? Hier wurden seine Erinnerungen so dunkel und ungewiß, daß dem angestrengten Gedächtnis mit aller Mühe nichts weiter abzuringen war.

Als der Junker sich festgesetztermaßen in Reuchlins Gesellschaft bei Herrn Bernardo einfand, traf er dort nebst den Söhnen und anderen Verwandten des Hauses auch den unvermeidlichen Marcantonio, der ihn mit dem kalten Blick stillen Hohnes maß. Junker Veit hatte zwar nach den deutschen Begriffen von dazumal eine für seinen Stand ausreichende Bildung genossen, konnte sich auch zur Not im Lateinischen ausdrücken, aber bei all der Gelehrsamkeit, welche die Florentiner Herren zu seinen Ehren verpufften, wurde ihm heiß und kalt, und er war herzlich froh, sich unter die Fittiche des Geheimschreibers ducken zu können, besonders gegen den berühmten Marcantonio, der sich ein Vergnügen daraus machte, ihn in gefährliche Satzbildungen zu verstricken und vor dem künftigen Schwäher zu Fall zu bringen. Doch Reuchlin war dem Italiener völlig gewachsen, und der Gelehrte fing mit dem funkelnden Schwert seines Geistes manchen Hieb auf, der dem Kriegsmann gegolten hatte, wofür ihm dieser erst viele Jahre später, da Reuchlin von den Dunkelmännern seiner Heimat umlagert war, den schuldigen Dank und Gegendienst entrichten konnte.

Allgemach kamen die Verhandlungen nach langem Hin- und Widerreden, das den Florentinern einen aufrichtigen Genuß gewährte, zu gedeihlichem Abschluß, und der Heiratskontrakt wurde Punkt für Punkt zu Papier gebracht. Jetzt erschien auch das Fräulein morgenfrisch und züchtig erglühend ohne eine Spur der nächtlichen Tränen, und Herr Bernardo trat in die Mitte der Anwesenden, die Tochter an der einen, den Junker an der anderen Hand, und hielt, nachdem die Ringe getauscht waren, eine schöne lateinische Verlobungsrede über das Wesen der Treue, die mit dem Tode des Regulus begann und mit der Zerstörung von Karthago endigte. Glückwünsche wurden nach antikem Muster getauscht, und auch Marcantonio stattete den seinigen ab, ohne durch eine Miene zu verraten, daß ihm der lästige Zwischenfall einen altgehegten Wunsch durchkreuzte.

Indes die breiten Wogen der Dialektik, jetzt völlig zum Selbstzweck entfesselt, das Gemach durchrauschten, stand Junker Veit neben seiner Verlobten in einer Fensternische, von dem mächtigen Teppichvorhang halb verdeckt, und suchte sich mit ihr durch Blicke und leisen Druck der Hand zu verständigen, bei welcher Sprache er der Hilfe des gelehrten Kapnion wohl entraten mochte. Wie Lucrezia diese Zeichensprache aufnahm, konnte man nicht sehen, denn sie hielt ihr Köpfchen von der Gesellschaft abgewandt, aber wenn die Miene des jungen Mannes ein Spiegel der ihrigen war, so konnte es kein unfreundliches Gesicht sein, was sie ihm zeigte.

Da trat Herr Bernardo dazwischen und legte mit anmutiger Hoheit seine Hand auf des Junkers Schulter.

„Es ist Zeit zu scheiden“, sagte er. „Fahre wohl, mein Sohn, die Götter schenken dir günstigen Vogelflug, und dich geleite der Gott der Wanderer an seinem sicheren Stabe.“

„In die Unterwelt? Amen!“ setzte Marcantonio leise hinzu.

Beim nächsten Morgengrauen, während Graf

Eberhard mit Rossen und Mannen der ewigen Stadt entgegenzog, lenkte Junker Veit sein Pferd durch die Porta San Gallo der nordischen Heimat zu.

Längst waren die Leuchtkäfer verglommen und die Nachtigallen verstummt, der Hochsommer war eingezogen mit seiner weißglühenden Sonne und seinem endlosen Zikadengeschmetter, aber noch war keine Kunde von Junker Veit gekommen. Im Hause der Rucellai hatte man geglaubt, daß der rasche Werber in spätestens zwei Monaten zurück sein würde, und Lucrezia hatte im Vorgefühl des nahen Abschieds die Plätze ihrer Kindheit durchstreift und tränenden Auges allen Freundinnen Lebewohl gesagt. Sonst war alles sich gleich geblieben, nach wie vor brannte das Lämpchen bei Ciceros Büste, nach wie vor sprach Herr Bernardo im Stil der römischen Redner, und Lucius Rufus mühte sich treulich, es ihm nachzutun. Wie sonst verbrachte der berühmte Marcantonio seine Abende im Palaste Rucellai oder in der Loggia, die jetzt von übermächtigem Orangen- und Zitronenduft erfüllt war. Bernardo hatte sich eine Karte von Germanien zu verschaffen gewußt, an der sie zu dreien studierten, um die Lage des Landes Württemberg festzustellen; da sie aber nicht wußten, ob sie dasselbe in Nord, Süd, Ost oder West zu suchen hatten, standen sie bald wieder von ihren geographischen Forschungen ab. Diesen Umstand benützte Marcantonio, um dem Kinde von den germanischen Landen, die auch der Vater nur aus der Beschreibung des Tacitus kannte, ein höchst abschreckendes Bild zu entwerfen, und von den Bewohnern sagte er, sie seien ein wildes, dem Trunke ergebenes Volk, wozu aber Bernardo die Bemerkung fügte, daß die Frauen dort in hohen Ehren gehalten würden.

Im übrigen führten sie zusammen ein einförmiges Leben, denn der alte Herr öffnete den Mund nur, um sich selber reden zu hören, und Marcantonio, so witzig mit der Feder, war ein dürftiger und trockener Gesellschafter.

Als sich nun die Frist, die dem Mädchen anfangs so erwünscht war, wider Erwarten mehr und mehr in die Länge zog, ertappte sie sich zuweilen auf dem Gedanken: „Er bleibt aber lange aus", – was auch Marcantonio dem Vater gegenüber auf seine Weise aussprach mit den Worten: „Er zeigt wenig Eile, dein junger Barbar."

Bernardo war nicht aus seiner Gemessenheit zu bringen.

„Ich habe ihm längere Frist zugestanden, als er zum knappen Hinundherreiten braucht. Auch kann ihm ja ein Unfall zugestoßen sein."

Bei diesen Worten erbleichte Lucrezia und empfand etwas wie einen Stich am Herzen. Sie beugte sich über die Loggia hinaus und wandte die Augen ängstlich nach der Richtung, in der sie das Land Germanien vermutete. Von nun an blickte sie oft nach Norden und eilte zum Fenster, so oft die Piazzetta von Hufschlag dröhnte. Selbst wenn einmal ein Windzug von den Alpen her die glühende Hitze kühlte, so dachte sie stets daran, daß diese Lüftchen denselben Weg gewandert seien, auf welchem auch der blonde Reitersmann kommen mußte.

Doch erfuhr niemand, was in ihr vorging, als der rote Lutz, der sie von Kindesbeinen kannte und von dem sie sich jetzt insgeheim die Anfangsgründe der deutschen Sprache beibringen ließ. Er war zwar wegen seiner Schwülstigkeit nicht der berufenste Lehrer, hatte auch in zwanzigjähriger Abwesenheit vom Vaterland das Deutsche zum Teil vergessen, aber mit Beharrlichkeit brachte sie es so weit, die Namen der Dinge aus einem Wust von Torheit herauszuschälen und sich ins Gedächtnis zu prägen. Es war nur ein schwacher Anfang, aber er sollte dem Verlobten ihren guten Willen zeigen, und sie freute sich königlich darauf, ihn in den Lauten seiner Muttersprache zu begrüßen.

Unterdessen war in der ganzen Stadt die seltsame Verlobung Lucrezias bekannt geworden, und auch am mediceischen Hofe wurde viel darüber gescherzt, daß die junge Florentinerin den alten Römer aus der Gefangenschaft loskaufen müsse. Doch, obwohl man allgemein bedauerte, ein so schönes Mädchen aus Florenz zu verlieren, war niemand, der Herrn Bernardo getadelt hätte, denn so hoch stand das Ansehen des römischen Autors, daß man wohl begriff, wie der Vater sein eigen Fleisch und Blut nicht zu kostbar hielt für diesen Tausch.

Nur Marcantonio sah den alten Freund mit immer vorwurfsvolleren Augen an. Als sich gar der Hochsommer zu Ende neigte, suchte er allmählich durch leises Wühlen den Glauben Bernardos an die Rückkehr des barbarischen Bräutigams zu erschüttern, indem er ihm vorrechnete, daß eine Frist wie die verstrichene genügt hätte, das goldene Vlies herbeizuschaffen, geschweige einen alten Kodex aus dem eigenen Keller.

Doch Bernardo runzelte nur die olympischen Brauen ein wenig.

„Der Verfasser der ‚Facetiae' darf sich etwas bei mir erlauben. Aber treibe keinen Mißbrauch mit dem Recht an meine Liebe, das dein unvergleichliches literarisches Verdienst dir erworben hat. Kann der Fremdling die Bedingung nicht erfüllen, so sendet er mir den Ring zurück, und alsdann magst du deine Werbung erneuern."

Auch gemeinsame Freunde, die sich auf Marcantonios Bitte bei Bernardo bemühten, erhielten keine andere Antwort als: „Ein Rucellai hält, was er verspricht. Was hülfe uns das Studium der Alten, wenn wir uns nicht ihre Tugenden zu eigen machten!"

Der alte Herr war mittlerweile mit seinem Töchterlein auf ein kleines Landgut im Val d'Ema gezogen, das eigentlich Marcantonio gehörte, aber wegen seiner reizenden schattigen Lage und der Nähe der Stadt schon seit Jahren der Familie zum Sommersitz diente. Dort las er zum vierzehnten Male

das berühmte Buch seines Verwandten und ergötzte sich an der geistigen Fülle, die aus den toten Lettern sprudelte und von der dem Verfasser im Umgang so wenig anzumerken war. Unter diesem Einfluß verwandelte sich ganz allmählich der Wunsch, seine Tochter durch die Hand eines solchen Mannes glücklich zu machen, in ihm zur Überzeugung, daß der deutsche Junker doch nicht zurückkehren werde, und endlich ließ er sich von Marcantonio das Versprechen entreißen, daß, wenn binnen eines Monats noch immer keine Nachricht von dem Fremdling gekommen sei, er der Heirat seines bewunderten Freundes mit Lucrezia kein Hindernis mehr in den Weg stellen werde.

Noch ein Monat! Dem Gelehrten schien es, als habe dieser Zeitraum die zehnfache Zahl der Tage, die sonst zu einem Monat gehörten. Nicht daß er gefürchtet hätte, der deutsche Junker werde unterdessen mit dem alten Manuskript zurückkehren und den Preis einfordern, er wußte ja und er allein, daß dies unmöglich war. Aber das Ziel seiner Wünsche rückte abermals in die Ferne, und doch war ihm die Hand der schönen Lucrezia schon versprochen am Tag, wo seine berühmten Facetien das Licht erblickt hatten, und wenn auch die schwarzen Augen des Mädchens kein jugendliches Feuer mehr in seinen Adern entzündeten, so fand er es doch süß, die Hand der schönsten Erbin einzig seinem Ruhme zu danken.

Damals, nach Erscheinen seines Buches, war der gemessene Bernardo wie außer sich zu ihm gestürzt, hatte sich an seine Brust geworfen, ihn den Stolz der Familie und seinen künftigen Eidam genannt.

Ach, diese Facetien! Wäre nur nicht mit dem Ruhm eine so widerliche Erinnerung verknüpft gewesen! Jahrelang hatte Marcantonio sie in den fernsten Winkel seines Gedächtnisses zurückgedrängt und sie am Ende fast vergessen. Seit dem Besuch der Deutschen in Florenz und dem erneuten Forschen nach dem ciceronianischen Kodex war sie plötzlich aus ihrem Winkel hervorgekrochen und blickte ihm jetzt ängstlich ins Gesicht, mit heimlicher Schamröte auf den Wangen.

Er hatte lange gehofft, das unsichtbare Schandmal, das an seinem literarischen Triumph hing, durch nachfolgende Triumphe zu verlöschen. Der Ruhm, dachte er, werde seinem Geiste Nahrung geben und ihn zu einer Reihe großer Schöpfungen befähigen. Diese Hoffnung blieb unerfüllt. Wie die Aloe nur einmal blüht, so hatte Marcantonio in den „Facetiae" seine literarische Kraft erschöpft; so wenigstens sagten seine Freunde.

Es war indes kein Wunder, wenn man diese Fülle glänzender Einfälle und ihre unnachahmliche klassische Form bedachte. Ein Reichtum an Geist, den bisher niemand bei dem ledernen Gelehrten gesucht hatte. Cicero selbst hätte sich dieses Buches nicht zu schämen gebraucht.

Es war eine schwere Wahl gewesen, vor die sich Marcantonio gestellt sah, als vor nunmehr sechs Jahren sein Agent aus Deutschland zurückkehrte und ihm mit den anderen Bücherschätzen auch jenen langgesuchten ciceronianischen Kodex überbrachte, nach welchem Bernardos Sinnen stand.

Sollte er sich mit dem Ruhm des Finders begnügen und noch dazu das Buch seinem Freunde ausliefern? Es war seine redliche Absicht gewesen, aber da begann er zu lesen und blieb gefangen. Er stieß auf so überraschende Sprachwendungen, zugleich einfach, treffend und wohllautend, daß er nicht umhin konnte, die eine und die andere seiner eben begonnenen literarischen Arbeit einzuverleiben. Bald riß es ihn weiter, Ciceros Gedanken, Ciceros Worte drängten sich ihm in die Feder, und so entstand jene Perle der neulateinischen Literatur, welche die gelehrte Welt unter dem Titel „M. Antonii Oricellaris Facetiae" bewunderte. Sein Leben lang verzehrt von ohnmächtigem Ehrgeiz, war er endlich unter die Fittiche des Adlers gekrochen und hatte sich von ihm nach dem ersehnten Ziele, einem Stuhl in der platonischen Akademie, tragen lassen.

Bei der Erinnerung an den Ursprung seines Ruhmes warf Marcantonio einen scheuen Blick nach dem Kamin, wo dazumal Ciceros liber jocularis in Rauch und Flammen aufgegangen war. Es ängstigte ihn, als sei ein Brandmal davon zurückgeblieben.

Sonnenlose Schwüle hatte den ganzen Tag über der Landschaft gelastet, daß selbst das Laub der Bäume schlaffer hing und die ganze Natur unter dem Bann des Scirocco siechte. Kaum daß da und dort ein Vogel schüchtern die Stimme erhob und gleich wieder verstummte, wie erschreckt von dem unheimlich brütenden Schweigen.

Bernardo, der trotz seiner Jahre dem Glutstrom mannhaft standhielt, war den ganzen Tag tätig gewesen, um ein paar jungen Landleuten für das morgige Fest einen Schäferchor einzuüben, zu dem er selbst die Verse verfaßt hatte. Als jedoch der Abend dämmerte, ohne der Welt Erlösung zu bringen, da gab auch er sich überwunden und wankte mit schweißtriefender Stirne in sein schwüles Schlafgemach. Seine Tochter hatte sich schon lange zurückgezogen, die Diener schnarchten, im Hause war alles still, nur der Bräutigam machte mit Lucius einen letzten Gang durch die Räume, wo morgen die Hochzeitsgäste bewirtet werden sollten. Nachdem alles besorgt war, schlich Lucius leise vor sich hinmurmelnd in den dämmernden Garten hinunter, der sich in Terrassen gegen die Talsohle zu senkte.

Er hatte auf das Beispiel seines Gebieters hin den kühnen Plan gefaßt, für das morgige Fest einen „Triumph der Liebe“ zu dichten, den er selbst in der Maske des Götterboten vorzutragen gedachte. Schon seit mehreren Tagen mühte er sich im Schweiße seines Angesichts, aber die Muse setzte ihm einen so hartnäckigen Widerstand entgegen, daß er der Verzweiflung nahe war.

Jetzt verwünschte er den Scirocco, der ihm das Hirn zerrütte, haderte mit dem traubenschweren Rebenspalier, das ihm schwül über dem Kopfe hing, und scharrte mit den Füßen im Sand, als

könnte er hier die fehlenden Reime ausgraben, wie eine Henne ihr Futter. Endlich flüchtete er sich auf einen freien Rasenplatz in der Nähe des Parktores, wo in anmutigem, von Wasserrosen überwuchertem Becken ein Springquell plätscherte. Eine dunkle Wolkenbank hatte sich am Rande des Horizonts gesammelt und ließ, langsam heranschiebend, die abendliche Dämmerung noch düsterer erscheinen. Lucius schwang sich kühn auf den Schoß einer steinernen Najade und ließ seine Stirn von dem fallenden Wasserstaub benetzen, indes er fingernd auf dem Rand des Wasserbeckens den Takt schlug. Dabei kam ihm der Hufschlag eines trabenden Pferdes vom Tal herauf wunderbar zu Hilfe, und er brachte nun wirklich eine geistige Geburt zustande, die einige Ähnlichkeit mit dem Anfang eines freien Hymnus besaß.

In seinem Feuer beachtete er nicht, daß der Hufschlag immer näher kam, bis er durch die Gitterstäbe eine Reitergestalt auf dem breiten Lorbeergang erblickte, der außerhalb des Gartentores die Besitzung Marcantonios mit der Landstraße verband.

Sah er ein rächendes Gespenst oder war es wirklich der Junker Veit von Rechberg, der sich jetzt vom Pferde schwang und an das Gartentor pochte?

In heiligem Schreck, als hätte er sich durch seine dichterischen Mühen an dem Bruch der Verlobung mitschuldig gemacht, rannte Lucius in das Haus zurück, laut nach Herrn Bernardo rufend. Dort taumelte er gegen Marcantonio, dem bei der Schrekkenskunde einen Augenblick gleichfalls die Knie versagten. Aber schnell besonnen legte der Florentiner dem Rothaarigen die Hand auf den Mund und zog ihn aus dem Bereich der Schlafgemächer.

„Den Mund gehalten, Deutscher!" herrschte er ihn an. „Und kein Geräusch im Hause! Das Fräulein und Herr Bernardo dürfen heute nacht nicht mehr gestört werden. Du kommst mit mir und führst das Pferd ganz stille in den Stall. Und ich will nicht hoffen, daß ein Deutscher an seinem Herrn zum Verräter wird."

Lucius war so verblüfft von diesem Ton, daß er gar nicht wußte, wie ihm geschah. Nein wahrlich, er haßte ja den Verrat mehr als den Schlund der Hölle und hatte auch nicht die geringste Lust, in dem Kampf, der jetzt notwendig entbrennen mußte, Partei zu nehmen. Er war dem Junker zugetan, aber nur um des Fräuleins willen, nicht weil er ein Deutscher war, denn Lucius fühlte sich ganz als Florentiner. An Marcantonio dagegen war er gewohnt, mit Ehrfurcht emporzublicken, und vor allen Dingen durfte er es mit dem Manne nicht verderben, der im Haus Rucellai Regen und Sonnenschein machte. Er gönnte das Fräulein dem einen und hätte sie doch dem andern nicht gern entrissen gesehen. Aber mochte Herrn Bernardos Weisheit morgen die verschlungenen Fäden entwirren, er hatte kein Amt, als zu schweigen und zu gehorchen. Gedemütigt folgte er Marcantonio, der an das Tor eilte, um den Ankömmling zu begrüßen. Lucius empfing schweigend die Zügel und führte das dampfende Pferd nach dem Stall.

„Ihr kommt spät, Herr Ritter", begann der Florentiner, „aber Ihr seid nicht minder willkommen."

„Doch nicht zu spät?“ stammelte Veit erschrokken.

„Für heute wohl“, entgegnete Marcantonio ausweichend, „denn Herr Bernardo und seine Tochter sind schon zur Ruhe.“

„Denkt Ihr, daß ich Eile hatte, edler Herr?“ rief der Junker. „Ihr dürft es glauben. In Mailand ließ ich meine Knechte zurück, weil sie nicht schnell genug vorwärts kamen, in Bologna überholte ich den vorausgesandten Boten, aber Ihr müßt wissen, daß die Erlangung des Kodex –“

„Ihr habt also den Kodex wirklich?“ unterbrach der Florentiner mit heimlichem Spott.

„Hier“, sagte Veit lächelnd und legte die Hand auf seine Brust, wo sich ein Gegenstand wie eine Pergamentrolle abzeichnete.

Marcantonio empfand ein gewisses Unbehagen, obwohl er sich nichts anderes vorstellen konnte, als der Ritter habe durch irgendwelchen deutschen Gelehrten eine mehr oder minder geschickte Fälschung anfertigen lassen.

Doch ganz anders erschrak er, als ihm nun der Jüngling, gerührt durch seine lebhaften Glückwünsche, bekannte, daß er gar nicht die Urschrift bringe, die vor Jahren nach Italien verkauft worden sei, sondern nur eine sauber geschriebene Kopie.

Marcantonio wurde bleich wie der Tod, und um seine Bestürzung zu verbergen, ließ er sich von dem Ankömmling die ganze Jagd auf den Kodex ausführlich erzählen.

„Ihr müßt wissen“, begann der Junker seinen Bericht, „daß ich bei meiner unerwarteten Rückkehr auf Schloß Stauffeneck zu meinem Schrecken die Truhe leer fand, denn der Schatz war schon vor mehreren Jahren durch einen Zufall zutage getreten. Meine Mutter hatte ihm wenig Beachtung geschenkt und die Bücher dem Gemeindepfarrer überlassen, mit Ausnahme eines einzigen, das ein auf dem Schloß herbergender Mönch sich zum Geschenk erbat. Natürlich war es mein erstes, den Gemeindegeistlichen aufzusuchen, und von ihm erfuhr ich – Heil und Unheil in einem Atem – daß die weggeschenkte Handschrift wirklich der ciceronianische Kodex war.

Der Pfarrherr entsann sich dieses Umstandes genau, denn an den Titel des Buches knüpfte sich eine schauerliche Erinnerung, die er damals auf Schloß Stauffeneck zum besten gegeben und die er jetzt auch mir mit aller Breite wiederholte.

Vor ungefähr dreißig Jahren nämlich, da er eben erst als ganz junger Mann zu der Gemeinde versetzt worden, sei im Dorfe das Gerücht ausgekommen, ein fremder Zauberer und Schatzgräber habe sich in den Ort geschlichen und treibe in den nahen Ruinen des etliche Wochen vorher niedergebrannten Blasiusklösterleins sein Wesen. Der Schwarzwälder Führer, welcher den Unhold begleitete, habe selber die Anzeige gemacht, daß der fremde schwarze Mann, der ihm schon unterwegs unheimliche Dinge von einem Zauberbuch gesprochen, die Brandstätte durchwühle und wie außer sich in unverständlicher Sprache wilde Beschwörungen murmle. Die Bauern seien mit Knütteln und Heugabeln an den Ort gerannt, der Pfarrer hinterher, um den übelangekommenen Fremdling, in welchem er nach den Aussagen des Führers einen wandernden Büchermaulwurf vermutete, mit seinem eigenen Leib zu decken. Doch sei der Fremde, ein hagerer Mann mit schwarzem Bart und Haar, von den Stichen und Hieben der wütenden Bauern, die seine Gebärden und Sprache für Zauberformeln hielten, schon so unmenschlich zugerichtet gewesen, daß die Hilfe zu spät kam. Es sei ihm zwar gelungen, den Schwerverwundeten lebend den Händen seiner Peiniger zu entreißen, aber noch desselben Tages habe der Unbekannte in dem Asyl der Pfarrei den Geist aufgegeben, ohne mehr seinen Namen und Herkunft nennen zu können. Aber noch im Todeskampf habe der Unglückliche von einem Manuskript gesprochen, das er im Kloster holen gesollt, ja, das letzte vernehmbare Wort, das er zu sprechen vermocht, sei der Name jenes Buches gewesen, der sich ihm, dem armen ungelehrten Dorfpfarrer, auf ewig in die Seele geprägt habe."

Der Junker hielt ein wenig inne, um Atem zu schöpfen, und betrachtete teilnehmend seinen Wirt, dessen verstörtes Aussehen er der Erschütterung über das schreckliche Ende seines Verwandten zuschrieb.

„Der Pfarrer wollte das Opfer christlich bestatten", fuhr er fort, „doch die erregte, abergläubische Gemeinde ließ es nicht zu, und die Leiche mußte an der Kirchhofecke bei Vagabunden und Selbstmördern eingescharrt werden. Ich will hoffen, daß die Nähe seines Schatzes dem unglücklichen Märtyrer nie den Schlummer gestört hat, wie wir es uns einst in kindischer Einbildung vorstellten. Denn solltet Ihr nach dem allem noch zweifeln, daß der so grausam Erschlagene wirklich Euer edler Verwandter war, so habe ich aus den Händen des Pfarrers den einzigen Wertgegenstand des Toten, seinen Siegelring, erhalten, der die eckigen Querbalken Eures Wappens trägt und der, wie ich gewiß bin, alle Zweifel beseitigen wird.

Nun werdet Ihr fragen, wie es kommt, daß ein so schweres Verbrechen keinen Richter fand in schwäbischen Landen. Aber, Herr, es herrschte damals wegen des Städtekriegs, der besonders in den östlichen Gauen raste, ein trauriger, rechtloser Zustand, bei dem auch das Leben der Landeskinder keinen Heller galt; wer hätte da um einen erschlagenen, namenlosen Fremdling viel Aufhebens gemacht? Mein Vater kehrte aus der städtischen Fehde nur als Leiche zurück, die Vormünder kümmerten sich nicht um die Gerichtsbarkeit, und jetzt ist die Übeltat verjährt; wie sollte man nach so langer Zeit noch die Schuldigen ausfindig machen?

Aber ich brauche Euch nicht zu sagen, wie mir das Geschick des unglücklichen Mannes zu Herzen geht und wie es mich drängt, die schwere Missetat, die auf meinem Grund und Boden begangen worden ist, zu sühnen. Der Pfarrer ist unterdessen angewiesen, täglich eine Messe für die Seele des Ermordeten zu lesen, und wenn ich zurück sein werde, soll es meine erste Aufgabe sein, dem edlen Märtyrer, den ich alsdann meinen Oheim nennen darf, eine würdige Ruhestätte zu bereiten. Eine Kapelle soll sich an dem Ort erheben, wo die gräßliche Tat geschah, und ich will mit meinem jungen Weibe täglich an der Gruft des Ermordeten beten."

Hier machte der Junker abermals eine Pause, denn von dem langen Ritt und dem vielen Sprechen klebte ihm die Zunge am Gaumen.

Marcantonio hatte den Bericht bald mit entsetzten, bald mit bedauernden Gesten begleitet, innerlich aber zollte er dem Los seines Anverwandten wenig Teilnahme, denn ihm selber stand das Wasser jetzt am Halse. Doch trotz seiner Angst und Wut vergaß er die Pflichten des Wirtes und die sprichwörtliche florentinische Artigkeit nicht.

Er ließ sich mit dem späten Gast unter einem bunten Sommerdach nieder und schickte den in der Ferne wartenden Lucius nach Erfrischungen aus, mit dem nachdrücklichen Gebot, die Schläfer nicht zu stören, denn er möge es dem alten Herrn wohl gönnen, daß er für heute wenigstens von dieser gräßlichen Geschichte nichts mehr erfahre.

Der Junker begann mit gedämpfter Stimme aufs neue: „Nun war ein Teil meiner Sendung erfüllt, aber der zweite schwierigere lag noch vor mir: die Wiedererlangung des Kodex. Solltet Ihr es glauben, Herr, daß niemand, nicht einmal der Pfarrer, mir den Namen jenes Mönches angeben konnte, der damals auf Schloß Stauffeneck geherbergt hatte und wahrscheinlich durch die Erzählung des Pfarrers veranlaßt worden war, sich das Manuskript von meiner Mutter auszubitten. Auf Stauffeneck konnte man ihn nur unter dem Namen Bruder Einhand, denn der Mönch war früher kaiserlicher Dienstmann gewesen und hatte bei einem Treffen seine linke Hand eingebüßt. Wie ich dennoch seinen wahren Namen und jetzigen Aufenthalt erkundete, das, Herr Marcantonio, ist eine viel zu lange Geschichte, als daß ich Euch noch heute nacht damit ermüden dürfte. Es genüge, zu sagen, daß ich vor acht Tagen der schwarzen Muttergottes von Einsiedeln meine Aufwartung machte, bei der ich gewiß sein durfte, meinen Mann zu finden. Ich täuschte mich nicht, aber der Einhändige hatte die Frechheit, den Empfang des Kodex zu leugnen, und erst da ich ihn hart in die Enge trieb, bekannte er, die Handschrift schon vor etlichen Jahren an einen italienischen Bücheragenten verkauft zu haben.

Zu meiner Schande muß ich es bekennen, daß mich bei diesem abermaligen Zusammensturz meiner Hoffnungen die christliche Geduld völlig verließ, und es wäre fast zu einem Bruch des Klosterfriedens gekommen, denn ich schüttelte den Kuttenmann derb und ließ erst von ihm ab, als er mir den wehrlosen Stummel seiner Linken entgegenstreckte. Doch meine Fäuste hatten das Pfäfflein mürbe gemacht, es fragte jetzt kleinlaut, ob ich, da die Urschrift doch nicht mehr zu haben sei, mich mit einer sauberen, wortgetreuen Kopie zufrieden geben wolle, für die eine Entschädigung an das Kloster zu entrichten wäre. Ihr könnt Euch denken, wie begierig ich ja sagte, ich ließ mir das Manuskript einhändigen, das der Schelm vor Verkauf der Urschrift angefertigt hatte, also den welschen Agenten hintergehend, der den Kodex als einzig vorhandenes Exemplar erstand. Meine Zweifel an der Echtheit des Textes widerlegte der gelehrte Prior und schwur bei seinem wundertätigen Gnadenbild, daß er die Handschrift zurücknehmen und den Kaufschilling dreifach erstatten wolle, wenn die Florentiner gelehrten Herren den Inhalt nicht für echt erkennten. So ward der Kodex mein, ich warf mich zu Pferde, und hier bin ich in so kurzer Zeit, als je ein Reisender den Gotthardpaß überschritten hat. Meine große Eile gestattete mir nicht mehr, das Gutachten deutscher Gelehrter einzuholen, aber ich zähle auf die Einsicht und Billigkeit der florentinischen Akademie, vor allem auf meinen gnädigen, hocherleuchteten Gönner, den Herrn Lorenzo Medici."

Marcantonio wischte sich den kalten Schweiß von der Stirne. Er erkannte mit furchtbarer Klarheit, daß sein Ruf, seine Ehre, sein Dasein, alles, alles zusammenbrach, wenn er nicht ebenso rasch und kühn wie verschlagen handelte. Er betrachtete den jungen Mann mit verstohlenen Blicken, die einem Todesurteil gleichkamen, und überlegte im Weiterschreiten, wie er sich am besten seines ahnungslosen Todfeindes entledige. Die Akademie! Lorenzo! Mehr brauchte er nicht zu denken um jede Gewissensregung im Keim zu ersticken.

Schnell erwog sein findiger Geist alle Möglichkeiten mit ihrem Für und Wider. Daß der Jüngling allein gekommen, war schon ein günstiger Umstand, Herrn Bernardos früher Schlummer bot eine andere sichere Handhabe zu Marcantonios Rettung. Es galt vor allem, den Junker aus der Nähe des Wohnhauses zu entfernen, und dann – Zeit gewonnen, alles gewonnen, dachte Marcantonio, indem er den ermüdeten Gast unter einem Rebendach nach dem Olivenwäldchen führte, das sich einen sanften Hügel hinanzog und in den Bezirk des Gutes miteingeschlossen war. Sie hatten einen hohen Brückenbogen zu überschreiten, der über einen tief eingebetteten, jetzt fast vertrockneten Wildbach weg die beiden Hälften des Gutes verband, deren eine Seite mit dem Wohnhaus und dem Garten zu Terrassen geebnet war, während die andere als Olivenhain mit angrenzenden Ackerfeldern und Wiesengrund die ursprüngliche hügelige Gestalt beibehalten hatte. Dort stand auf einem Vorsprung in gleicher Höhe mit der Villa, aber durch den Wildbach auf die Entfernung eines Steinwurfs von derselben getrennt, ein ehemaliges Bauernhäuschen, das einmal bei Gelegenheit eines ländlichen Festes von Marcantonio mit einem hölzernen Anbau versehen worden war und jetzt zuweilen bei Überfüllung des Wohnhauses einem überzähligen Gast als Nachtherberge diente. Deshalb war in dem einzigen Zimmer des oberen Stokkes immer ein Lager bereit, eine Strohmatte deckte den Boden, eine andere bildete den Fenstervorhang gegen die Sonnenglut. Die unteren Räume waren früher Ställe gewesen und wurden jetzt nebst dem hölzernen Schuppen als offene Heuböden genutzt, so viel sich in der anbrechenden Dunkelheit erkennen ließ.

In dieses Häuschen, dessen Außenseite ganz von wilden Rosen umwuchert war, führte Marcantonio seinen späten Gast unter vielen Entschuldigungen, daß er ihm für heute kein besseres Quartier anbieten könne.

Er entzündete ein zierliches Kettenlämpchen auf dem Tisch und öffnete die Türe, die nach der hölzernen Veranda führte, um frischere Luft einzulassen, aber draußen schien es ihm nicht minder schwül als innen. Er wollte dem Fremdling noch ein Mahl aufnötigen, aber dieser lehnte alles ab und bat nur um ein Glas Wasser für seinen immer brennenderen Durst.

Da ließ es sich Marcantonio nicht nehmen, selbst nach dem Trunk zu gehen. Veit untersuchte währenddessen nach seiner Gewohnheit den neuen Raum, er warf das Schwert zu Boden und trat auf die hölzerne Veranda hinaus, die unter seinem Tritt erbebte und einen Regen zerflatternder Rosenblätter auf ihn niedersandte. Unter seinen Füßen fiel der Abhang felsig und steil wohl zwanzig Schuh tief nach dem Wildbach hinunter, der Marcantonios Anwesen in zwei Teile zerriß. Drüben dunkelte das Wohnhaus in unklaren Umrissen, nur einen kleinen, steinernen Balkon, dem seinigen fast gegenüber, konnte er noch mit Deutlichkeit erkennen. Ob wohl hinter dieser Türe die Geliebte schlief? Es freute ihn, diesen Gedanken sich auszumalen und wie sie morgen früh an der steinernen Balustrade lehnen werde. Er warf eine Kußhand hinüber, dann schob er die Strohmatte von dem einzigen Fenster zurück und öffnete auch dieses, um sich zeitig durch die Sonne wecken zu lassen. Hier stand auf einem bemoosten Felsenhang über des Junkers Haupte eine hohe finstere Zypresse wie ein schwarzer Riesenfinger, der ihn warnend fortzuwinken schien.

Jetzt kam Marcantonio mit einer Kanne Wein und zwei silbernen Bechern zurück. Er schwenkte die Becher mit Malvasier aus, den er auf die Veranda sprengte, und trank dem Junker auf das Glück seiner Ehe zu, aber er selbst nippte nur, während Veit den Wein auf einen Zug hinunterstürzte, und durch den raschen Trunk nur durstiger geworden, noch einen zweiten Becher leeren mußte. Beim Schein der Lampe fiel ihm auf, wie bleich sein Wirt war: er schien jählings gealtert, und seine Brust keuchte. Kein Wunder, denn die Schwüle in dem Gemach war fast erstickend. Veit eilte wieder auf die Veranda hinaus und drückte seinen blonden Krauskopf trunken und liebeselig gegen das kühle Laubgeschlinge.

Marcantonio folgte ihm und sagte mit einer Anwandlung von Mitleid: „Wie wäre es, Herr Ritter, wenn Ihr mir noch heute den Kodex zeigtet, damit ich Euch gleich morgen mit meinem schwachen Urteil zur Seite stehen kann?"

„Verzeiht", war des Junkers unumwundene Antwort, „ich habe geschworen, ihn durch niemand berühren zu lassen, ehe ich ihn in Herrn Bernardos eigene Hände gebe. Des Tages ruht er sicher auf meiner Brust, bei Nacht lege ich ihn unter mein Kopfkissen", fügte er lachend hinzu.

Marcantonio Rucellai war ein reinlicher Mann und liebte es nicht, seine Hände mit Blut zu beflekken. Er würde auch gerne des Jünglings Leben geschont haben, hätte er nur eine andere Möglichkeit gesehen, ihn unschädlich zu machen. Er bebte innerlich vor der Tat zurück, ja, er wäre bereit gewesen, das Manuskript mit dem Opfer seines Vermögens zu erkaufen, aber er sah wohl, daß an einen gütlichen Ausweg nicht zu denken war.

Er schüttelte seinem Gast die Hand.

„Einen langen, festen Schlaf und süße Träume unter meinem Dach", wünschte er und entfernte sich, indem er die Türe nach der Treppe angelehnt ließ.

Veit wurde es plötzlich zumut, als ob tausend kleine Flämmchen über seinen Körper huschten. Er riß das Wams auf, zog die Papierrolle heraus, die ihn jetzt belästigte, und warf sie achtlos auf den Tisch. Seine Gedanken verwirrten sich, das Zimmer ging mit ihm im Kreise, und er mußte sich mit wankenden Knien an den Pfosten der Verandatüre klammern. Sonderbar, daß zwei armselige Becher Wein eine so berauschende Wirkung auf ihn übten! Junker Veit war sich doch bewußt, auch beim Glase seinen Mann zu stellen.

„Aber freilich, dieser Griechenwein, der unter florentinischer Sonne reift, ist auch ein anderer Held als unser zahmes Neckargewächs", dachte er. „Ein Glück, daß sie mich nicht so sehen kann."

Und erschrocken zog er sich in das Innere des Zimmers zurück, als wäre zu fürchten, daß die Augen der Geliebten ihn noch durch die Dunkelheit in so unwürdigem Zustand erblicken könnten.

Er tastete sich nach dem Lager, auf das er, angekleidet wie er war, niedersank. Doch nach einiger Zeit hob er mühsam den Kopf, denn es kam ihm vor, als ob die Türe geknarrt habe und die Strohmatte knistere.

Da erblickte er eine Gestalt, die ihn trotz seiner Müdigkeit zum Lächeln reizte. Lucius Rufus war auf den Zehenspitzen hereingeschlichen, seinen schmächtigen Leib mit dem langen dünnen Halse im Gehen einziehend und wieder ausreckend, wie jene Raupe, die man Spanner nennt. Jetzt stand er vor dem Lager.

„Was willst du, Lutz?“ fragte der Jüngling in schläfrigem Tone.

„Ah, Herr Ritter, Ihr seid noch nicht in Orpheus’ Armen?“ flüsterte der Rote. „Ich kam, um zu sehen, ob Ihr nichts bedürfet.“

Dabei horchte er mit vorgeneigtem Ohr nach dem Wäldchen hinaus.

„Nichts, ich danke dir“, sagte Veit mühsam. Die Anstrengung des Sprechens riß ihn ein wenig aus der Betäubung. Er richtete sich auf.

„Was macht dein Fräulein, Lutz? Hat sie zuweilen meiner gedacht, während ich ferne war?“

„O Herr, sie seufzte nach Euch wie die getreue Helena!“

Veit rüttelte aufs neue an den Fesseln des Schlummers, die ihn schon wieder umstricken wollten.

„Die getreue Helena?“ sagte er befremdet.

„Ja, Herr, wie die getreue Helena, da sie dem abwesenden Gatten Ulysses das Strumpfgewand wob. Von ihr habt Ihr nichts zu besorgen.“

Veit war zu müde, um zu lächeln, er sank nur beruhigt mit dem Kopf aufs Kissen zurück.

„Hört Ihr mich, Herr Ritter?“ begann Lucius ängstlich aufs neue. „Das Fräulein will Euch wohl, aber die Luft hier ist Euch nicht ganz gesund, denn schon mancher Fremdling fiel in des Verderbens Schlingen, statt in den Schoß der Liebe.“

Lucius hätte gerne den Jüngling durch einen versteckten Wink gewarnt, ohne sich selber bloßzustellen, denn Marcantonios übergroße Beflissenheit gegen den ahnungslosen Nebenbuhler schien ihm unnatürlich und gefährlich. Aber Veits Schlaftrunkenheit und seine eigene schwülstige Redeweise, die er bei Gefahr seines Lebens nicht zu ändern vermocht hätte, hinderten ihn, sich verständlich zu machen.

„Was willst du sagen?“ gähnte Veit.

„Daß Ihr umlauert seid von der tausendköpfigen Mitra des Verrats“, flüsterte der Rote keuchend. „Herr, man hat Euch liebevoll und gastfrei aufgenommen, aber mir fällt dabei ein, was der lateinische Poet sagt – wie sagt doch der lateinische Poet? Hm, es fällt mir jetzt nicht ein – aber es würde sehr gut hierher passen.“

„Laß den lateinischen Poeten, guter Lutz“, murmelte Veit. „Wenn du mir etwas zu sagen hast, so tu es, aber ohne Zitate und Schnörkelwerk, denn ich bin müde.“

„Herr, möchtet Ihr Euch wach halten – ach, da nickt er schon wieder. Herr Ritter, trennt Euch nicht von Eurem Schwert! – Er hört mich nicht!“

Lucius bückte sich und suchte in heftiger Beängstigung nach des Jünglings Schwert, das er an seine Seite legte, ohne ihn durch seinen flüsternden Zuruf mehr erwecken zu können. Er sah sich ratlos um. Vom Haine her meinte er Geräusch zu hören. Er lauschte.

„Nein, es ist alles still. Aber mir ist so bange. Was bin ich doch für ein Hasenfuß! Und der schöne Anfang meines Gedichtes ist auch weggeblasen. Was mische ich mich denn in fremde Angelegenheiten!"

Er wollte sich zurückziehen, da fiel sein Blick auf den Tisch. Hier lag die Schriftrolle, das Goldene Vlies, das dem Hause Rucellai unerhörte Opfer gekostet hatte. Er konnte es nicht lassen, liebkosend mit den Fingern darüber zu fahren, der klassische Kitzel siegte über seine Furchtsamkeit, er hielt die Rolle gegen das Licht und betrachtete ehrfurchtsvoll die Schnüre, womit sie umwunden war.

Plötzlich fuhr er zusammen, er hörte ein leises Wehen und Schleichen auf der Treppe und dann einen deutlichen Schritt. Darauf wurde es ganz still, als ob der späte Schleicher an seinem eigenen Geräusch erschrocken sei und den Atem verhalte. Dem Roten sträubten sich die Haare auf dem Kopf. Jetzt schlich es wieder und noch leiser als zuvor, aber es war schon viel höher oben auf der Treppe. Da stürzte Lucius, ohne noch einmal nach dem preisgegebenen Schläfer zu blicken, in sinnloser Angst auf das offene Fenster zu, schwang sich hinaus und kletterte behend und leise wie ein Eichhorn auf das Dach des Schuppens und von da auf den Waldboden hinab. Es war völlig dunkel, Lucius kam erst ein wenig zur Besinnung, als er auf seiner raschen Flucht mit Heftigkeit gegen einen knorrigen Olivenstamm rannte. Sein Herz klopfte so laut, daß er fast taub war gegen äußeres Geräusch. „Es ist ja nichts", dachte er, „nur meine eigene Einbildung. Wäre doch die Nacht schon vorbei!"

Jetzt bemerkte er auch, daß er noch immer die Schriftrolle in der Hand hielt; er nahm sie zitternd und leise Gebete sprechend mit sich auf seine Kammer.

Der Junker erwachte nicht, als sich die Gestalt seines Wirtes leise und vorsichtig zu der offenen Türe hereinschob. Marcantonio trug ein blankes, langes Messer in der Hand und ließ einen raschen Blick durch das ganze Gemach gleiten. Seine Züge zeigten in dem blassen Licht des Lämpchens den Ausdruck erbarmungsloser Entschlossenheit.

Er näherte sich leise dem Kopfende des Lagers, das dem Eingang abgekehrt war, und schob vorsichtig die linke Hand unter das Kissen, indem er zugleich mit der Rechten das Messer über dem Schläfer gezückt hielt, um bei der leisesten Bewegung zuzustoßen. Doch Junker Veit lag wie ein Toter, nur die Flut und Ebbe seines halbentblößten Busens verkündete Leben in der ausgestreckten Gestalt.

„Das Pulver tut seine Schuldigkeit", sagte sich Marcantonio, „aber wo hat er den Kodex?"

Er wagte es sogar, ihm die Hand unter das Wams zu schieben, nachdem er leise das Schwert entfernt hatte, aber er zog sie leer hervor.

Der Zorn über die vergebliche Mühe verscheuchte das aufkeimende Mitleid mit dem ahnungslos Schlummernden.

„Junger Tor“, sagte er grimmig, „Gott weiß, ich verlangte nicht nach deinem Leben, auch nicht um Lucrezias willen, hättest du nur das Buch gutwillig hergegeben! Aber du hast es selbst gewollt.“

Er zog einen Strohwisch aus dem Busen, entzündete ihn an der Lampe, nachdem er leise die Matte am Fenster wieder herabgelassen hatte, und schob ihn unter die Lagerstatt.

„So bin ich rein von Blut“, murmelte er zufrieden. „Fahre nun in Flammen gen Himmel, samt deinem Cicero!“

Leises Knistern in dem von der Sommerhitze spröden Strohteppich sagte ihm, daß das Feuer schon sein Werk begann. Er zog sich rasch zurück, verschloß die Türe von außen und warf noch im Vorübereilen einen glimmenden Strohhalm auf gut Glück in den Heuschuppen.

„Zur Sühne für den armen Donato“, murmelte er, „den das Barbarenvolk wie einen Hund erschlagen hat.“

Als er am Fuß des Hügels stand, sah er von oben schon den Qualm zum Himmel steigen, und der Brandgeruch drang ihm in die Nase.

„Der Olivenhain wird verloren sein“, sagte er sich und empfand es fast als eine Beruhigung seines Gewissens, daß er sein eigenes Gut zugleich dem Verderben preisgab.

„Es ist am besten so“, dachte er noch, indem er nach Hause schlich. „Morgen wird es heißen, daß er in der Trunkenheit die Lampe umgestoßen habe.“

Zu derselben Stunde stöhnte Lucrezia unter dem Bann eines schweren Alpdrückens auf ihrem Lager. Sie war stets ein gehorsames Kind gewesen und hatte ihre Ehre dareingesetzt, des Vaters Befehl willig nachzukommen, als er sie mit dem deutschen Junker verlobte. Daß ihr das leicht geworden, hatte sie sich zum besonderen Verdienst angerechnet und nicht geahnt, wie schwer ein väterliches Gebot fallen kann, wenn es dem eigenen Herzen widerspricht. Als sie nun vor wenigen Tagen die Wendung ihrer Zukunft erfuhr, da hatte sie wohl schüchterne Berufung auf ein früheres Versprechen gewagt, war aber von dem Vater nachdrücklichst bedeutet worden, daß sie dem Geschick und ihm für diesen Tausch zu ganz besonderem Danke verpflichtet sei.

Bernardo hatte seine Kinder stets in strenger Zucht gehalten, und Lucrezia fürchtete seinen lächelnden Ernst und die glatte Unbeugsamkeit mehr, als wenn er ein Wüterich gewesen wäre. Also hatte sie auch diesmal ihr Köpfchen geneigt, aber nicht in willigem Gehorsam, sondern erschrocken und wehrlos wie ein Lamm, das zum Schlachthaus geführt wird. Sie fühlte wohl in ihrem Grausen vor dem gelehrten Bräutigam, der mit dem pergamentenen Schädel selber einem alten Kodex glich, etwas wie ein heiliges Naturrecht durch, aber wie sich auflehnen, sie allein, ohne Hilfe, gegen den Druck einer eisernen Welt? Ja, wenn der blonde Fremde zurückkehrte und sie wieder in seine starken Arme faßte, dann würde sie keine Furcht mehr kennen. Sie mußte sich ihn denken, wie er etwas breitspurig heränkam mit dem schweren Reitertritt und dem ehrlich leuchtenden Blick seiner blauen Augen. Ach, damals hatte sie nicht gewußt, wie glücklich er sie machte. Jetzt würde sie sich selig preisen, wenn sie nur mit ihm ziehen dürfte in jene finsteren, sonnenlosen Wälder, wo die Gebeine ihres Oheims moderten, und dort in einer Höhle mit ihm leben. Doch Tag für Tag sah sie das Geschick näher heranrücken und klammerte sich der fliehenden Zeit ans Gewand, die sie erbarmungslos dem Entsetzlichen entgegentrug.

Überwältigt von Kummer und Scirocco hatte sie sich in dem schwülen Zimmer zur Ruhe gelegt, das auch durch die weitgeöffnete Balkontüre keine Luft empfing. Aus den Stallungen stiegen schwere Dünste auf, mischten sich mit dem Geruch welkender Blumen im Garten und vermehrten ihre Betäubung. Das häusliche Getriebe war verstummt, der dunkle Himmel, der durch die Balkontüre zu ihr niedersah, hatte keinen Stern, und es deuchte ihr, als sehe sie einen finsteren Magier mit großen dunklen Fittichen, die sich im Fluge nicht bewegten, geräuschlos über den Himmel hinziehen; es war der menschgewordene Scirocco, der wie durch bösen Blick die Natur lähmte und sie willenlos erschlafft in seine feuchten widerlichen Arme zwang. Nun streckte er diese Arme auch gegen sie aus, und jetzt erkannte sie, daß er Marcantonios Züge trug. Sie stöhnte unter seinem Druck, aber ihre kraftlosen Glieder konnten ihn nicht zurückstoßen. Da klang Veits Stimme in ihre umschläferten Ohren, so hatte sie ihn schon oft zu vernehmen geglaubt, aber heute vernahm sie ihn wirklich, nur vermochten die ersehnten Laute sie nicht aus dem Zauberschlaf des Glutwindes zu erwecken, sondern mischten sich in das Spiel, das ihre Träume trieben. Die Stimme, die einen Augenblick näher gekommen war, verlor sich wieder in der Ferne, der Retter fand nicht den Weg zu ihr, er ließ sich zur Seite locken, sie sah ihn ferner und ferner hinschwinden, aber sie konnte weder rufen noch die Arme nach ihm ausbreiten.

Mit Anstrengung öffnete sie die schweren Lider und sah im Waldhäuschen drüben ein rötliches Licht. Aber gleich begann die Phantasie ihr Spiel von neuem und verwob auch dieses Licht in ihren Traum. Da fuhr mit einem Male eine zischende Feuerschlange nieder, die sie auch mit geschlossenen Lidern wahrnahm, und fast gleichzeitig ein übergewaltiger Donnerschlag, der das ganze Haus in seinen Grundmauern rüttelte. Das Mädchen sprang mit beiden Füßen aus dem Bette, der Donner war das große Erlösungswort gewesen, das den Bann des Scirocco sprengte. Denn jetzt kam auch Leben in die Natur, die Lüfte rangen sich los, die Welt atmete befreit auf, während neue Blitze folgten. Im Hause schlugen Türen und Fenster, mehrere Stimmen wurden zugleich laut, die Pferde wieherten in den Ställen.

Die Jungfrau griff nach einem Gewand, das sie hastig umwarf, und trat ohne Furcht auf den Balkon, um dem prächtigen Gewitter zuzusehen, das in wilden Blitzen niederging, sich aber schon ein wenig entfernt hatte. Seltsam, drüben im Waldhäuschen brannte noch immer das rote Licht, aber es schien größer geworden, ja, es wuchs von Sekunde zu Sekunde. Jetzt tauchten andere Lichter daneben auf, feurige Zungen leckten empor und ließen auf Augenblicke die Umrisse des Häuschens aus der Dunkelheit hervortreten. Das Mädchen starrte lautlos auf das überraschende Schauspiel, denn nun erhellte sich das Häuschen auch von innen, und in dem roten Glutmeer, das langsam aufstieg, sah sie eine dunkle menschliche Gestalt. Wie ein Blitz trat es vor ihren Geist, daß sie soeben geträumt hatte, der Geliebte werde von dem Zauberer im Waldhäuschen gefangen gehalten.

„Guido!" schrie sie mit durchdringender Stimme, die weit in die schlafende Landschaft hinaushallte, und streckte die Arme aus, als könnte sie ihn durch den leeren Raum herziehen. Die Gestalt war plötzlich näher gerückt, sie stand wie in freier Luft, aber ganz von roten Flammen umzüngelt. Aufs neue schrie sie: „Guido! Guido!" aber jetzt wurde ein polterndes Krachen vernehmbar, das ganze Flammengerüste versank auf einmal in schwarze Nacht, und dichter Qualm verhüllte die Stätte.

Länger ertrug es Lucrezia nicht; ohne ihrer bloßen Füße zu achten, flog sie die Treppe hinab und durch das geöffnete Haustor ins Freie. Auf sandigem Weg eilte sie den Abhang hinunter nach dem Wildbach, dessen tiefeingerissenes Ufer von einem dichten Rohrwald bedeckt war. Sie brach durch das Gezweig, obgleich ihr der Wind den Rauch entgegentrug. Aber oben leckten noch wilde Gluten, die sich jetzt mehr nach abwärts wandten, und bei dem

Feuerschein erkannte Lucrezia eine dunkle Gestalt am anderen Rande des Flußbetts. Sie arbeitete sich hinüber, mehrmals strauchelnd, weil das trockene Steingeröll ihre zarten Füße verletzte und ihnen keinen festen Halt bot. Sie erkannte jetzt den Junker, der am Boden lag, ja, sie hätte ihn auch mit geschlossenen Augen erkannt, denn sie fühlte seine Gegenwart, und ihre Schüchternheit überwindend schlang sie beide Arme um ihn und suchte ihn emporzurichten. Doch er seufzte nur und schien nicht bei Besinnung zu sein. Da tauchte sie den Zipfel ihres Gewandes in den schwachen Wasserfaden, der noch inmitten des vertrockneten Bettes hinschlich, und netzte ihm die rauchgeschwärzte Stirn.

Er erholte sich und nannte ihren Namen.

„Ich sah dich stehen und winken", stammelte er, „da sprang ich herab und verdanke dir mein Leben." Er versuchte aufzustehen, aber ein heftiger Schmerz bewies ihm, daß eine Kniescheibe verletzt und an kein Gehen zu denken war. Mittlerweile wurde der Qualm immer dichter und drohte beide zu ersticken. Mit röchelnder Stimme beschwor er sie, ihn zu verlassen und sich zu retten, aber sie schüttelte den Kopf, und nachdem sie mehrmals mit äußerster Anstrengung versucht hatte, den schweren Mann in ihren Armen aufzuheben, setzte sie sich ergeben nieder, zog seinen Kopf auf ihren Schoß und sagte zärtlich: „So sterben wir zusammen."

Aber der Himmel hatte Erbarmen mit dem jungen Paar, denn der Wind drehte sich und jagte die Flammen mit dem größten Teil des Rauches hügelabwärts und seitlich gegen das Olivendickicht hinüber.

Endlich wurde es im Garten lebendig. Windlichter tauchten auf, man hörte die Stimmen der Diener, und nun gelang es Lucrezia mit allem Aufwand ihrer vom Rauch belästigten Lungen Hilfe herbeizurufen. Zwei erstaunte, noch halb verschlafene Knechte schleppten den fremden Jüngling, den ihre junge Herrin liebevoll mit den Armen unterstützte, die Uferböschung hinauf in den Garten. Dort aber außer dem Bereich des Qualmes mußten sie ihn niederlegen und sich nach einer Tragbahre entfernen, da der Verletzte bei der Fortbewegung zu große Qualen litt. Der Lärm wuchs, die Bauern eilten mit Äxten und Hacken nach dem Olivenhain, um den begonnenen Waldbrand einzuschränken, aber der Wind wehte stark, und die Bäume standen so dicht, daß die Waldung preisgegeben werden mußte. Die Leute stellten alle Rettungsversuche ein und trösteten sich mit der Hoffnung, daß das Feuer, wenn es das Ackerland und die Wiesengräben erreiche, ohne Nahrung in sich zusammensinken werde.

Inzwischen prasselten die Flammen lustig weiter, ein Knistern, Knattern und Knallen ging durch den Hain wie über ein Schlachtfeld. Das Feuer warf seinen Schein weit über den Garten und beleuchtete die Gestalt des jungen Mädchens, die sich aufs neue neben dem halb ohnmächtigen Fremdling niedergeworfen hatte und sein Haupt mit ihren Händen stützte. Sie betrachtete ihn liebevoll. Sein sonst so schönes blondes Kraushaar war ganz versengt und sein Gesicht von Rauch geschwärzt, sonst schien er außer der gebrochenen Kniescheibe keinen Schaden davongetragen zu haben, aber er litt heftige Schmerzen, und der Kopf, der auf Lucrezias Knien lag, war so schwer wie Blei.

Endlich erschien auch Herr Bernardo in all dem Tumult ohne Übereilung in weißem Überwurf mit schönem würdigem Schritt. Er betrachtete überrascht die Gruppe am Boden, hatte aber Schönheitsgefühl genug, im stillen einen Maler herbeizuwünschen, damit er das wild-anmutige, von rotem Schein umzuckte Bild festhalte; die Jungfrau im weißen Gewande wie eine Pietà mit ihren entblößten Armen den Verwundeten stützend und umschlingend, mit dem kleinen elfenbeinweißen Fuß, der sich fest gegen den Sandboden stemmte, um der schweren Last eine Stütze zu geben, und dem langen schwarzen Haar, das wie ein dunkler Strom am Boden floß.

Doch aus diesem Kunstgenuß riß ihn eine schreckliche Ahnung.

„Und der Kodex!" rief er plötzlich.

„Hier auf meiner Brust", murmelte Veit, den der Angstschrei Bernardos aus der Halbohnmacht weckte, und er betastete mit den Händen sein Wams.

„Nein, er ist nicht hier – o mein Gott – ich habe ihn oben gelassen." –

Was jetzt geschah, blieb allen Anwesenden als etwas Unerhörtes auf ewig ins Gedächtnis geprägt: Herr Bernardo vergaß plötzlich Haltung und Römerwürde, er fuhr sich mit den Händen in die Haare, zerbiß seine Fäuste und umschlang den Stamm eines jungen Bäumchens, das er verzweifelt rüttelte, indem er in einem fort schrie: „Verbrannt! – Verbrannt! – Verbrannt!“ bis sein wildes Geheul in einem tonlosen Krächzen endigte.

Als er sich des Jammers gesättigt hatte, kehrte ihm noch einmal die Hoffnung zurück, denn für so tückisch wollte er die Götter nicht halten.

„Das Haus steht noch, nur die Veranda ist zertrümmert. Das Buch muß noch zu retten sein. Kommt alle her, Simone, Gasparino, Giacomo und du, braver Pasquale! Wer mich liebt, der hole das Buch aus den Flammen, ich mache ihn zum reichen Mann. Aber eilt, rettet!“

Niemand rührte sich; als einzige Antwort streckte eine Flamme ihre breite rote Zunge zu dem seitlichen Fenster heraus, vermutlich, weil die als Vorhang dienende Strohmatte sich jetzt auch entzündet hatte.

Der Junker war zusammengezuckt und reckte sich aus, als wollte er sich erheben, aber er sank mit jammervollem Stöhnen wieder zurück, und Lucrezia hielt ihn ängstlich fest, ihn mit mütterlichen Liebesworten wie ein krankes Kind beschwichtigend. Die Umstehenden, obwohl sie nur Bauersleute waren, blickten mit inniger Rührung auf das schöne junge Paar, nur Bernardo hatte keine Regung des Mitleids übrig. Er erkannte jetzt die unerbittlich-unversöhnlichen Mächte, die dem Sterblichen den Kelch von der lechzenden Lippe reißen, aber er hatte seine Fassung wiedergefunden. Mit dem Saum seiner Toga verhüllte er den Kopf, denn die Knechte sollten seine Tränen nicht sehen.

Nun erschien eine schlotternde, gebrochene Gestalt auf dem Brandplatz: der gute Lucius, dem die Augen weit aus den Höhlen standen und trotz der leckenden Hitze die Zähne klapperten.

„Ist es wahr, daß er verbrannt ist?“ fragte er mit heiserem Ton, der sich kaum hervorgetraute.

„Verbrannt!“ bestätigte Bernardo mit dumpfer Trauer und streckte, ohne sich zu enthüllen, die Rechte nach seinem Diener aus, um eine mitfühlende Hand zu drücken. Aber nichts Lebendiges kam ihm entgegen, Lucius hatte jetzt die Gruppe am Boden erspäht und staunte einen Augenblick mit aufgerissenen Augen. Doch im nächsten Moment lag er auf den Knien und küßte dem Junker die Hände und die sporenbeschwerten Reiterstiefel.

„Er ist gerettet!“ jauchzte er. „O Herr, blickt doch her, hier liegt er ja, er ist in Sicherheit.“

Bernardo enthüllte einen Augenblick sein Gesicht und sagte dann mit einem Ton, der für den deutschen Junker nichts Schmeichelhaftes hatte: „Der da?“ – Und in Gedanken setzte er hinzu: „Möchten doch zehn solcher Barbaren brennen, wenn nur der Kodex gerettet wäre!“

Aber Lucius verstand seinen Herrn auch ohne Worte. Er schnellte in die Höhe und sagte: „O Herr, ich habe, was Euch trösten wird.“ Damit rannte er eilig fort und stand schon nach zwei Minuten wieder da.

„Hier ist der Kodex“, stammelte er schluchzend, „ich, ich habe ihn für Euch gerettet.“

Bernardo war überwältigt und stumm. Wie ein

Kindlein wiegte er die Schriftrolle am Busen. Jetzt im Glück erwachte auch die Menschlichkeit, er trat zu dem Junker, drückte ihm die Hand und beglückwünschte ihn herzlich zu seiner Rückkehr und Rettung aus der Gefahr.

„Wir müssen nun vor allen Dingen an Eure Verletzung denken. Und was ich versprochen habe, das halte ich."

Er ließ ein heiteres Auge über die Stätte der Zerstörung schweifen, sandte noch einen Dankesblick zum Himmel und entfernte sich, den geretteten Kodex ans Herz drückend.

Die Diener hoben unter Lucrezias Anleitung den verletzten Fremdling auf die Bahre und trugen ihn vorsichtig ins Haus. Unterwegs teilten sie sich murmelnd ihre Verwunderung darüber mit, daß Herr Marcantonio von dem fürchterlichen Donnerschlag und dem darauffolgenden Feuerlärm nicht erwacht sei; das mußte ein gesunder Schlaf sein.

„Man hört es doch immer am Schlag, wenn der Blitz gezündet hat", sagte ein alter Bauer. „Es war grausig, und wenn der Wind sich dreht und die Funken ins Röhricht wirft, so ist auch das Wohnhaus in Gefahr. Ein Glück, daß es endlich zu regnen beginnt."

Noch hatten sie das Wohnhaus nicht erreicht, so goß der Regen schon in Strömen nieder mit so jäher, unwiderstehlicher Gewalt, als ob aus den geöffneten Himmelsfenstern eine Riesenbadewanne ausgeschüttet würde.

Die herbstliche Mittagssonne blickte auf ein völlig verwandeltes Bild. Das zierliche Rosenhäuschen stand schwarz und nackt in seinen Grundmauern da, und der schattige Hain war in einen häßlichen, dunklen Schutthaufen voll nasser Asche verwandelt, aus dem nur einzelne verkohlte Olivenstämme in grotesken Stellungen herausragten. Weithin lag alles Land versengt, das Wiesengrün war völlig ausgedörrt in dem Gluthauch, und die hohen Rohre niedergebrochen von der Gewalt des Regens. In dem steinigen Bette des Wildbachs schoß ein trüber reißender Strom herunter, der entwurzelte Bäumchen und zertrümmertes Lattenwerk mitführte und sich tief unten im Tale mit den geschwollenen Wassern der Ema vereinigte. Die Bauern und Tagelöhner des Herrn Marcantonio standen teils müßig auf der Brandstätte, teils wühlten sie in dem Trümmerhaufen des Waldhäuschens, aus dem sie den Leuchter und die geschmolzenen Becher und Kannen zum Vorschein brachten.

Kopfschüttelnd betrachteten sie die mächtige alte Zypresse, die gar nicht so nah bei dem Häuschen stand, wie es dem Junker gestern geschienen hatte, und die von oben bis unten zerspalten war. Also hatte der Blitz doch nicht in das Waldhaus geschlagen, und wie der Funke dorthin überspringen konnte, das war und blieb den guten Landleuten ein Rätsel.

Um diese Stunde trat Herr Bernardo bleich und übernächtig, aber ernst wie ein Totenrichter in das Gemach, wo Marcantonio noch zu Bette lag, von Frost geschüttelt, mit einem nassen Tuch um die Stirn und mit klappernden Zähnen, denn von der wilden Energie der vergangenen Stunden war nichts übrig geblieben, als eine jämmerliche Angst. Der Schuldige hatte, als er den Lärm vernahm, nicht mehr gewagt, an die Stätte seiner Tat zurückzukehren, und wußte, obwohl er schlaflos auf jedes Geräusch horchte, wenig von den Vorgängen der Nacht. Er hatte nicht einmal den Mut, seine Leute auszufragen, und entschuldigte sich der Umgebung gegenüber mit einem Fieberanfall infolge der Aufregung.

Dies nahm die Dienerschaft nicht wunder, denn man war gewohnt, den Herrn bei allen außerordentlichen Anlässen sehr schonungsbedürftig zu sehen. Aber Bernardo blickte tiefer, er hatte bereits den Kodex gelesen.

„Ich will nicht fragen, Marcantonio, wie heute nacht der Brand auskam", begann er, und nur an einem leisen Zittern der Stimme war seine tiefe Erregung zu erkennen. „Es ist ein Glück, daß der Blitz dich vor Verdacht sicherstellt; ich aber habe das Feuer schon gesehen, ehe das Gewitter begann."

Marcantonio richtete sich im Bette auf und sah ihn höhnisch an.

„Dein junger Barbar war betrunken wie ein echter Deutscher und ließ sein Licht brennen."

„Gut", entgegnete Bernardo ruhig. „Was heute nacht geschah, ist Nebensache. Aber ein Mord ist begangen worden, der schwerer in die Schale fällt, als ein geopfertes Menschenleben."

„Ich verstehe dich nicht", sagte Marcantonio mit finsterem Trotz.

„Du verstehst mich wohl. Wer einen Blick in diese Schrift wirft", – er zog den Kodex aus dem

Busen – „der muß mich verstehen. Dies ist ein Cicero."

Marcantonio sagte kein Wort und vermied den Blick seines Richters. Erst nach langer Pause murmelte er: „Bedenke, ich bin auch ein Rucellai."

„Ich habe es bedacht", antwortete Bernardo. „Stundenlang bin ich mit mir zu Rate gegangen und habe mich gefragt, was ein Römer an meiner Stelle getan hätte. Brutus ließ seine Söhne schlachten, aber er hätte sie nicht entehrt. Geh, ich hasse dich mehr als den Judas Ischariot. Meine Augen sollen dich nie widersehen. Marcantonius, Mörder des großen Cicero, lebe, und wenn du kannst, so trage noch fernerhin deinen ehrlosen Ruhm. Ich aber bringe mit blutendem Herzen der Ehre meines Hauses und der Würde des Gelehrtenstandes, den dein Schandfleck nicht mit besudeln soll, das schwerste Opfer meines Lebens."

Er trat an die Türe und ließ sich von Lucius, der außen wartete, ein glimmendes Kohlenbecken reichen, das er zu Marcantonios herzlicher Erleichterung auf den Tisch stellte. Nun löste er langsam die durch den Märtyrertod seines Bruders geheiligten Blätter und übergab Stück für Stück der Flamme.

„Fahr wohl, liber jocularis", rief er mit ausbrechendem Schmerz. „Fahrt wohl, ihr goldenen Scherze, die dieser Stümper nicht einmal richtig auszunützen verstand. Ja, die Barbaren vom Schwarzwald hatten recht, dies ist ein Zauberbuch gewesen. O Marcantonio, hättest du es doch besser abgeschrieben, so wäre es uns wenigstens nicht ganz geraubt."

Endlich verglomm der letzte Funke, und das Becken war hoch angefüllt mit verkohlten Papierresten. Da wandte sich Bernardo ab, und mit der Haltung eines Mannes, der größer ist als sein Schicksal, schritt er aus der Türe.

Unter den Strahlen einer milden Septembersonne zog Lucrezias Brautgeleite durch das nördliche Tor von Florenz die Bologneser Straße hinauf. Die Hochzeit war mit einem auch den prunkliebenden Florentinern ungewohnten Pompe gefeiert worden, denn der große Mediceer hatte selbst die Ordnung des Festes übernommen und sein Patenkind zur Kirche geleitet, um zugleich in dem fremden Ritter seinen neuen Freund Eberhard zu ehren. Kein Mißton trübte das Fest, wenn auch Bernardos gelehrte Freunde den Untergang der kostbaren Handschrift bei dem Brand des Waldhäuschens schmerzlich beklagten. Lucius Rufus hatte sein Gedicht doch noch fertig gebracht und es mit etwas veränderten Reimen den veränderten Umständen angepaßt.

Bis Bologna ging der festliche Zug; dort nahm die Braut unter reichlichen Tränen, die aber über ein von Glück strahlendes Gesicht flossen, auf ewig von ihren Landsleuten Abschied. In einfachem Reisegewand ritt das schöne Paar, nur von wenigen Knechten begleitet, seine Straße weiter. Junker Veit hatte sein junges Weib auf dem Glauben gelassen, daß sie mit ihm in ein finsteres Barbarenland ziehe, und freute sich ihrer froh enttäuschten Miene, wenn er ihr die segensreichen Fluren seiner

Heimat mit den gewaltigen Lärchen- und Fichtenwäldern zeigen würde, nicht so schön zwar wie die Pinien und Zypressen ihres Sonnenlandes, aber noch schön genug für ein Auge, das liebt.

Der Abend versammelte inzwischen die Florentiner Freunde noch zu einer kleinen Nachfeier in den mediceischen Gärten. Man gedachte mit Wehmut des hochherzigen Donato, der als Opfer der Wissenschaft im wilden Lande gefallen war, und der greise Marsilio Ficino pries in einer schönen Rede die Großmut seines Freundes Bernardo, der mit antiker Treue sein Wort gehalten, nachdem der Neid der Götter den bedungenen Preis zerstört hatte.

„Es mag dir nun wohl ein wenig schwer ums Herz sein in deinem einsamen Hause, alter Freund", sagte der große Lorenzo, indem er Herrn Bernardo teilnehmend die Hand reichte.

Bernardo blinzelte mit den Augen, sei es, daß er eine Träne zerdrückte, oder daß die untergehende Sonne ihn belästigte.

„Meine Tochter ist nur ein flüchtiges Scheingebilde", antwortete er fest. „Sprechen wir von einem Ding der Wesenheit. Was sagt Eure Magnifizenz von der Phädra des Seneca?"

Worterklärungen

Wilhelm Hauff, Othello

Amphitheater = Theater, bei dem der Zuschauerraum stufenförmig um die Bühne aufsteigt
agieren = hier: gestikulieren
mystifizieren = als geheimnisvoll betrachten
Mon Dieu = mein Gott
Tournure = gewandtes Benehmen
meschant = boshaft, ungezogen
Amoroso = Geliebter
konfiszieren = beschlagnahmen, einziehen
Lanciers = Lanzenreiter, Ulan
Ressourcen = Quellen, Hilfsmittel, Geldmittel
Kosciusko, Tadeusz = polnischer General und Nationalheld, 1746–1817
präsentieren = vorstellen
Evenement = Ereignis
Introduktion = einleitender Satz eines Musikstücks
Vive Poniatowsky, vive l'emp – = es lebe Poniatowsky, es lebe der Kai(ser). Poniatowsky, Joseph (1763–1813): polnischer Minister, führte im russischen Feldzug 1812 das polnische Korps der französischen Armee. Mit dem Kaiser ist Napoleon I. gemeint.
Depesche = Telegramm, Eilbotschaft
Napoleon = französisches Goldstück
Redoute = Feldschanze
Kartätsche = Geschoß mit Bleikugelfüllung
en avant = vorwärts
Chronique scandaleuse = Skandalchronik
pekuniär = geldlich
Kollekte = Sammlung
Dilettant = jemand, der sich aus Liebhaberei mit etwas befaßt
Enthusiast = Begeisterter
delektieren = erfreuen

submissest = untertänigst, unterwürfigst
exhibieren = vorzeigen, übergeben
Messieurs = meine Herren
Assekuranzen = Versicherungen
Kasus = Fall
inspizieren = besichtigen
Foliant = Buch im Folio-Format, d. h. im größten Buchformat
Aktrice = Schauspielerin
laszFiv = unzüchtig
Akteur = Schauspieler
in margine = am Rand
„Es gibt ...“ = Zitat aus Shakespeares Hamlet
solenn = feierlich, festlich
generös = großzügig
Mädchen aus der Fremde = Gedicht von Friedrich Schiller
sans adieu = ohne Abschied
Lorgnette = Stielbrille
Chiffre = Zeichen, Geheimschrift
Bracelet = Armband
Boudoir = Damenzimmer
Meteor = Sternschnuppe; Masse, die aus dem Weltraum auf die Erde fällt
Fauteuil = Sessel
Garde de Dame = Anstandsdame
Draperie = Faltenwurf
Ottomane = niedriges Liegesofa
Taburett = Hocker, niedriger Stuhl ohne Lehne
Plumeau = Federbett
Oheim = Onkel
Cour = Hof, feierlicher Empfang
Faktum = Tatsache

Hermann Kurz, Ein Herzenstreich

Stakete = Latte
Comptoir = Kontor, Geschäft
Toast = Trinkspruch
proklamieren = hier: das Aufgebot verkündigen
authentisch = im Wortlaut verbürgt
Instruktion = Anweisung

Dispensation = Befreiung, Ausnahmebewilligung
ventre à terre = im gestreckten Galopp
provisorisches Attestat = vorläufiges Zeugnis,
vorläufige Bescheinigung
Hippogryph = Fabeltier, halb Pferd, halb Vogel
Gellert = Christian Fürchtegott Gellert (1715–1769),
deutscher Schriftsteller
Simplicissimus = Hauptgestalt eines Romans von Grimmelshausen,
Simplicissimus wird im Wald von einem Einsiedler erzogen
notorisch = allgemein bekannt
Protektorat = Schutzherrschaft
sublim = erhaben, fein
item = desgleichen
melieren = mischen
habesihme = Verballhornung von habeant sibi: sie mögen sich
behalten

Eduard Mörike, Lucie Gelmeroth

Inquisitin = Angeklagte, Beschuldigte
subaltern = untergeordnet
Avancement = Beförderung
Inquirent = Frager, Verhörender
Atlas = glänzender Seidenstoff
Orangerie = Gebäude, das ursprünglich zur Zucht von Orangen
diente; später Element von Barockschlössern und Parkanlagen
Lakai = Diener
Auditorium = Zuhörerschaft, Zuschauer
Rumor = Lärm
Emir = arabischer Fürst
Obelisk = säulenartiger, pyramidenförmig zugespitzter Stein
Agraffe = Schmuckspange
Firnis = Schutzanstrich, Lack
Glorie = Glanz, Heiligenschein
Billett = Briefchen
Suggestion = Beeinflussung des Willens unter Ausschaltung der
klaren Einsicht
suspekt = verdächtig
promenieren = spazierengehen
Indizien = Verdacht erregende Umstände
Pietät = Ehrfurcht, Rücksichtnahme

Isolde Kurz, Die „Allegria“

Asphodelos = besonders im Mittelmeergebiet heimische Pflanzengattung aus der Familie der Liliazeen (Liliengewächse)
Leander = grichische Sagengestalt, Geliebter der Hero, schwamm allnächtlich über den Hellespont (die Meerenge, die das Marmara- und das Ägäische Meer verbindet) zu ihr
Heroen = Helden
Mantegazza = Paolo Mantegazza (1831–1910), italienischer Physiologe und Anthropologe, bekanntestes Werk: „Psychologie der Liebe“ (1873)
Rajah = indischer Fürstentitel
Brigant = Räuber
Carabinieri = Gendarmen
levantinisch = mittelmeerisch
Hemisphäre = Erdhalbkugel
Risorgimento = italienische Einigungsbewegung im 19. Jahrhundert
Alter von Caprera und seine Mille: Anspielung auf Garibaldi, einen der Führer des Risorgimento, der auf der Felseninsel Caprera lebte und mit seinem „Zug der Tausend“ am Sturz der Bourbonenkönige beteiligt war
Sbirren = Vollzugsbeamte der Gerichts- und Polizeibehörden
Lord Byron = George Gordon Noël Byron (1788–1824), englischer Dichter der Romantik
Shelley = Percy Bysshe Shelley (1792–1822), englischer Dichter, bei Viareggio ertrunken
Metapher = bildliche Redewendung
Lände = Landungsplatz
Staden = Uferstraße
Osteria = Wirtshaus
barcaiolo = Bootsführer, Fährmann
Piazza = Platz
O come sta bene = Oh, wie gut Sie aussehen
eccolo = hier ist er
E' ricco = er ist reich
sta bene anche lui = er sieht auch gut aus
Brahmane = Angehöriger der obersten Kaste der Hindus
Bhagavad-Gita = „Gesang der Erhabenen“, religionsphilosophisches indisches Gedicht
Non c'è male = das ist nicht schlecht
Arkturus = „Bärenhüter“, Stern im Sternbild Bootes

Vega = auch Wega, Stern im Sternbild der Leier
Thetis = griechische Meeresgöttin
Äolsharfe = Windharfe; Saiteninstrument, das durch den Wind zum Klingen gebracht wird
Klüverbaum = Stange, an der der Klüver, das dreieckige Vorsegel vor der Fock, befestigt wird

Carl Weitbrecht, Eine musikalische Frau

Kameralverwalter = Beamter einer fürstlichen Kammer
Jambus = Versfuß aus einer unbetonten und einer betonten Silbe
Genius = schöpferische Kraft
Fortissimo = in der Musik: sehr laut, sehr stark
Soirée = Abendgesellschaft
Virtuosin = hervorragende Künstlerin
affektieren = vorgeben

Hermann Kurz, Wie der Großvater die Großmutter nahm

Physikus = Kreis-, Bezirksarzt
Feldscher = Wundarzt
bordiert = eingefaßt, besetzt
Ehni = Großvater
manum de tabula! = Hände weg! (wörtlich: Hand vom Bild!)
couragiert = mutig, beherzt
inkommodieren = bemühen
Satisfaktion = Genugtuung
Duplex negatio affirmat = eine doppelte Verneinung bedeutet Zustimmung
Flattusen = Schmeicheleien
proponieren = vorschlagen
Exekution = Hinrichtung
Konsistorium = oberste Kirchenverwaltungsbehörde einer Kirchenprovinz
Immen = Bienen
industriös = fleißig
Folio = größtes Buchformat, eine Seite ist einen halben Bogen groß

Hermann Hesse, Im Presselschen Gartenhaus

Eduard Mörike = bedeutender Lyriker und Dichter (1804–1874). Besuchte (mit Waiblinger, L. Bauer und W. Hartlaub) die protestantische Klosterschule in Urach und ab 1822 das evangelische Stift in Tübingen.
Wilhelm Waiblinger = Lyriker, Erzähler und Satiriker (1804–1830), „Jünger" Hölderlins, besuchte gemeinsam mit Mörike das Tübinger Stift.
prädestiniert = vorherbestimmt
Refugium = Zufluchtsort
Philister = ehrgeiziger Spießbürger
Hölderlin, Friedrich = Lyriker (1770–1843), lebte seit 1808 in geistiger Umnachtung in der Obhut des Tübinger Tischlermeisters Zimmer in einem Turm am Neckar.
Ode = feierliches Gedicht
Studiosus = Student
je vous remercie mille fois = ich danke Ihnen tausendmal
metrisch = das Versmaß betreffend
Votre très humble serviteur = Ihr sehr ergebener Diener
Kollegium = Genossenschaft, Körperschaft von Personen des gleichen Amtes oder Berufes
Hyperion = ein Titan, Sohn des Uranos und der Gaia. Titel und Name der Hauptperson in einem Briefroman Hölderlins.
Ödipus = Sohn des Laios und der Iokaste. Wurde auf Grund eines Orakels, das vorhersagte, er werde seinen Vater töten und seine Mutter heiraten, als Kind ausgesetzt. Erwachsen erschlug er im Streit den Laios und heiratete die Iokaste, ohne von den verwandtschaftlichen Beziehungen zu wissen. Als der Seher Tiresias das Geheimnis enthüllte, erhängte sich Iokaste, Ödipus stach sich die Augen aus.
Herkules = Herakles, Sohn des Zeus und der Alkmene, Inbegriff der unwiderstehlichen körperlichen Kraft.
Dioskuren = Kastor und Polydeukes, Söhne der Leda und des Zeus
Laios = König von Theben, Vater des Ödipus
Semikolon = Strichpunkt
non, votre Altesse = nein, Eure Hoheit
Peregrina = in Mörikes Dichtung der Name für Maria Meyer, in die er sich 1823/24 verliebte
Karzer = Arrestlokal an Universitäten
rehabilitieren = den guten Ruf wiederherstellen
Bauer, Ludwig = Schriftsteller und Dramatiker (1803–1846), Freund

Mörikes und Waiblingers
Hartlaub, Wilhelm = Freund Mörikes aus dessen Zeit in der protestantischen Klosterschule Urach
Pfizer, Gustav = Dichter (1807–1890), stand den Schwäbischen Romantikern nahe
Phaeton = Sohn des griechischen Sonnengottes Helios; Titel eines zweibändigen Romans von Wilhelm Waiblinger (1823 erschienen)
Philolog = Sprach- und Literaturforscher
Schwab, Gustav = Dichter (1792–1850), gehörte zum Schwäbischen Dichterkreis, Freund von Uhland und Justinus Kerner
Matthisson, Friedrich = Lyriker (1761–1831), seit 1812 Oberbibliothekar des Königs von Württemberg
ravissant = entzückend
pittoresk = malerisch
Emir = arabischer Fürstentitel
Belutschistan = Landschaft in Pakistan
un bon graveur sur cuivre = ein guter Kupferstecher
Esprit = Geist
Hottentotten = Volk in Südwestafrika
hélas = ach, leider
Suada = Redefluß
Directorem = Direktor
amön = anmutig
en passant = im Vorübergehen
Doktor Mesmer = Franz Anton Mesmer (1734–1815), Begründer des Mesmerismus. Er glaubte an die Heilkraft des Magnetismus aufgrund eines ‚Fluidums', das der menschliche Körper ausströme und das durch aufgeladene Gegenstände verstärkt werden könne
universi = Universums
Pascha = orientalischer Titel
Assuan = Stadt in Ägypten
zephirhaft = lieblich, sanft
Wispel = Gestalt in den Wispeliaden, humoristischen Geschichten von Eduard Mörike, z. B. „Sommersprossen von Liebmund Maria Wispel" (1837). Taucht auch in Mörikes Roman „Maler Nolten" (1832) als Bedienter der Helden auf.
Magister = akademischer Grad
Orplid = von Mörike und L. Bauer ersonnene Phantasie-Insel, taucht in mehreren ihrer Werke auf, z. B. in Mörikes „Der letzte König von Orplid" (in dem Roman „Maler Nolten", 1832)
en effet = wirklich

deliziös = köstlich
Tusculum = stiller Landsitz
distinguiert = vornehm
Meriten = Verdienste
recherchieren = nachforschen
très bien = sehr gut
aimable = liebenswürdig
offerieren = anbieten
sublim = erhaben, fein
Diskant = höchste Stimmlage
dero = deren
Pair = hoher Adelstitel
jovial = gönnerhaft
vous savez = Sie wissen
je vous assure = ich versichere Ihnen
Passionen = Leidenschaften
embarras = Verlegenheit
homme de lettres = Literat
vous comprenez = Sie verstehen

Isolde Kurz, Die Humanisten

Mediceer = Lorenzo I., der Prächtige (il Magnifico), Medici (1449–1492), Stadtherr von Florenz (1469–1492), unter ihm erlebte Florenz eine geistige Blütezeit, er sammelte in der Platonischen Akademie führende Humanisten um sich
Zyklop = einäugiger Riese der griechischen Sage
Piazzetta = kleiner Platz
Gonfalonen = Bannerherren
Magnifico = der Prächtige; Beiname von Lorenzo I. Medici
damasziert = geätzt; mit flammiger Zeichnung versehen
Insignien = Kennzeichen
Loggia = Laube; überdeckter Raum am Haus, der nach einer Seite offen ist
Lucco = Florentiner Langrock
Habit = Kleidung
Kapnion = griechische Form des Namens Reuchlin
Virgil = Publius Vergilius Maro (70 v. Chr.–19 v. Chr.), römischer Dichter
Kodex = Handschriftensammlung

vulgo = gemeinhin
Gehenke = Gehänge
Koller = Schulterpasse, breiter Kragen, Wams
Caldo = heiß
Fiasco = Flasche
Majordomus = Hausmeier
Manier = Art und Weise
Bambino = Jesuskind
Levante = die östlich von Italien gelegenen Mittelmeerländer
Konstantinopel = früherer Name von Istanbul
alter Ego = anderes Ich; vertrauter Freund
Hymen = griechischer Hochzeitsgott; antiker Hochzeitsgesang
Pelikan = Verballhornung von Pegasus, dem Musen- oder Dichterroß
Klerisei = Klerus, Priesterschaft
Apenninen = Gebirge in Italien
Johannes Reuchlin (1455–1522) = einer der wichtigsten Vertreter des deutschen Humanismus, Mitglied des Hofgerichts von Eberhard von Württemberg
Humanismus = geistige Strömung der Renaissance in Anlehnung an das Bildungsideal der griechisch-römischen Antike
Marcus Tullius Cicero (106 v. Chr.–43 v. Chr.) = röm. Staatsmann und berühmter Redner
Facetien = Schnurren, Schwänke, witzige Reden
Plato (427 v. Chr.–347 v. Chr.) = griechischer Philosoph
Toga = altrömisches Obergewand
kurulischer Stuhl = Amtsstuhl des höchsten römischen Beamten
suevisch = schwäbisch
Bibliomanie = krankhafte Bücherliebe
liber jocularis = das kurzweilige, spaßhafte Buch
Manen = die guten Geister der Toten im altrömischen Glauben
M. T. Ciceronis liber ... = das kurzweilige Buch des M. T. Cicero nun zum ersten Mal entdeckt und ans Licht gehoben
olympisch = göttlich, himmlisch
Zanzaren = Stechmücken
Oheim = Onkel
attisch = aus Attika, einer griechischen Halbinsel
Latium = Landschaft in Mittelitalien
Eidam = Schwiegersohn
Tullius = Marcus Tullius Cicero
Nekromant = Toten- und Geisterbeschwörer
Schwäher = Schwiegervater

Regulus = Marcus Atilius Regulus, römischer Konsul, schlug 256 v. Chr. die Karthager; geriet in karthagische Gefangenschaft, wurde als Unterhändler nach Rom entsandt und sprach dort gegen Karthago, obwohl er sich verpflichtet hatte, im Fall des Scheiterns seiner Mission nach Karthago zurückzukehren; starb dort unter Martern
Karthago = Stadt an der Nordküste Afrikas, 146 v. Chr. von den Römern zerstört
Dialektik = Erforschung der Wahrheit durch Aufzeigen und Überwinden von Widersprüchen
Vogelflug = Beobachtung des Vogelfluges war in Rom die bevorzugte Form der Zukunftsdeutung
Zikade = Insekt, vorwiegend in wärmeren Ländern verbreitet, die Männchen haben Zirporgane am Hinterleib
Cornelius Tacitus (55–116) = römischer Geschichtsschreiber, verfaßte mit „De origine et situ Germanorum" (von Ursprung und Lage Germaniens) das wichtigste römische Werk über Germanien
Facetiae = Facetien: Schnurren, Schwänke, witzige Reden
Val = Tal
Aloe = Pflanzen aus der Gattung der Liliengewächse
Scirocco = warmer Mittelmeerwind
Najade = Quellnymphe
Hymnus = Festgesang
Orpheus = Verballhornung von Morpheus, dem Gott der Träume
Helena = gemeint ist Penelope, die Gattin des Odysseus, die während der jahrelangen Abwesenheit ihres Gatten diesem die Treue hielt und alle Freier abwies
Ulysses = lateinischer Name für Odysseus
Mitra = gemeint ist die Hydra, eine mehrköpfige Schlange, der für jeden abgeschlagenen Kopf zwei neue nachwuchsen
Poet = Dichter
Goldenes Vlies = ein goldenes Widderfell in der griechischen Sage, das von Jason und den Argonauten nach Griechenland geholt wurde, wobei sie viele Gefahren zu bestehen hatten
Pietà = Darstellung der Maria mit dem Leichnam Christi auf dem Schoß
Phädra = Gemahlin des Theseus, verleumdete aus verschmähter Liebe ihren Stiefsohn und veranlaßte seinen Tod, beging anschließend Selbstmord. Titelheldin mehrerer Trauerspiele
Lucius Annaeus Seneca (um Chr. Geburt–65 n. Chr.) = römischer Dichter, Schriftsteller und Philosoph

Autorenverzeichnis

HAUFF, WILHELM

* 1802 Stuttgart † 1827 Stuttgart

Besuchte das Tübinger Stift, war Mitglied der burschenschaftlichen „Kompagnie“. Unternahm Reisen nach Frankreich und Norddeutschland. War Redakteur des „Morgenblatt für gebildete Stände“.

Werke (Auswahl): Lichtenstein (1826), Märchen-Almanach für Söhne und Töchter gebildeter Stände (1826), Mitteilungen aus den Memoiren des Satans (1828), Phantasien im Bremer Ratskeller (1827), Die Bettlerin vom Pont des Arts (1827), Novellen (1828).

HESSE, HERMANN

* 1877 Calw † 1962 Montagnola/Tessin

War Mechaniker, Buchhändler, später Antiquar in Tübingen. Lebte seit 1904 als freier Schriftsteller in Gaienhofen/Radolfzell. 1921 wurde er Schweizer Bürger und lebte später in Montagnola bei Lugano. Erhielt 1946 den Nobelpreis für Literatur, 1947 die Ehrendoktorwürde der Philosophischen Fakultät der Universität Bern.

Werke (Auswahl): Gedichte (1902), Peter Camenzind (1903), Diesseits (1907), Nachbarn (1908), Am Weg (1916), Siddhartha (1922), Der Steppenwolf (1927), Narziß und Goldmund (1930), Vom Baum des Lebens (1934), Das Glasperlenspiel (1943), Der Pfirsichbaum (1946).

HÖLDERLIN, FRIEDRICH

* 1770 Lauffen/Neckar † 1843 Tübingen

Sohn eines Klosterhofmeisters. Besuchte das evangelische Seminar in Maulbronn und das Tübinger Stift. Arbeitete als Hauslehrer, seit 1795 bei dem Bankier Gontard in Frankfurt, wo er sich in dessen Frau Suzette verliebte, die als Diotima in seinen Dichtungen erscheint. Mußte 1798 nach einem Streit mit Gontard dessen Haus verlassen. War dann Hauslehrer in Bordeaux. Bei seiner Rückkehr nach Deutschland 1802 zeigten sich erste Anzeichen geistiger Umnachtung. Wurde zu einem Tübinger Tischler in Pflege gegeben, wo er bis zu seinem Tod blieb.

Werke (Auswahl): Hyperion (1797), Die Trauerspiele des Sophokles übersetzt (1804), Gedichte (1826).

KURZ, HERMANN (bis 1848 Kurtz)

* 1813 Reutlingen † 1873 Tübingen

Studierte am evangelischen Stift in Tübingen, 1848 bis 1854 Leiter des liberalen „Beobachters" in Stuttgart, seit 1863 Bibliothekar an der Universitätsbibliothek Tübingen. Vater von Isolde Kurz.

Werke (Auswahl): Gedichte (1836), Dichtungen (1839), Schillers Heimatjahre (1843), Der Sonnenwirth (1855), Der Weihnachtsfund (1856), Erzählungen (1858), Aus den Tagen der Schmach (1871).

KURZ, ISOLDE

* 1853 Stuttgart † 1944 Tübingen

Tochter von Hermann Kurz. Lebte 1877 bis 1904 bei ihrem Bruder in Florenz. Unternahm auch später zahlreiche Reisen nach Italien.

Werke (Auswahl): Gedichte (1889), Florentinische Novellen (1890), Italienische Erzählungen (1895), Von dazumal (1900), Lebensfluten (1907), Florentinische Erinnerungen (1909), Deutsche und Italiener (1919), Nächte von Fondi (1922), Die Liebenden und der Narr (1925), Der Caliban (1926), Der Ruf des Pan (1929), Die Nacht im Teppichsaal (1933).

MÖRIKE, EDUARD

* 1804 Ludwigsburg † 1875 Stuttgart

Sohn eines Arztes. Besuchte das evangelische Seminar in Urach und das Tübinger Stift. Wurde mit 30 Jahren Pfarrer in Cleversulzbach. Ließ sich schon 1843 aus Gesundheitsgründen pensionieren. Heiratete 1851 die katholische Offizierstochter Margarethe von Speeth. Lebte bis zu seinem Tod in Stuttgart.

Werke (Auswahl): Maler Nolten (1832), Gedichte (1839/1844), Idylle vom Bodensee (1846), Das Stuttgarter Hutzelmännlein (1853), Mozart auf der Reise nach Prag (1856).

SCHILLER, FRIEDRICH [von]

* 1759 Marbach am Neckar † 1805 Weimar

Verlebte seine Jugend in Marbach und Lorch. Be-

suchte die Lateinschule und anschließend die Karlsakademie in Stuttgart, wo er Jura und Medizin studierte. Wurde 1780 Regimentsarzt. 1782 Erstaufführung seines Dramas „Die Räuber" in Mannheim. Als ihm der württembergische Herzog das Dramenschreiben verbot, verließ er Württemberg unter falschem Namen und floh nach Mannheim. 1787 siedelte er nach Weimar über. 1788 Begegnung mit Goethe. Erhielt durch Vermittlung von Goethe eine Professur an der Universität Jena. 1790 Heirat mit Charlotte von Lengefeld.
Werke (Auswahl): Die Räuber (1781), Fiesko (1783), Kabale und Liebe (1784), Don Carlos (1787), Geschichte des Abfalls der Niederlande (1788), Der Dreißigjährige Krieg (1791–1793), Über Anmut und Würde (1793), Briefe über die ästhetische Erziehung des Menschen (1795), Über naive und sentimentalische Dichtung (1795–1796), Das Lied von der Glocke (1799), Wallenstein (1800), Maria Stuart (1801), Über das Erhabene (1801), Die Jungfrau von Orleans (1802), Die Braut von Messina (1803), Wilhelm Tell (1804), Demetrius (Fragment, 1805).

WEITBRECHT, CARL
* 1847 Neu-Hengstett / Calw † 1904 Stuttgart
Sohn eines Pfarrers, Bruder von Richard Weitbrecht. Besuchte das evangelische Stift in Tübingen. Wurde 1876 Redakteur des „Neuen Deutschen Familienblattes", 1886 Rektor der Höheren Töchterschule in Zürich, 1893 Professor für Literatur an der Technischen Hochschule in Stuttgart.

Werke (Auswahl): Gschichta-n aus-m Schwobaland (1877), Verirrte Leute (1882), Nohmohl Schwobagschichta (1882), Schwäbisches Dichterbuch (1883), Sonnenwende (1890), Schwobagschichta (1898), Gesammelte Gedichte (1903).

Für die Abdruckgenehmigung zu Hermann Hesse („Im Presselschen Gartenhaus", aus Hermann Hesse, Gesammelte Werke, 1970) danken wir dem Suhrkamp-Verlag, Frankfurt, für die zu Isolde Kurz („Die Allegria" und „Die Humanisten") dem Rainer Wunderlich Verlag, Tübingen.

Inhalt